ポスト・ディストピア論

逃げ場なき現実を超える想像力

円堂都司昭

TOSHIAKI ENDO

Exodus

青土社

Paradise Lost

ポスト・ディストピア論　**目次**

ポスト・ディストピア論——逃げ場なき現実を超える想像力

Introduction　ディストピアの出入口
――『ジョジョ・ラビット』「ヒーローズ」

ディストピアをあつかった物語が、国内外でここ数十年ほど流行しているといっていい状態にある。各国における保守化と排外主義の高まり、世界的に経済的な格差が拡大していること、ジェンダーや人種・民族などの面で差別・分断されてきたマイノリティへの注目、監視技術の高度化などが、その背景にはある。近年では、二〇一九年以来の新型コロナウイルス感染症（COVID-19）が、パンデミックによる国際的混乱を招いた。また、中国が覇権主義を強め、ロシアが二〇二二年にウクライナ侵攻に踏み切ったことにアメリカが対抗する姿勢をとり、二十世紀にあった東西大国間の冷戦が、再燃しているようでもある。一方、日本では、二〇一一年の東日本大震災で津波による甚大な被害があったのに加え、東京電力福島第一原子力発電所の事故で放射性物質による汚染が発生し、今後も長期にわたってその処理にとり組まなければならない。震災の翌年に発足した第二次安倍晋三政権以降、この国の右傾化がいっそう進んでいるといった事情もある。安倍・元首相は、二〇二二年に演説中に銃撃され死亡した。大事には至らなかったが、二〇二三年八月には岸田文雄首相を襲撃する事件も起きた。そんな現状への不安や危機感が、人々のディストピアに対する関心を高めている。

トマス・モアの同名小説に由来するユートピアという言葉は、どこにもない場所を意味し、理想郷と訳される。その反対であるアンチ・ユートピアが、ディストピアと呼ばれる。だが、理想を実現するために厳格なルールを運用するユートピアは、ルールの拘束が強ければ人々から自由を奪い、同時にディストピアでもありうる。また、どこにもない場所の反対なのだから、今いるこの場所がディストピアだと、夢想されたユートピアに照らして現状を認識することもあるだろう。一方、社会の運営が理想的である状態を指すユートピアの対義語のディストピアは、社会の運営が悪夢的であることを意味するのだろう。核戦争や環境汚染などで社会が崩壊した終末的な世界を舞台とする場合をポスト・アポカリプス（黙示録以後）と呼び、ディストピアと区別するＳＦマニアもいる。終末的な世界をルールが失われたゆえに自由になったユートピアと見立てることも可能だし、そこに社会性がどれだけ残存しているかはとらえ方次第だろう。現在、ディストピアという言葉は、原義より広い範囲で使われている。本書では、理想郷と背中あわせの暗黒郷という意味に加え、ポスト・アポカリプス、悪夢のごとき現実も含む、今の使用実態に即した言葉としてディストピアをあつかう。

この『ポスト・ディストピア論』で全体のテーマとするのは、人々はディストピアの出口をどのように考えてきたかだ。現在流通しているディストピアのイメージを構成するモチーフを章ごとに選び、それを描いた作品を論じる。小説、実写の映画・ドラマ、アニメ、舞台、音楽など様々な形式の作品から、古典と近作をとりまぜて考察している。ジャンルや作品発表時期に幅を持たせたのは、多くのメディアにまたがり、いろいろな表現スタイルをとりうる物語というものが、長い時代にわたってディストピアに関心を寄せ続けてきたことが自ずと浮かびあがればと意識しての選択である。ただし、ディストピア作品を網羅しようとするものではない。また、人々がディストピアの出口をどのように考えてきたかを論ずる本書の性格上、対象となる作品の結末に触れざるをえず、いわゆるネタバレの領域に踏みこんでいることをあらかじめお断りしておく。

ディストピアの出口を考えるうえで本書のキー・イメージとしているのは、『旧約聖書』の「出エジプト記」（Exodus）だ。預言者モーセが、エジプトで虐げられていたユダヤ人を率いて脱出し、神が与えると約束した地にむかう。ここには、救いの可能性がある。だが、脱出してからも過酷な状況が待っており、人々はもとの場所にいた方がましだったと不平をいい、以後も神の教えを破るなど騒動が続く。そうした成りゆきは、『旧約聖書』で人類の起源を書いた「創世記」において、神の禁を破ったためにエデンの楽園から追放される（Paradise Lost）アダムとイヴのエピソードを連想させる。ディストピアとユートピアが背中あわせである以上、希望への脱出だったはずの行為が、楽園追放だったということもありうるのだ。

本書の核となるのはこのイメージであり、イントロダクションとして、映画『ジョジョ・ラビット』（二〇一九年）と、同作の最後に流れたデヴィッド・ボウイの曲「ヒーローズ」（"Heroes"）をとりあげる。ディストピアという言葉からまず連想される、国民を監視し管理する強権国家の古典的イメージの源泉には、ナチス・ドイツやソ連など現実の国家の存在があった。『ジョジョ・ラビット』は、第二次世界大戦中のナチス・ドイツを舞台にした映画だ。十歳の男の子・ジョジョは、アドルフ・ヒトラーを空想上の友だち（イマジナリー・フレンド）にしている。ヒトラーといえばユダヤ人を虐殺した独裁者だが、立派な兵士になることを夢見る当時の男の子にとっては、憧れの人だった。だが、ジョジョは、自宅の壁の奥にユダヤ人の少女・エルサが隠れ住んでいたことに気づく。ジョジョと二人で暮らしていたはずの母・ロージーは、ユダヤの少女をかくまっていたのだ。エルサは、通報すれば家にいる全員が死刑になるとジョジョを脅す。彼はそんな彼女に反発しつつも、たびたび会話を交わすうちに魅かれていく。

シリアスな題材だが、ウサギを殺せなかった臆病なジョジョがチョビ髭の独裁者と一緒に走り回る白昼夢を見るなど、思いきった設定で見る前の予想を裏切るコミカルな映画に仕上がっている。年上のエルサがジョジョを翻弄し、彼が年下なりに気を回すという姉弟のようなやりとりも楽しい。反政府活動、ユダヤ人への弾圧がそれぞれ強まり、ジョジョにも危険や悲劇が訪れるが、やがてドイツは敗戦を迎える。物語の幕が閉じる瞬間、「ヒーローズ」のドイツ語ヴァージョン「〝Helden〟」が流れ出す。そのタイミングで同曲の歌詞が聞こえてくるのが興味深い演出となっているのだが、日本での劇場公開時に字幕が付されず、歌の意味が伝わっていなかったのが、私には不満だった。『ジョジョ・ラビット』では、映画音楽界の売れっ子マイケル・ジアッキーノがスコアを書いたほか、クラシック、ジャズ、ロック、ポップ、ラテンなどから様々な既成曲が使われている。オープニングで流れるのは、ザ・ビートルズ「抱きしめたい(I Want To Hold Your Hand)」のドイツ語版「Komm Gib Mir Deine Hand」だ。まず冒頭で、アイドルとして熱狂的歓声を浴びたザ・ビートルズと、カリスマ性のある指導者として演説で大衆を酔わせ絶大な支持を得たヒトラーが、重ねあわされる。その熱狂や支持は、独裁者を心の友にしたジョジョのものでもある。しかし、エルサとの交流で次第に考え方や気持ちが揺さぶられ、ナチスが敗れその価値観が否定されたことでジョジョは変化するのだ。エンディングで新時代の到来を告げるように「ヒーローズ」は鳴り響く。

ただ、一九七七年にレコーディングされた同曲の制作背景を知っているならば、もう少し複雑な感想を抱くはずだ。第二次大戦後、世界はソ連を中心とする社会主義圏とアメリカを中心とする自由主義圏が対立する東西冷戦時代を迎える。象徴的なのが国家を東西に分断されたドイツであり、以前の首都ベルリンも市内に壁が築かれ東西の行き来が禁じられた。ボウイが、西ドイツのベルリンの壁に近いスタジオでアルバム『ヒーローズ』を録音したことは、ロック界では有名な話である。彼は、同作プロデューサーのトニー・ヴィスコンティが壁のそばで恋人を抱きしめる光景を見て、タイトル曲の歌詞を着想したという。二〇一六年一月にボウイが死去した際、ドイツ外務省は「ベルリンの壁崩壊への助力をありがとう」とインターネットに投稿した。一九八七年にボウイは西ベルリンの壁近くでコンサートを催し、「ヒーローズ」を歌って壁の向こう側に呼びかけたのだった。もともとこの曲は、分断を象徴する壁に対して愛を歌った内容である。今ではポジティブなイメージが強くなった曲だ。ただ、原題は「"Heroes"」でありカッコ付きの「英雄」である。メインフレーズの「私たちは英雄になるだろう」には「一日だけ」と続く。皮肉も感じられる曲なのだ。

「ヒーローズ」の歌の中で恋人たちは、頭上を銃弾が飛び交う壁の脇でキスをする。歌詞に「壁」という言葉が登場するし、それが字幕で表示されていれば、映画の観客はドイツの戦後史を容易に思い出せただろう。『ジョジョ・ラビット』では、ヒトラーを信奉する少年とユダヤ人少女の間にあった心理的な壁が溶けていく。ドイツの敗戦は、両者を対立させていた国家の論理の崩壊であり、自由への希望である。だが、以後の現実では東西冷戦の新たな対立が生まれ、物理的な壁が築かれた。そのベルリンの壁も、冷戦終結に伴い一九八九年に崩壊した。こうした歴史を勘案すると、映画の締め括りに流れる「ヒーローズ」は、ポジティブなニュアンスばかりとはいえない。ボウイにはポップ・アートの巨匠の名前をタイトルにした「アンディ・ウォーホール」という曲もあった。一九六〇年代にウォーホールは、テレビなどマスメディアの発達を背景に「誰でも十五分間有名になれる」と発言した。それと同種の風刺が、銃弾が飛び交う死に近い場所で「私たちは一日だけ英雄になれる」と歌った「ヒーローズ」にも感じられる。

同曲の「〝　〟」がはずれた印象になったのは、アフリカ難民救済を掲げた一九八五年のライヴエイドでボウイが歌った頃からだろう。以後の彼は、エイズ撲滅のための基金作りでもあった一九九二年のフレディ・マーキュリー追悼コンサート、アメリカでの9・11同時多発テロの救出活動をした人々と家族の支援を目的にした二〇〇一年の「コンサート・フォー・ニューヨーク・シティ」など、チャリティ公演のたびに「ヒーローズ」を歌った。チャリティに参加することで「一日だけでも英雄になろう」と観衆に前向きに呼びかけたわけである。また、『ジョジョ・ラビット』以前にも「ヒーローズ」はたびたび映画に使われており、なかでも印象的だったのは、実話をベースにして西ドイツの麻薬中毒に陥った少女を主人公にした『クリスチーネ・F』（一九八一年）だ。ヒロインはボウイ・ファンであり、ライブのシーンで本人が登場するほか、映画では彼の曲が多く使われた。「ヒーローズ」は、少年少女たちが盗みを働き警官たちに追いかけられるシーンで流れる。「英雄になれる／一日だけ」のフレーズが、彼らの刹那的な高揚感を表現していたのだ。

こうした使用例を振り返ると、『ジョジョ・ラビット』の「ヒーローズ」も二重の意味を持っていたように感じられる。ジョジョは、差別意識を捨てエルサに寄り添うことで、新しい時代の「英雄」になれるだろう。だが、ヒトラーを心の友にして兵士になることを夢見ていた頃も「英雄」気分だったのである。ジョジョは、チョビ髭の独裁者を空想上の友だちとする楽園から追放されたが、より自由で分け隔てない価値観の世界へ脱出できた。だが、まだ子どもである彼の「英雄」的な思考や行動は、壁を作る側、壊す側、どちらにでも傾きうる。そこは、ディストピアの出口でも入口でもありうるのだ。

Chapter1　パンデミック／汚染　Pandemic/Pollution

1　警告と預言――『ペストの記憶』『ペスト』『復活の日』

確率を生きる

　新型コロナウイルス感染症は、二〇一九年末から中国から世界へ広まったとみられている。各国で猛威をふるったが、なかでも初期に爆発的に感染者が増加し、多くの死者が出たのがイタリアだった。そのように事態が悪化した二〇二〇年二月末から三月前半にかけて書かれたパオロ・ジョルダーノのエッセイ『コロナの時代の僕ら』が、日本でも同年四月に翻訳され、当時は最も早いコロナ文学として話題になった。ローマで自らを隔離状態にしたイタリアの作家が、コロナ禍をどのように受けとめたかを語ったものだ。情緒的な内容ではない。代表作に『素数たちの孤独』と題された小説があり、物理学の博士号を有するジョルダーノがコロナと対峙する際にこだわるのは、数学だ。「感染症の数学」、「日々を数える」といった章があるのが象徴的である。自身を「数学おたく」と認める著者は、「文章を書くことよりもずっと前から、数学が、不安を抑えるための僕の定番の策だった」という。

　コロナ禍では、様々な数字が取り沙汰された。感染者、死者、回復者をカウントするのをはじめ、出歩けなくなった日々、暴落した株価の損失、マスクの供給、この危機が去るまでの時間など、このウイルスが広まって以降、人々は様々なものを数えないではいられなくなったのである。数字がパニックを生む原因だとして、情報を発信する側が数字を隠したり少なく見せたりする動きもあった。ジョルダーノは、人々が数をどう扱ったかを追うことで社会の混乱を描いていく。その一方で彼は、本の前半で事態収束への筋道をひとつの数学として記してもいた。コロナウイルスにこれから感染しうる人、すでに感染した人、もう感染しない人の三グループに現在の人類が分類され、ひとりから伝染する人数が一未満になれば終息すると説明する。それを「僕たちの我慢の数学的意義」と呼ぶ。ジョルダーノは、数学とは数の科学ではなく関係の科学だとして、こう定義する。

数学とは、実体が何でできているかは努めて忘れて、さまざまな実体のあいだの結びつきとやり取りを文字に関数、ベクトルに点、平面として抽象化しつつ、描写する科学なのだ。（飯田亮介訳）

そのように抽象化した見方をすることが、事態を冷静にとらえることにつながるのだ。一人ひとりの違いを度外視して同等の数扱いすることは、名前ではなくナンバーで国民を呼ぶディストピア的な冷たさを思わせる面もあるだろう。例えば、エヴゲーニイ・ザミャーチン『われら』は、そういう設定のディストピア小説の古典だ。しかし、ジョルダーノは、エッセイで数学的思考ばかりを展開するわけではない。一週間もすれば元に戻れると甘い見通しが話されていた夕食の席で、日本人の妻が「中国に帰れ」といわれたことなど身近な友人たちのエピソードを記すほか、著者がかつて手足口病になり自宅隔離を余儀なくされた経験をふり返っている。無機質な数には還元できない人間くさい言動も語られているのだ。

コロナ禍に関しては、フランスのマクロン大統領など、戦争に喩えて緊急性を訴える政治家がおり、独裁や人権の停止に結びつくのではないかと議論になった。中国のように実際に規制を極度に強めた国もあった。だが、ジョルダーノは、比喩として持ち出された戦争と感染症は異質であり「恣意的な言葉遊び」だと批判する。『コロナの時代の僕ら』を読んでいて私が思ったのは、むしろコロナ禍の状況とミステリ小説の相似だ。パンデミックでは、死者をはじめ病気の被害者が存在する。ジョルダーノは自分たちを「自宅軟禁の刑に処された受刑者」に喩える。彼は新型ウイルス発生の背景に環境破壊があり「僕たちのせい」だと述べるが、それは「どうしても犯人の名を挙げろ」という声が世間にあることを意識したうえでの発言だ。また、誰から誰へウイルスが伝染したかしなかったかを探るのは、アリバイ調べのようなものだろう。犠牲者、犯人捜し、罪を問う声……。ミステリ小説にありがちなモチーフで、コロナ禍は語られた。

感染症は「僕らのさまざまな関係を侵す病だ」とする著者は、関係の科学である数学の見方を使い、抽象化して状況をとらえようとした。こうした態度は、不可解な謎を論理的に推理して解き明かす、いわゆる本格ミステリのありかたに近い。このジャンルでは、真相の意外さを追求して無茶なトリックも考案されてきた。パズルのごとき遊戯として、人を人ではなく、体もただの部品のように扱って数として操作するような発想である。そのなかで、江戸川乱歩が考察したことでも知られるプロバビリティー（確率）の犯罪は、コロナ禍の思考に通じるところがあったと思われる。乱歩は、評論「プロバビリティーの犯罪」でそれをこう説明していた。

確率を計算するというほどではなくても、「こうすれば相手を殺しうるかもしれない。あるいは殺し得ないかもしれない。それはその時の運命にまかせる」という手段によって人を殺す話が、探偵小説にはしばしば描かれている。

ミステリとしては、だからその種の手段を用いて完全犯罪を企むというストーリーになる。一方、コロナ禍の人々は、自分が誰から病をもらうか、誰にうつすかわからない。気づかぬうちに自分が被害者に、加害者になりうるし、誰もが容疑者にみえて共犯者になりうる確率的可能性だらけの世界に生きていた。ワクチン接種の広まりなどで状況が落ち着き始めた後は、感染者増加で医療がひっ迫していた頃の様々な規制や対策が解かれ、社会はほぼ以前の日常をとり戻している。だが、感染や死の確率をどうとらえるかで、マスク着用など個々人の対策に関する意識は異なっている。コロナ禍の最中には進行する事態への対策とともにポスト・コロナを考える出口戦略、出口論も盛んに語られた。では、我々は本当に出られたのかといえば、まだ確信できないところがある。『コロナの時代の僕ら』日本語版のあとがきとして収録された「コロナウイルスが過ぎたあとも、僕が忘れたくないこと」は、今読み返すと重く響く。

コロナウイルスの「過ぎたあと」、そのうち復興が始まるだろう。だから僕らは、今からもう、よく考えておくべきだ。いったい何に元どおりになってほしくないのかを。

この言葉は、日本の人々に複雑な感情を喚起するはずだ。新型コロナをめぐり日本政府が二〇二〇年四月に緊急事態宣言を発出する直前まで、この国は原発事故を伴った大震災からの復興を掲げた東京2020オリンピックの準備を進めていた。オリンピックは結局、一年延期されたうえ無観客開催となったが、その復興は、元どおりになってほしくないことを含んでいなかったか。また、コロナ禍の危機が「過ぎたあと」に進むコロナからの復興において、元どおりになってほしくないことを私たちは忘れずにいられたのか。本章ではそのことを意識したうえで、パンデミックをあつかったフィクションについて考えてみたい。

デフォーとカミュの隔離観察

二〇〇〇年代から二〇一〇年代にかけて、インターネット上でユーザー同士がやりとりできるSNS（ソーシャル・ネットワーキング・サービス）が普及した。それがソーシャル化と称され、コミュニケーションの新しい可能性であるような議論が展開された。離れた場所にいる人同士が、必ずしも同時に参加しておらずタイムラグがあったとしても、同じタイムライン、あるいは同じ動画の同じ再生時間を共有することで疑似的に同時性を共有できる。そんなプラットフォームが新たな速報性と娯楽性のライヴ感を生み、ツイッター（二〇二三年にXへ改称）、フェイスブック、ユーチューブ、ニコニコ動画などが人気を集めた。SNSは、二〇一一年の東日本大震災など災害時の情報共有ツールとして使われ、社会的役割も期待されたのである。

しかし、正しくない情報の拡散、目立ちたいがための犯罪に相当する悪ふざけの投稿、敵と認定した相手への誹謗中傷の殺到、いわゆる炎上騒動など、次第に負の側面のほうが目立つようになる。そして、コロナ禍で感染症予防対策としてソーシャル・ディスタンスという言葉が繰り返されるようになった。これはウイルスの飛沫感染を避けるため、互いがあまり近づかず、物理的に対人距離をとろうという呼びかけだった。密集、密接、密閉の三密を避けようというスローガンも同様な意味である。そのように制限されたリアルでのコミュニケーションの代替として、オンラインでのリモート（遠隔）の会議や面会が推奨された。

かつてのソーシャル化は、生身のリアルに付加されるオンラインの好ましい要素として語られた。それに対し、ソーシャル・ディスタンスが唱えられる状況では、制限され不自由になったリアルを補完するため、とらざるをえない代替手段としてリモートでの対応がなされたわけだ。前者に比べ、消極的な意味あいなのは否めない。ソーシャル化とソーシャル・ディスタンスでは、生身のリアルとネットを介したリモートに二重化された現在のソーシャル・コミュニケーションの受けとめかたが異っており、「ソーシャル」という言葉のニュアンスがポジティヴからネガティヴへと反転してしまっている。

一方、新型コロナウイルスの世界的流行（パンデミック）が顕在化した二〇二〇年以降、感染症を扱った過去の小説が再評価され、よく読まれた。海外作品に関してはダニエル・デフォー『A Journal of the Plague Year』（一七二二年）、アルベール・カミュ『La Peste』（一九四七年）の邦訳が書店で平積みになった。いずれもペストが猛威をふるう地域で人々がどう行動したかを描いたものだが、どちらの作品でも隔離という対策が物語で重要な意味を持つ。患者だけが隔離されるのではなく、周囲の人々、地域の人々も囲いこみの対象となる。三密の回避やソーシャル・ディスタンスの要請とは、患者になって隔離されたくなければ他人と距離（ディスタンス）をとれということを意味してもいた。疫病だけでなく距離を求められる状況が、それら二つの古典とコロナ禍で重なっていたのだ。

先にあげたカミュ作品の邦題は原題そのままの『ペスト』で定着しているが、デフォー作品は文庫本で最も手にとりやすい平井正穂訳が『ペスト』と題されているほか『疫病流行記』（泉谷治訳）、『ロンドン・ペストの恐怖』（栗本慎一郎編訳）、『ペストの記憶』（武田将明訳）などの邦題がある。ここではカミュ作品と区別するため、デフォー作品は『ペストの記憶』と呼ぶ。

『ペスト』より二百年以上早く発表された『ペストの記憶』は、『ロビンソン・クルーソー』の作者として知られるデフォーが、一七二〇年に隣国フランスでペストが発生したと知り、ロンドンも危機に陥るかもしれないと思ったのが執筆の動機だった。彼は、過去の一六六五年にロンドンを襲ったペストに関する見聞を『ペストの記憶』にまとめ、同時代への警告とした。実際にペストが流行した時にはまだ五歳だったデフォーは、その頃ロンドンに住んでいた叔父をモデルにして同作の語り手H．F．を設定したといわれる。一つの大きなストーリーがあるわけではなく、雑多なエピソードを集積した内容である。死者数の報告や法令の引用が挿入される『ペストの記憶』は、ノンフィクション風のスタイルをとった小説なのだ。

ペストが広がり始めたロンドンから富裕層をはじめとする人々が、市から健康証明書をもらって逃げ始める。感染した恐れのある彼らを受け入れたくない周辺地域とは摩擦が起きる。また、市外へ逃げたとして残した家財の管理はどうするのか。治安が乱れるなか、貧困層でなくても持ち主不在の商品をさほど罪悪感のないまま盗むものが現れる。行政は感染対策として芝居や宴会、店での飲酒の禁止を打ち出す。また、ペスト患者が出た家屋を封鎖し、健康な同居人も含め外出を禁じる。対象となった封鎖家屋には監視人をつけたが、彼らに暴力をふるったり、目を盗んだりして脱出するケースが続出する。そうした街の混乱の数々が、一市民であるH．F．の立場から記述されていく。彼は、兄のすすめでロンドンからの疎開を考えていたものの、馬が手に入らないなど予定が先延ばしになり、これは「神のご意志」だと残ることを決めた人物と設定されていた。

一方、「一九四＊年」の物語と設定されたカミュの『ペスト』は、彼の代表作『異邦人』と同様に不条理がテーマだといえる。舞台となるのは、作者の出身地でフランスの植民地だった北アフリカのアルジェリア。ペストの発生により封鎖されたオラン市の人々の苦境が、リアリスティックに描かれる。ただ、エピソードや見解の寄せ集めの印象が強くルポルタージュ風だった『ペストの記憶』とは違い、『ペスト』には登場人物らしい登場人物とストーリーが存在している。

ネズミの死が続発した後、熱病の症例が増えだす。医者たちは伝染性であることを疑い、新規患者の隔離を医師会会長に要請するが、県の手続きが必要と返答される。また、作中には、世間はそれに病名をつける勇気がなく、冷静さを失うなとだけいいたがると指摘するセリフもある。この事なかれ主義は、我々にもなじみ深いものだろう。

しかし、ついにオラン市は感染症対策として外部から遮断され、病毒の媒介を理由に手紙が禁じられ、市外電話も停止されて連絡手段は電報だけになってしまう。公益のための政策は、離れ離れになる人々を考慮しない。お上の措置によって不利益になっても、ペストが勘定を払ってくれるわけではない。死者の病院費用を市の予算で賄うか近親者が弁済するかは役所の事務、経理にかかわってくる。新たな血清作りが行われるものの、一般化するためには工業的な量が必要になる。治療する側がマスクをするのは、役に立つからというより、そうすれば患者が安心するからだ。入院隔離を強いられる患者は実験材料になるのはいやだといい、発症していない人々も自宅への流刑を命じられた状態である。そのように各種の混乱が描かれていく。

療養先にいる妻と離れ離れになったまま、治療活動にあたる医師リウー。一時滞在中に市が閉鎖されたため、フランスに残した恋人と会いたいと出国手段を探す新聞記者ランベール。罪を犯し、いつ捕まるかという状態だったので、都市封鎖によってむしろ元気になっていたコタール。検事の息子であり、人が人を裁き死罪の決定を下す社会にいることはその死に間接的に同意することだと苦しんでいたタルー。異なる価値観を持つ登場人物たちが、感染拡大にどう反応したかが語られる。小説全体は、リウーの記録、タルーの手帳によって伝えられた形をとる。

『ペストの記憶』では死亡週報で死者数が伝えられるが、情報の即時性があるのは新聞、パンフレットくらいでメディアが未発達だった時代だ。『ペスト』では用紙不足で定期刊行物のページ数が減らされる一方、「病疫時報」なる新聞が創刊されたりするが、市外電話や手紙は禁じられ電報しか外部との連絡手段がなくなる。それが当時のソーシャル・ディスタンスであり、リモートでつながれるインターネットという代替手段がとりあえずある現代のコロナ禍とは違っていた。とはいえ、感染者を、その接触者を、感染地域を隔離し、できるだけ人流を止めることが対策となる点は、『ペストの記憶』の昔から今まで変わっていない。コロナ禍の論点の大部分は、そんな古典の時代から指摘されていたのであり、だからこそ予言の書であったかのように再発見された。

対策を打つものの後手後手で人々はどんどん追いつめられていく。特にそうした推移がフィクションとしてメリハリをつけて書かれている『ペスト』は、パンデミックを含め異常気象や大事故など、パニックが発生する状況を題材にしたディザスター（災害）映画のパターンを先どりしていたようにも感じられる。ただ、ハリウッド的なエンタテインメントとしてのディザスターものの場合、過酷な事態に立ちむかうヒーローが主人公だ。『ペスト』でも視点となる主要人物は医師のリウーであり、確かに病気に立ちむかっている。だが、有効な治療法はなく、人を救うためではなく隔離対象を選別するための仕事にならざるをえない。無力なのだ。彼は、ハリウッド的な活躍はしない。

疫病と戦争

『ペスト』のエピグラフにはデフォー『ロビンソン・クルーソー』から次の文章が引用されており、カミュが同じ作者の『ペストの記憶』を踏まえて執筆にあたったことがうかがえる。

ある種の監禁状態を他のある種のそれによって表現することは、何であれ実際に存在するあるものを、存在しないあるものによって表現することと同じくらいに、理にかなったことである。

ダニエル・デフォー

（カミュ『ペスト』宮崎嶺雄訳、新潮文庫版）

この引用からも『ペスト』のテーマが監禁状態であることがわかるが、それは感染症対策としての隔離だけを指すのではない。第二次世界大戦の終結からまだ間もない一九四七年に発表された『ペスト』における感染症の猛威が、ナチズムの暗喩であったことは作者自身が認めている。「ある種の監禁状態を他のある種のそれによって表現する」とは「ナチズムの監禁状態をペストのそれによって表現する」を示唆していたのだ。デフォーを引用することで、彼の『ペストの記憶』とはまた違う意味を『ペスト』の伝染病が含んでいるとカミュはほのめかしたわけである。

人々の行動が、権力によって制限されてしまう。あいつは健康な市民ではない（ユダヤ人、障碍者、反政府主義者など）と密告することが奨励される。そんな徴づけが突然行われ、自分がいつ死ぬことになるか予測できず、なぜ自分が選ばれたかもわからない。危機を乗り越えるため、意識の共有が求められ、総動員体制が当然視される。そうした戦時下のファシズム体制と感染症対策が最優先される状況が『ペスト』では重ねあわされている。コロナ禍に見舞われた国家の対策について、戦争の比喩が持ち出されがちだったことは記憶に新しいし、その意味でもパンデミックの状況下で『ペスト』が再注目されたのは当然のなりゆきだった。

『ペスト』では、疫病が広まる初期段階に「この世には、戦争と同じくらいの数のペストがあった」、「そしていかにも、戦争というものは確かにあまりにもばかげたことであるが、しかしそのことは、そいつが長続きする妨げにならない」という文章が出てくる。人々を巻きこむ力として戦争と感染症の類似が書きこまれている。住民に被害をもたらす感染症の拡大に対抗するため、普段は行使しない権力を行使する行政は、戦争に相当する非常時と考えているわけで『ペスト』だけでなく『ペストの記憶』も戦時下のような物語として読むことができる。

それに対し、感染症と戦争の重ねあわせ自体を物語の骨格としていたのが、小松左京『復活の日』（一九六四年）である。同作は、アメリカとソ連の二大国を中心に東西の勢力が対峙した前世紀の冷戦時代の世界状況を踏まえて発想され、パンデミックから核戦争へ至る破滅的なヴィジョンを描いていた。これもコロナ禍で再注目された小説として代表的なものだった。

「チベットかぜ」と呼ばれるインフルエンザが世界で蔓延し、心臓発作も多発する。前後して「仮性鶏ペスト」と呼ばれるニューカッスル病が流行し、鳥が大量に死ぬ。このため、インフルエンザのワクチン製造に必要な受精卵が入手困難になってしまう。各国で死者数が激増する一方、動物が大量に死に、南極にいた一万人以外の人類は滅亡という状況になる。そもそもの原因は、宇宙由来で毒性の強い生物化学兵器「ＭＭ－八八」が盗難後に漏出したことだった。

このようなストーリーを持つ『復活の日』の場合、防疫学の権威がペストの大流行のような重大問題になると声明を発したにもかかわらず、世界各国がたかがインフルエンザと侮ったことで破滅を早めたとされる。事態を軽視するうちに死者が急増する展開なので『ペストの記憶』や『ペスト』とは違って隔離が感染対策としてクローズ・アップされることはない。この点は、新型コロナウイルスの死者や重傷者がいくら多数にのぼっても「たかが風邪」と主張する人々がいなくならなかったことを先どりしていたかのごとく感じられた。だが、パンデミックから免れられた南極の人々は、結果的に意図せずして自分たちを隔離していたという皮肉な設定である。

ＳＦの大家だった小松左京といえば震災が発生するたびに、地殻変動で地震や火山噴火が頻発した後に列島が海に消滅する設定の『日本沈没』（一九七三年）が警告の書だったといわれる。『復活の日』も、コロナ禍で読むと警告を含んでいたと感じられたものだ。発症者増加で東京の電車のラッシュが緩和され、野球の試合は軒並み中止で株は暴落。同作のその記述は、コロナ対策として最初の緊急事態宣言が発令された時にあったこの国の緊張感とオーバーラップするものだった。また、宣言に伴い、政府や自治体が発した営業や外出の自粛要請に国民が応じ、同調圧力が急速に高まったコロナ禍の一時期の状況は、『復活の日』で国難を乗り越えるため戦中に似た挙国一致体制に進む点と近しくみえた。

前回の東京オリンピックが開催された年に発表された同作は、米ソ対立の冷戦構造を背景に執筆されてはいたものの、特定の国が人類に終末をもたらしたとする内容ではない。互いに情報やモノを盗みあう国家間の疑心暗鬼が、大量殺戮兵器を作りだしたのだと語る。小説ではMM―八八が世界のほとんどを滅ぼした後、なお核ミサイル発射の脅威が迫り、南極の生き残りのなかから有志が最悪の事態を回避しようと動く。

新型コロナウイルスに関しては中国から感染が広まった経緯から、その地域の武漢研究所で開発された生物兵器が流出したのではないかとする説が根強くいわれ続けた。中国はそれを否定する一方、報道官が「米軍が持ちこんだのかもしれない」と主張し物議を醸す局面もあった。また、パンデミックが始まった時期にアメリカ大統領だったドナルド・トランプが「チャイナ・ウイルス」とことさら中国と結びつけた呼称を用いて対立を助長したことと、コロナを理由に各国でアジア人差別が起きたことが無関係とは考えられない。『コロナの時代の僕ら』でジョルダーノは、戦争を感染症の比喩として使うことを批判したが、国家間で疑いあう現実が、そうした比喩を招き寄せる面もある。

ペスト、新型コロナウイルス、そしてフィクションであるMM―八八は、感染が拡大する過程で無差別に人を襲う。感染症は、人種、民族、身分を区別しない。『ペストの記憶』では「死亡週報」による死者数の広報についてたびたび言及され、『ペスト』では「さまざまの数字が彼の記憶のなかに漂い、そして歴史に残された約三十回の大きなペストは、一億近い死亡者を出していると、彼は胸につぶやいた」と医師リウーの胸中が綴られる。『ペスト』にはタルーが死亡者を記録したカードを見せ「われわれに残された唯一のものは、つまり簿記の仕事ですよ」と話す場面もある。生前の立場がどうであれ、病死者は数えられるデータとして処理される実態が示されているのだ。

『復活の日』の地の文にも「ヒロシマ原爆の即死者七万人」と数をふり返った後、スペインかぜの死者二千万人は「だが、世界人口にくらべたら、毛ほどの数じゃないか」と述べ、やがて破滅をもたらす「チベットかぜ」の罹病者三千万人、死亡率二五%超えの記事について「その数字の意味を実際に、具体的に、わが身にひきよせて考えたら、どうだろう?」と問う部分があった。感染症の蔓延によって個々の人々が等価な数扱いされてしまう残酷さが、これらの作品には書きこまれている。

労働の格差、『首都消失』と地方の浮上

とはいえ、混乱した状況のなかで数を的確に把握できるわけがない。『ペストの記憶』では、病魔による命の危険も恐れずに教区の世話役、下級の役人が働いたものの、彼らは正確な死者の数を報告して(できて)おらず、記録は信用できないことが語られる。様々なところで誤認が起こり、しきりと数が話題にされるのにその数が信じられない。そうした数への不信は、コロナ禍でもみられた。

ただ、感染症は無差別に人を襲うとはいえ、実際に誰が打撃を受けるかには偏りが生じる。『ペストの記憶』では、まず富裕層が使用人を連れて市外へ逃げだし、地方に友人や土地を持つ人も脱出を図った。経済的に余裕のない人々は取り残され、働き続けようとしたが仕事は減っていく。帽子、靴、手袋、家具など様々なものを作る職人たち、水夫、荷馬車、荷揚げ人夫など海運・貿易関連、レンガ職人・石工・大工など家屋建築関連は需要がなくなって職を失い、家計が切り詰められるなかで奉公人がお払い箱になった。また、『ペスト』では、ホテルの支配人が宿泊客の減少を嘆く場面で語り手が「観光業の破滅」と表現する。

さらに『ペストの記憶』、『ペスト』、『復活の日』ではいずれも、病者の看護、死者の埋葬をする人員の不足が語られた。このことは、コロナ禍でエッセンシャル・ワーカー(必要不可欠な労働者)が注目されたことを想起させる。感染対策として不要不急の行動の制限や自粛がされるなか、医療・福祉、

小売、通信・配送、公共交通、農業、保育、清掃など社会生活の維持に欠かせない労働の大切さがいわれた。そういう状況だった二〇二〇年にデヴィッド・グレーバー『ブルシット・ジョブ　クソどうでもいい仕事の理論』（二〇一八年）の日本版が刊行され注目されたのは、皮肉な出来事だった。

同書が語るブルシット・ジョブ（クソどうでもいい仕事）とは、雇用のための雇用であるような、不必要な仕事を指す。市場原理で作業効率化や人員削減が図られるが、対象となるのは現場の労働者である。その指示を出す側のオフィスの人員は、会議のための会議にむけて無意味な報告書を作成したりしている。その種の仕事もどきが、ブルシット・ジョブだ。コロナ禍におけるエッセンシャル・ワーカーへの注目が、それと対照的なブルシット・ジョブへの注目につながった。グレーバーは「リベラシオン」（二〇二〇年五月二十八日）への寄稿「コロナ後の世界と「ブルシット・エコノミー」」でこう書いていた。

> 今日の必須の仕事（エッセンシャル・ワーク）のほとんどは、何らかの種類のケア労働であることが明らかになった。他の人びとの世話をし、病人を看護し、生徒に教える仕事。物の移動や修理、清掃や整備に関わる仕事。人間以外の生き物が繁栄していけるための環境づくりに取り組む仕事。
>
> （片岡大右訳）

医療、葬儀、交通、配達、インフラ設備のメンテナンスなど、人やモノをケアするエッセンシャル・ワーカーは、テレワークが可能な職種と異なり、現場に行って働かなければならない。そのぶん、感染リスクは高まる。だが、社会的に高度な技術職と認識されている医者などはともかく、エッセンシャル・ワーカーの多くは、看病、子育て、掃除など家庭において無償で行われることの延長のようにとらえられ、賃金の程度に示されるごとく社会的に軽視されてきたといえる。必要不可欠であるにもかかわらず、シット・ジョブ（労働条件の劣悪な仕事）を強いられているのだ。少なくともこの国ではそうだろう。飲食店への営業自粛要請に協力金の額や給付スピードが釣りあっていなかった日本政府のコロナ対策にも、職種への軽視がうかがわれた。経団連に対するテレワーク推進については、飲食店対策ほど強い要請はしなかったのだから。

感染症の流行は、経済的階層、職業の違いによる分断を招く。『ペストの記憶』では、民家にいる看護師が面倒をみている病人を虐待し殺害しているという噂が広まっていた。だが、語り手は、死の近いものを殺すのは理屈にあわない、どこで聞いても同じ話ばかりだと噂の信憑性を疑う一方、それに類した事実もあったとしている。様々な職種の動向をとらえた同作では、疫病蔓延における相互不信の高まり、特定の立場に対する差別意識の発生が描かれる。

『ペストの記憶』は、あらゆる階級から驚くほど多額の義援金が寄付されたと記すと同時に、群衆の暴動が引き止められた皮肉な理由を指摘していた。金持ちの家に食料が蓄えられていなかったため、略奪の標的にならなかったこと。また、ペストに多くの貧民の命が奪われたことが、彼らによる暴動の回避につながったというのだ。苦境に陥ったロンドン市に暴徒に対抗できる正規軍はなく、民兵の招集も無理だったが、ペストは大勢が武器をとる状況自体を不可能にしたのである。

しかし、『ペストの記憶』ではロンドンの内部における大規模な争いは避けられたものの、感染を恐れて市外へ逃げようとする人の群れに対し、隣接する町村の住民が残酷なふるまいをし、追い返すケースが多かったとしている。また、外国でイギリス商品の取引が拒絶され、イギリス船の入港が拒否される一方、ロンドン以外の港が貿易でにぎわう様子がみられたという。これらの記述は、東日本大震災で原発事故があった福島の商品が、一時期は安全性確認の有無にかかわらず忌避されたこと、コロナ対策で緊急事態宣言が発令された初期に感染流行地域からの人の移動自粛が要請され、地域で密告や嫌がらせもみられたことを連想させる。二〇二三年に日本が、福島の原発事故による放射性物質を規制基準以下に処理した水を海洋放出した際、地元漁業関係者が反対したほか、中国が日本の水産物を輸入禁止とするなど、内外の一部で反発がみられたことも記憶に新しい。感染症の流行は、そうした地域間の軋轢を招く。穢れを忌避する感覚だろう。

　コロナ禍で『復活の日』が再注目されたことはすでに述べたが、日本政府が緊急事態宣言を発令する直前の二〇二〇年三月後半に小池百合子・東京都知事が「ロックダウン」の可能性を口にした際には、同じく小松左京作品である『首都消失』（一九八五年）が一部で話題になった。「ロックダウン」＝首都封鎖から『首都消失』の書名が連想されたのだが、結局、日本では法制度の違いから海外で実施された強制力のあるロックダウンは行われず、行政が民間に自粛を要請し同調圧力を誘う形となった。その同調ぶりは、自粛警察的な相互監視から、やがて「赤信号、みんなで渡れば怖くない」的な等閑視へと変転していったのだが、緊急事態宣言が最初に発令された際には世間にかなり緊張感が生じたし、その状況をどうとらえるべきか、『首都消失』が示唆するところは少なくなかった。

　『首都消失』では東京が原因不明の巨大な雲に覆われ、交通など物理的な出入りが不可能になるだけでなく、通信、電波も遮断される設定である。現実にはありそうにないSF的アイデアだが、首都が不測の事態で運用不能となり、政府や国会など国家の主要機能が一気に失われた場合、日本を維持するためにどんな方法がとれるのか。この点について作者は、シリアスにシミュレーションを行っていた。作中では緊急の全国知事会が開かれ、兵庫県知事をトップとする臨時国政代行組織が発足する。それに対し、現実の二〇二〇年四月八日にはコロナ対応に関して全国知事会が、自粛要請に伴う休業の補償を国に求めるなど緊急提言を行ったのだ。中央の政府（当時は安倍晋三首相）の動きが鈍く、その対策の空白を知事たちが埋めようとした点で、『首都消失』の臨時国政代行組織樹立と知事会の緊急提言はパラレルにみえた。現実の政府は小説のように消失したわけではないが、対応が遅かったぶん、知事たちの存在感が高まったという図式である。

日本では長年、政治や経済、文化教育の一極集中に伴う東京の過密化が、問題視されてきた。『首都消失』が発表され映画化もされた一九八〇年代後半の昭和末期には、バブル景気による都心の地価高騰が企業立地や住宅購入のネックとなり、郊外を目指す動きがみられた。首都隣県の郊外がいっそう遠くへと広がりもした。遷都、首都機能の他地域への分散、東京湾を埋立てて土地を確保するなど、実現性の程度はともかく様々な過密解消の議論があったのである。このため、日本から東京が失われたらどうなるかという『首都消失』の思考実験は興味深かった。

ところが、一九九〇年代はじめのバブル景気の崩壊で遷都論は下火になり、首都機能の分散もわずかにとどまってしまう。郊外化はストップし、平成の時代にはタワーマンションの増殖など、むしろ都心回帰がみられた。東京への一極集中は依然として続き、外出自粛が要請されても、神奈川、千葉、埼玉など隣接県からの通勤者は、望ましいレベルまで減らなかった。また、彼ら他県民の存在なくして首都機能を維持するのは難しいだろう。

かくして、コロナ対策として政府が提唱した三密の回避を、長年の過密化を解消できないままの東京都の小池知事が会見でたびたびフリップを使って強調し、流行語大賞で三密が選ばれた際も彼女が受賞者になった。ただ、首都圏の一都三県は経済的にも人流的にも一体だとはいえ、コロナ関連の自治体による経済対策では、都と他県の財政格差が露わになった。そんな状況であったから、東京都と他の日本の関係を考えるうえで『首都消失』のシミュレーションは、令和になっても読む者に刺激を与えるものだったといえる。

『首都消失』で知事たちが臨時国政代行組織を立ち上げたのは、内政のためだけではなかった。小松が同作を執筆した時代は、アメリカとソ連の両超大国を中心に世界が東西に分かれ対峙する冷戦が続いていた。国家の独立を主張していなければ、領海や領空がすぐに侵されてしまう。そんな危機意識から臨時国政代行組織は、日本が国政機能を維持していることを対外的にアピールするのだ。その展開は、コロナ禍以後の世界的混乱のなかで、中国の海洋進出に各国が危機感を強めていた状況を意識させる。

『首都消失』における外部との遮断という奇想、国家の対外関係というモチーフは、小松が同作発表前の一九七七年に執筆した短編「アメリカの壁」でも扱われていた。内向的な政策に傾き始めた大国アメリカの全体が、独立記念日を目前に白い霧の壁に遮られ、外部との接触がすべて絶たれるSF小説だった。移民の流入や密輸を防ぐためメキシコとの国境に壁を建設すると主張したドナルド・トランプが、二〇一七年にアメリカ大統領に就任した際、「アメリカの壁」は予見的な短編として話題になったものだ。ところが、トランプ在任中にコロナ感染者が激増したアメリカに対し、逆にメキシコ住民の側に検問所を封鎖して流入を防ごうとする動きがあったと報じられた。住民が自国政府の対策を手ぬるいと考え、行動に出たのだという。メキシコ側が「壁」を作られるのではなく、自ら作ろうとしたわけで皮肉な展開であった。パンデミックにおいては誰もが感染の可能性があり、即時的で完璧な検査体制がない以上、すでに感染した人と健全な人の区別もできない。その反動なのか、あいつらと同じにはなりたくないという差別意識、排他意識が、職種、人種、民族、国家など国内外の様々なレベルで掻き立てられ軋轢が増したのだ。

インフォデミックの今昔

感染症が蔓延する状況では多くの情報が飛び交い、デマや迷信も広まる。『ペストの記憶』では、魔法や黒魔術の使い手と称する連中の登場、偽医者や怪しい薬売りの横行、ロンドンの滅亡を説く本の出版、予言や星占い、呪文の流行が語られていた。作者は、恐怖に駆られた人たちが勝手に生み出した想像としてこんな文言を書きとめている。

憂いを帯びた空想は、天空に
艦隊、軍団、戦闘を描き出す。
しかし冷静な目は、昂る心を落ち着かせ、
すべては元の材料の、雲へと戻り消えていく。（武田将明訳）

この詩は、デフォーが自作『古い陰謀の新たな露見』（一六九七年）の一節を変更して『ペストの記憶』に挿入したものであり、疫病による混乱状況に戦争のイメージを重ねている。

『ペスト』でも市民がやたらと予言を愛用したことが語られた。古代の道士やカトリック教会の聖者による予言を町の印刷業者が印刷してばらまいたほか、新聞紙上に連載されるものもあったと書いている。

一方、二十世紀の物語である『復活の日』は、テレビやラジオというマスコミが網の目のごとく組織された世界を舞台にしているが「その報道には、つねに一定の組織方式と序列があり、その秩序からはずれた事は、網の目からもれて行く傾向にあるのだ」と解説される。作者は、「あなた」の家の文鳥が籠のなかで冷たく横たわっていたことと、新聞の芸能欄に掲載された「世紀の二枚目」の自動車事故の死を結びつけることができるかと皮肉に記す。出来事の関連性を俯瞰してとらえることができず、断片的な情報を消費するばかりのマスコミや受け手が、大災厄の兆候を見逃したことを指摘するわけだ。

作者はニュースについて、「あなた自身の身辺」の出来事を誰のものでもない「世間一般のできごと」へ、公的《パブリック》なできごとへと還元して毒々しさを緩和する役目があるという。だが、やがて「まさか！――いや、ひょっとしたら…」と人々が思う時がやってくる。「現実」が「報道」を追いこし、惨劇が人ごとではなく自身のことになる時が訪れる。『復活の日』は、危機に陥った社会における二十世紀的なマスコミの機能不全をそのように描いていた。

それに対し、インターネットが発達した二十一世紀におけるパンデミックは、ソースが確かではない噂、捏造、思いこみや勘違いなど正しくない情報がＳＮＳなどを通じて広範かつ大量に拡散されてしまう、いわゆるインフォデミック（情報 information ＋エピデミック＝感染流行 epidemic の造語）を伴うものになった。新型コロナウイルスをめぐっては、感染状況や治療法、薬に関する誤った情報や陰謀論が、一般市民ばかりでなく政府や自治体の上層部レベルでも各国で飛び交い、『ペストの記憶』の時代からどれだけ進歩したのか、疑問を持たざるをえない状況だった。

社会学者の西田亮介は、『コロナ危機の社会学　感染したのはウイルスか、不安か』（二〇二〇年）で新型コロナウイルスに対する政府の初動の実態と国民の認識のズレがどのように生じたかを検証した。同書では、マスメディアの報道や国民の声が書きこまれたSNSでコロナ対応を求める声が高まったのに対し、「耳を傾けすぎる政府」が実効性に疑問のある対策を決めた経緯を追っている。結局、実行に時間がかかったうえ、やりかたも中途半端だったため、「耳を傾けすぎる政府」が、民意を聞いているようにみえなかったのであるが（その象徴が、初期のマスク不足解消を目的に安倍晋三政権が配布を決定したものの到着が遅く、サイズが小さかったことから不評だった布製の通称アベノマスクだろう）。

同書タイトルの「感染したのはウイルスか、不安か」というフレーズは、パンデミックがインフォデミックを伴わざるをえない時代性をよく示していたし、政権がパンデミック対策の成否で支持率が落ちる不安に感染してしまったことをあらわしてもいた。そんな世相であった二〇二〇年に五島勉の訃報が伝えられたことには、ある種のめぐりあわせを感じた。五島といえば、十六世紀のフランスの医師・占星術師だったノストラダムスの予言詩集を解釈し、一九九九年七月に人類は滅亡すると警告した『ノストラダムスの大予言』（一九七三年）がベストセラーとなり、シリーズ化されたことで知られる。結局、世界は一九九九年で終わることなく今に至っているわけだが、五島の著書によって日本でも広く認知されたノストラダムスの予言は、地下鉄サリン事件を起こしたオウム真理教など後のカルト宗教に多くの影響を与えた。

『ペスト』では、疫病のため封鎖された地域の市民たちが予言を愛用したことを述べたくだりで、次のように記されていた。

しかし、最も一般に珍重されたのは、むろん、黙示録風の言葉をもって、一連の出来事――その一つ一つが現在この町の経験しているものでありえて、しかもその複雑さからあらゆる解釈が許されるような一連の出来事――を予告したものであった。ノストラダムスと聖女オディールがそこで毎日のように引き合いに出され、しかも常に、しかるべき収穫があった。（宮崎嶺雄訳）

これと同種のことが、一九七〇年代の日本でも起きたのである。五島の語るノストラダムス像に潤色、創作が多く、予言詩の訳や解釈に誤りやこじつけが目立つことは、しばしば指摘されてきた。ノンフィクションを装っていたものの、実態としては恐怖心を煽る娯楽読みものだったのだ。ただ、シリーズ第一作が発表された一九七三年は、日本で公害問題が深刻化しており、世界的には東西冷戦で核戦争への不安があったのである。冷夏で農産物が不作になるなど異常気象も関心事だった。その種の現実的な懸念と予言詩を五島は巧みに結びつけた。「黙示録風」のノストラダムスの詩を、「その一つ一つが現在この町の経験しているものでありえて、しかもその複雑さからあらゆる解釈が許されるような一連の出来事――を予告したもの」に感じさせたのだ。その典型が最も有名な次の詩である。

一九九九の年、七の月
空から恐怖の大王が降ってくる
アンゴルモアの大王を復活させるために
その前後の期間、マルスは幸福の名のもとに支配に乗りだすだろうまず核戦争の予言だとされ、あるいは極度な大気汚染を意味するのかもしれないとされ、恐怖をかきたてた四行だ。先に『ペストの記憶』から引用した「憂いを帯びた空想は、天空に／艦隊、軍団、戦闘を描き出す」と「空から恐怖の大王が降ってくる」には、世界の終末と最後の審判を描いたとされる『新約聖書』の「ヨハネの黙示録」を連想させる、共通したイメージのパターンがみてとれる。

コロナ禍を経験してから読み返した時に目を引くのは、五島が『ノストラダムスの大予言』をペストのエピソードから書き始めていたことだ。住民がペストで次々に死んでいる町を訪れたノストラダムスは、強い酒で家々を清め、ネズミを焼き殺し、土葬した病死者の遺体も掘り起こして焼かせることでペストを終息させたという。五島は「強烈な超能力によって三百年後の医学的知識をまえもって知り」えたから、それが可能だったと説明し、ノストラダムスの予言能力を冒頭で印象づける。だが、医師でもあったノストラダムスがペスト対策にかかわったのは事実だが、処置の内容は当時知られ議論されていた方法の範囲内であり、特に先進的なものではなかった（伊藤和行「ノストラダムスと医学のルネサンス」、樺山紘一・高田勇・村上陽一郎編『ノストラダムスとルネサンス』二〇〇〇年所収など）。

『ノストラダムスの大予言』は、核戦争とそれが引き起こす放射能汚染、公害による大気や海の汚染、それらが人類を含む生き物全般に与える悪影響と予言詩を結びつけることが主眼になっている。その導入部として感染症の脅威に触れられており、感染から汚染へという構成だ。この展開は『復活の日』にも共通していた。疫病が蔓延し権力がいつも以上に行使される非常時は戦時下と相似し、想像の領域では感染症に戦争のイメージが重ねられがちなことにすでに触れた。さらに感染症は、核戦争が引き起こす放射能汚染と並べて語られることが少なくない。

不条理にさらされる子ども

核兵器は圧倒的な破壊力を発揮するとはいえ、ミサイルが発射されたことを察知して即座に撃ち返す能力を相手が有しているなら、互いの破滅につながる。したがって恐怖は均衡し、むしろ戦争を避けることになるとする核抑止論が従来から唱えられてきた。核が存在するゆえに直接対決を避け、いわば国家間の〝ソーシャル・ディスタンス〟が守られるというわけだ。

ところが『復活の日』では、漏出した生物兵器が国家間の〝ソーシャル・ディスタンス〟など飛び越え、新型インフルエンザと思われる形で世界中に広まってしまう。地球上の動物は絶滅状態に陥り、植物は生き残っているものの空気中にはなお菌が浮遊している。このため、南極だけに生き延びていた人類は原子力潜水艦で海中を移動できるのみだ。そんな状態になったうえに核戦争の危機が訪れる。子どもじみた恐怖心にとり憑かれた男がアメリカ大統領となって権力を握り、軍事的欲求をつのらせ全自動報復攻撃システムを作りあげた。それは敵の攻撃を受ければ報復の核ミサイルを自動的に発射するシステムであり、彼が権力の座を去った後なのにそんな狂気の遺産が暴走する。大地震を敵からの攻撃と誤認しシステムが発動するのだが、敵国であるソ連も同様のシステムを構築していたため、自動的に核戦争に至ってしまう。かくして人類は、二度目の破滅を迎える。

このように『復活の日』は、感染症と核汚染を重ねた暗澹たるヴィジョンを描く。宇宙由来の生物兵器による危機というモチーフは、マイケル・クライトン『アンドロメダ病原体』（一九六九年）も共通する。同作では地球の上層空間で収集した微生物をもとに生物兵器を作ろうとする計画の軍の人工衛星が墜落し、小さな町の人々が未知の細菌でほぼ死滅する。二人だけ発見された生存患者を回収し、科学者たちが研究所で対策を探るというのがストーリーの骨子であり、同作も核のモチーフを含む。

細菌の被害拡大を防ぐ目的で汚染地域の核兵器による焼却が検討される。また、研究所には細菌の流出など非常時に備え核自爆装置が備えられている。ただ、いずれも未知の細菌がいかに危険かを強調するための設定であり、放射能汚染の深刻さを真剣に検討する様子はない。致死のウイルスが浮遊する空気が放射能でさらに汚染され、南極も核攻撃の標的だという『復活の日』の絶望感はない。

一方、北半球で核戦争が勃発し多くの国が破滅した後、南半球のオーストラリアはまだ人が生存している設定なのがネヴィル・シュート『渚にて』（一九五七年）だった。同作では海を航行中だったアメリカ海軍の原潜がオーストラリアへ、『復活の日』ではやはりアメリカ軍とソ連の原潜が南極へ入港し、乗組員は難を逃れていた。前者では意味不明なモールス信号の発信元を確認するため、後者では全自動報復攻撃システムの発動をストップするため、原潜がいずれもアメリカへむかう共通点があった。

『渚にて』では北半球の核汚染が南半球へと拡大するのは確実であり、オーストラリアもいずれ滅亡は避けられない状況という設定だ。北半球からの物資供給が絶たれ、ガソリン不足で走る自動車の数が減るなど制約は増えているが、人々は働き、遊び、まだ日常生活を続けようとしている。周辺調査へ出かけていた原潜で麻疹が発生したため、乗艦していた夫が帰宅してまだ幼い娘に伝染すのではないかと妻が心配する場面がある。それに対し、友人は「でも放射能で人がみんな死んでるところをひと月近くも旅してきて、それで罹った病気が麻疹だけだったら奇蹟じゃない！」（佐藤龍雄訳）と笑って返す。ここでは非日常で日常感覚を持ち続けているため、奇妙な滑稽さが生じている。あまりにも大きな汚染と小さな感染が対比されているからだ。

『復活の日』では生物兵器が引き起こした世界的な規模の感染爆発に核戦争が重なり、破滅のダメ押し的な展開になる。だが、全自動報復攻撃システムの発動阻止を目的にアメリカへ赴いた決死隊はミッションに失敗したものの、地質学者のヨシズミだけはぼろぼろになり正気を失いながらも六年もかけてワシントンから南極まで徒歩で帰ってきた。このことから人々は、「〝死の灰〟も出さない〝洗練された核兵器〟!」である米ソの中性子爆弾が、細菌を無害化したことに気づく。感染爆発を核爆発が相殺する皮肉な結果になったのだ。作者の小松が、ひたすら絶望的な状況の小説に用意した優しい大嘘である。その嘘の設定によって、生き延びた人々が南極の外へ出る希望を抱くことが可能になる。同作は、科学者の手記にあった次の言葉で締められていた。

明日の朝、私たちは北へむかってたつ。〝死者の国〟にふたたび生をふきこむべく――。北方への道は、はるけく遠く、〝復活の日〟はさらに遠い。――そして、その日の物語は、私たちの時代のものではあるまい。

ここで「死者の国」と「復活の日」が語られるのは、この世界の終りに人類に対し神による最後の審判の時が到来し、救世主イエスが再臨して死すべき者と、死者も含め永遠の命を与えられる者が選別されるというキリスト教の黙示録的な終末観を踏まえたものだろう。疫病の流行では膨大な死者が数として処理され、誰もが死の可能性にさらされる等価な対象であるかのような事態になる。だが、あの人が死に選ばれ、この人は選ばれないという理解不能で理不尽な現実は、その判断がなぜ下されたのか真意を推し量ることができない神という上位の存在を招来する。あるいは神でなく、運命という言葉が使われもするだろう。

すでに述べた通り、疫病は無差別に人を襲うようでいて職種や身分などで犠牲の発生率の偏差が否めない。過去であれば感染地域の外へ移動する余裕のある層、現代であれば出歩かないリモート・ワークが可能な層はリスクを遠ざけられるだろう。だが、物理的に現場にいて人やモノ、システムのケアをしなければならない層は、感染の可能性が高まる。そして、感染症の物語においては、自らの判断で動く力がまだなく、もっぱらケアされる側の幼い子どもの犠牲が悲劇として焦点化されることが多い。疫病の蔓延に関しては、人々が犯してきた罪に対する神罰だと宗教的な解釈もされるわけだが、まだ罪があるとは思えない乳幼児の苦しみは、運命の過酷さを強調する。

『アンドロメダ病原体』において、謎の細菌が原因で住民のほとんどが死に絶えた小さな町から回収された患者二人は、老人と泣き叫び続ける乳児だった。『渚にて』では潜水艦の任務で出発しなければならない夫が、放射能が到達してしまった時に備え、妻に楽に死ねる薬を渡そうとする。苦しみを長引かせないため、妻と娘で飲むようにいうのだ。妻は我が子を殺せというのかと激高する。だが、夫は、薬を服用しないまま母親が先に死ねば、誰にも助けてもらえぬ娘は嘔吐し汚物にまみれ何日も苦しんでから死ぬのだと、妻に現実を突きつける。

さかのぼれば『ペストの記憶』でも、病気でもがき苦しむ親を捨てて逃げる子ども、逆に子どもを見捨てる親に言及しているほか、「今回の大災害を通してもっとも過酷な運命に遭ったのが、妊娠した女性ではないかということだ」と書いていた。陣痛に苦しみ手を借りたいと思っても、評判のいい助産婦は田舎に避難しており、貧しい人でも頼める者はすでに多くが死んでいたという。通常なら未来があるはずの乳幼児や胎児の死は、先行きの暗さ、行きづまり感を印象づける。それは、神の不在を感じざるをえない状況でもあるだろう。

『ペストの記憶』では、以前から国教会派と非国教会派が対立していたところに疫病が到来して一時的に融和したが、間もなくもとの対立に戻ったことに触れている。神を馬鹿にする言葉を吐く連中に対し、語り手H．F．が反駁し神の裁きや慈悲を説いても、なお罵詈雑言が返ってくる場面もある。そのように宗教的混迷を記述しつつも、H．F．は神のご意志に守られているという意識を持ち続けるのだ。同作では膨大な死をもたらした後、やがてロンドンから疫病の波が引いていく。小説の末尾近くでH．F．は、多くの人が心から神に感謝したと述べ、次のようにいう。

しかし、一般市民については、エジプトに囚われていたユダヤの民に関する次の言葉が、あまりにぴったり当てはまることも、認めなければならない。すなわち、エジプトの王《ファラオ》から救い出されたのち、ユダヤ人たちは奇蹟で干上がった紅海を渡ったが、ふと振り返ると、エジプト人たちが海に呑まれるのが見えた。そのとき「彼らは賛美の歌をうたった」が、「たちまち御業を忘れ去」ったという。

これは、エジプトで虐げられていたユダヤ人たちがモーセに率いられてエジプトから脱出し、神が約束した地へむかったという旧約聖書の「出エジプト記」（Exodus）および「詩篇」を踏まえた文章だ。助かった当初は神に感謝しても、すぐに忘れる人間の性《さが》が書きとめられている。

『ペスト』では、神父が不安を抱えた信者たちに対し、疫病発生に関し私たちは神の前で反省しなければならないと説教をする。だが、医師のリウーは、反省すべき罪などない幼い子までがなぜ病で死ぬのか、そんな世界は愛せないと異議を唱える。同作ではタルーが、検事である父が下していた極刑判決を「卑劣な殺人」と呼び嫌悪したことを語っていた。同作では、神の裁きだけでなく人の裁きにも懐疑的な姿勢が示される。

『復活の日』では、ニューメキシコで生き残った五歳の子から南極基地へ無線機で通信が入る。両親が死に食料も腐ってしまった彼はなすすべがなく、銃で自殺してしまう。小説ではその直後、やはり死を目前にしたヘルシンキ大学教授による最後のラジオ講義が挿入される。十九世紀に神の死を宣告した人間が、かといって普遍的な全人類的意識を獲得することもできず、相変わらず争い続けた愚かな歴史をふり返る内容だ。

どちらの小説も、幼い子が死ぬ不条理への憤りを含んでいる。『ペスト』では都市封鎖が効を奏したのか、やがて疫病は退潮していく。そして、遠い日における人類の復活を願って幕を閉じた『復活の日』に対し、『ペスト』のラストの文章は次の通りである。

ペスト菌は決して死ぬことも消滅することもないものであり、数十年の間、家具や下着類のなかに眠りつつ生存することができ、部屋や穴倉やトランクやハンカチや反古のなかに、しんぼう強く待ち続けていて、そしておそらくはいつか、人間に不幸と教訓をもたらすために、ペストが再びその鼠どもを呼びさまし、どこかの幸福な都市に彼らを死なせに差し向ける日が来るであろうということを。

リウーは疫病収束に歓喜する群衆が知らないこのことを知っていたと記し、カミュは物語を終える。幕切れで『復活の日』がはるか未来の人類の復活を語ったのに対し、『ペスト』は皮肉にも疫病の復活を予言したわけだ。

感染地域からの移動に制約があった『ペストの記憶』では、疫病の収束によって自由をとり戻せることが「出エジプト記」の希望を抱えた脱出のイメージに重ねられた。それに比べ、『復活の日』の各国の南極基地にいた人々や原子力潜水艦の乗組員は、生物兵器の被害を受けた母国からたまたま逃れていたのであり、能動的に脱出したのではない。政治、経済、物資、情報など各方面で自分たちを支えてくれるはずの人と機能が失われたことは『首都消失』に似ているが、本国と南極基地の関係は、首都と地方よりずっと大きな差がある。かつての人類の日常から締め出されたこと、それが兵器開発競争に起因することは、禁じられていた知恵の木の実を食べたために神の怒りによってエデンの楽園から追放される『旧約聖書』の「創世記」におけるアダムとイヴの話を思い出させもする。

言葉の伝染

同時に先に引用したように、核戦争など黙示録的な終末の光景が描かれた『復活の日』の最後では、北へ旅立つ「出エジプト記」的な脱出への希望が語られた。未来の復活へむけて人類史をやり直すという意味では、南極を新たなエデンにしようとする展開でもある。だが、その場所における〝アダムとイヴ〟の関係は、とても歪なものだ。南極の生存者の男女比は一万人対十六人というあまりに不均衡なものであり、統治のための委員会ではセックスの管理が真面目に議論される。

その結果、女性は今まで通り働くが、女性としてよりも未来の母性として尊敬と保護の念を持てとされる。受胎は医者たちで組織される特別委員会に方法と人選が任され、性的欲求が我慢できないものには密かに申し出ることを認め、審理のうえ女性の意思を聞いて考慮するとした。多数の男性が少数の女性を共有し、いわば慰安婦的に扱おうという意見を出すものもいたが、「……マスでもかいてろ！」の怒鳴り声でどっと笑いが起きる。このくだりで一貫しているのは、種族維持のために母性や受胎をいかに管理するかという問題意識だ。

小松左京は『日本沈没』でいよいよ列島が海に消失しようとする終盤でも、出産というモチーフを書きこんでいた。国民の避難計画策定を政府にうながした政界の黒幕的な老人が、自分の身の回りを世話してくれていた若い女性を避難させるにあたって言葉をかける。「赤子《やや》を生むんじゃ。おまえの体なら、大きい、丈夫な赤子《やや》が生める……。いい男を……日本人でなくともいい……。いい男を見つけて……たくさん生め……」というそのセリフは、『復活の日』の先に触れた部分と同じく、人類の未来への存続のために女性は子を産むべきだという価値観が当然視されている。この点は、女性本人の意向以上に種族維持を重視するような小松のジェンダー観が時代的限界を感じさせ、今読むと違和感が否めない。

死の可能性に直面した人がそれでもその先になにかを残そうとするというのは、感染や汚染の拡大の深刻さを描いた物語に頻出するモチーフである。特に言葉を伝えようとする行為は、よくみられる。『アンドロメダ病原体』は研究所を主な舞台にしているだけに、検査データや診察記録が積み重なっていくことが前提になっており、報告書風の体裁が意識されていた。『復活の日』ではすでに紹介した通り、MM—八八で膨大な犠牲者が出て、もはやどれだけの人数が聞いているかさほど期待できない環境で、大学教授が人類史をふり返る最期のラジオ講義を行う。『渚にて』でも人類は近い時期に死滅することが確実なのに「それでも、書き残しておくべきことはたしかにあるはずだ」、「たとえこの先数ヶ月のあいだしか人に読まれることがないとしてもだ」との議論がされる。『ペストの記憶』

はそもそも、疫病が蔓延したロンドンの一市民であるH．F．という記録者の設定が、小説の出発点にあった。

これらの作品では記録することが重要視され、感染や汚染との決死の戦いを強いられ追いつめられた人間がかろうじて抵抗する手段として〝言葉の伝染〟に希望を見出している面がある。未来について述べる予言者とはべつに、神の言葉を預かり人に伝える預言者というものがいる。その神を信じられない過酷な状況で、自分の言葉を他人に預けようとする人間がいる。この点をめぐり、なかでも強いインパクトを残すのは、『ペスト』だ。同作は、タルーの手帳を一部参照した医師リウーが記録したものと位置づけられている。だが、この物語には、ほかにも文章を書く人がいた。市役所に勤める職員であり、都市封鎖後も地道に働いていた中年男グランである。彼は、趣味で小説を執筆しており、実に熱心に推敲していた。ついに疫病にかかり容態が悪化したグランは原稿を持ってきてくれと懇願し、リウーとタルーが五十ページばかりの短いそれを読むことになる。

その紙片のすべてが、同じ一つの文章を際限なく写し直し、書き直し、加筆あるいは削除したものがしるされているにすぎないことを悟った。

「焼き捨ててください！」と猛烈に叫んだグランにしたがってリウーはその原稿を火に投じた。だが、すぐにも死にそうだったグランは翌朝には憔悴しつつも回復しており「ほんとに、先生、しまったことをしました」、「しかし、またやりますよ。すっかり覚えてますから、まあ見ててください」などと再びの執筆意欲をみせるのだ。このエピソードは異様な印象を残す。

スティーヴン・キングのホラー小説『シャイニング』（一九七七年）ではアルコール依存症だった小説家が、冬に雪で閉ざされるホテルの管理人の仕事を妻、息子とともに住みこみで引き受け、幽霊にとり憑かれる。同作を映画化したスタンリー・キューブリック監督は、小説家が集中してタイプライターで小説を執筆し続けていたものの、印字された用紙を妻がみてみると「All work and no play makes Jack a dull boy.（仕事ばかりで遊ばないとジャックは馬鹿になる）」の一文だけを、書式を変えてひたすら打ち続けていただけだったと判明する、よく知られた脚色を行っていた。作家の狂気が映画を観るものに伝わる名場面である。カミュはキューブリックに先がけて、同じ一文が繰り返される不気味さを書いていたのだ。

リウーの手記だとされる『ペスト』は、疫病の発生から収束までの推移を冷静に文章化している。また、ジョージ・オーウェル『一九八四年』（一九四九年）など典型的だが、ディストピア小説では、監視の行き届いた圧政下で主人公が隠れて手記を書いたとする設定が多い。手記が残されたゆえに彼らの苦境を知りえた読者が共感し同情できたということであり、そこでは〝言葉の伝染〟が希望として夢見られている。だが、誰かに伝えたくても言葉にできないことだってあるのだ。感染症による死が迫るなかで懸命に小説を書き残そうとしたグランの存在は、〝言葉の伝染〟が不発に終わる哀しさを象徴していた。

ディストピアを語るにあたっては、リウーの手記のような的確な文章化だけでなく、グランの小説のように形にならず伝えられなかった言葉があったことも忘れてはならない。

2　穢れとの共生――マンガ・映画・歌舞伎『風の谷のナウシカ』

歌舞伎版と技術のモチーフ

二〇一九年十二月に新作歌舞伎『風の谷のナウシカ』が、新橋演舞場で上演された。国民的人気を持つ宮崎駿のアニメが、伝統芸能の手法で演じられるということで注目され、チケットは完売。さらに舞台から、テレビ放送、映画上映、映像ソフト発売へと展開されたが、それは新型コロナウイルスのために演劇界が公演自粛を余儀なくされ、再開後もしばらくは感染対策のため様々な制約が続いた時期と重なっていた。重症化リスクの高い高齢の観客が多い歌舞伎は特に打撃を受けたのである。穢れと浄化がテーマである同作がそんな時期に初演されたのは、ある種の暗合のようだった。

一九八四年公開の映画『風の谷のナウシカ』は、宮崎駿監督の出世作となった初のオリジナル長編である。後に評価された『ルパン三世　カリオストロの城』（一九七九年）の興行成績が不振で、宮崎は企画が通りにくい時期だった。このため、話題作りを意識し、『風の谷のナウシカ』の原作となるマンガを雑誌「アニメージュ」に連載したうえで映画化に動いた。だが、映画になったのは、単行本全七巻の原作のうち二巻目までである。映画化の後も連載は、宮崎の映画制作に伴う四度の中断をはさみながら一九九四年まで続く。ようやく完結したマンガは、十年前に作られた映画に対する批評を含む内容になっていた。

世間的に知られているのは、テレビでもたびたび放送された映画版だが、歌舞伎化を発案した尾上菊之助が選んだのは、マンガ版である。かつて栄えた巨大産業文明は、千年前の「火の七日間」で崩壊し、今では菌類の森「腐海」に地上は覆われている。人類は有毒な瘴気を発する腐海を避け、残されたわずかな土地に暮らしている。その小国である風の谷は、海から吹く風により腐海の汚染からかろうじて守られていた。物語の主人公は、風の谷の族長ジルの娘ナウシカ。彼女が、墜落した飛行船に乗っていたペジテ市の王女ラステルの死を看とったことから、事態は動き出す。「火の七日間」で使われた超兵器・巨神兵の復活の鍵をペジテ市は握っていた。大国はペジテ市のような小国を蹂躙する一方、巨神兵の活用を目論む。ラステルの兄アスベルと出会ったナウシカも、戦争に巻きこまれていく。

ここまでの要素は、映画版とマンガ版に共通する。ナウシカが様々な生き物と心を通わせる能力を持ち、なかでも、腐海に棲み巨大で芋虫に似た形状を持つ王蟲《オーム》との交流がクローズアップされる点も同様だ。その死骸に毒を放つ胞子が生え、腐海拡大の原因となる王蟲は、世界の穢れを象徴する存在である。大国はその幼虫を捕らえ囮にして王蟲の大群を引き寄せ、意図した方向に突進させる。怒り狂った群れを兵器として利用するのだ。残酷な行為に憤ったナウシカは幼虫を奪い、群れに返そうとするものの、王蟲の激流が向かってくる。やがて怒りが静まった王蟲たちは、傷ついたナウシカに触手を伸ばし彼女を癒す。この場面は、映画のクライマックスであり、マンガでも二巻の山場だ。

しかし、映画とマンガでは作品世界の大枠から違う。映画では大国トルメキアとペジテ市、風の谷という小国が敵対する構図であり、風の谷の族長の娘ナウシカとトルメキアの皇女クシャナが対峙した。一方、原作では、トルメキアと土鬼《ドルク》の二大国が戦っており、より入り組んだ設定から始まる。しかも、王国であるトルメキアでは、末娘のクシャナが父のヴ王や兄の三皇子に疎まれていたし、複数部族が集まった諸侯国連合の土鬼は皇弟ミラルパが支配していたが、皇兄ナムリスに追い落とされる。いずれの大国も内部で骨肉の争いを繰り広げており、そのもつれた人間関係の間をナウシカは経巡ることになるのだ。ストーリーが長大なマンガ版は、当然、映画版より複雑な展開をみせる。

『風の谷のナウシカ』の歌舞伎化に関し、マンガ版の作者で映画版を監督した宮崎駿はタイトルを変えなければなにをやってもいいといったという。それに対し、歌舞伎版は、映画ではなくマンガを原作にした舞台化を選んだ。『仮名手本忠臣蔵』、『菅原伝授手習鑑』、『義経千本桜』など歌舞伎の古典は、今では一部の名場面を抜き出しての上演が多いが、もとは一つの長い芝居を昼から夜まで演じていた。通し狂言と呼ばれるその上演形式で『風の谷のナウシカ』は舞台化されたのである。

歌舞伎は伝統芸能であり、男性が女性を演じること、三味線や鼓など和楽器を用いた音楽、特有の発声、拍子木にあわせた見得、役柄に応じた化粧や衣裳など、江戸時代からの様式美を継承する一方、明治時代以降は観客を呼ぶ興行として現代化も進めてきた。時代ごとに新作を上演し、伝統から逸脱した要素を盛りこみつつ、歌舞伎らしい様式美と融合する試みを繰り返している。三代目市川猿之助が宙乗りなどのケレンを駆使しエンタテインメント性を高めて始めたスーパー歌舞伎などが、代表例である。また、近年の演劇界にはマンガ、アニメ、ゲームといった二次元の表現を三次元の舞台に脚色する二・五次元ミュージカルが人気を博しており、歌舞伎の新作でも『ワンピース』、『NARUTO―ナルト―』といった人気マンガが、原作に選ばれている。『風の谷のナウシカ』の歌舞伎化もその流れで実現したといえる。

歌舞伎版『風の谷のナウシカ』の脚本は、丹羽圭子と戸部和久が担当した。丹羽は舞台の経験はないが、『ゲド戦記』、『借りぐらしのアリエッティ』など宮崎駿らが設立したスタジオジブリの作品を手がけてきた人だ。上演時のパンフレットによると『風の谷のナウシカ』の歌舞伎化に際しては、ジブリの鈴木敏夫プロデューサーから全十一段すべてが見せ場である『仮名手本忠臣蔵』のように作ったらといわれたという。アドバイスにしたがい、丹羽は昼と夜の全七幕をマンガの名場面中心に構成した。それを松竹専属の脚本家・戸部和久が、熟知した歌舞伎の表現方法へ調整したという。また、新作歌舞伎『東雲烏恋真似琴』の脚本を書き、マンガ『NARUTO―ナルト―』を歌舞伎に脚色し、それぞれの演出を担当したG2が、『風の谷のナウシカ』の演出を手がけた。

できあがった舞台は、マンガやアニメのイメージに近づけ作りこんだ大がかりな美術に迫力があったし、錯綜した原作の内容をわかりやすく整理していた。だが、賛否両論あったのは事実である。昼の冒頭で口上が、夜の冒頭で道化が登場し、物語の大枠を解説した。また、ナウシカが飛行具メーヴェを使う姿が宙乗りで再現されるほか、殺陣の多さなど、冒険活劇的な側面が強調された。だが、王蟲、巨神兵という巨大なものを舞台に登場させてもあまり動かせないし、空中や地上での大規模戦闘は十分に再現できない。それらの動きが客席側にみえる体で、舞台上の人物がセリフを喋ることもしばしばあった。説明過多という感想が出るのはしかたがない。

一方、観客には、アニメに描かれた中世のヨーロッパや中央アジアなどを混交したような装束や調度のイメージがすでにある。舞台化ではもとのイメージを活かしつつ、歌舞伎の伝統的な化粧や衣裳、美術のありかたと折衷して各キャラクターや装置をデザインした。だが、主要人物は和テイストを入れつつ無国籍性を維持したのに、着物姿の一般庶民は昔の日本人にしかみえない。そのうえ、舞台用の新曲を作るだけでなく、映画で客の耳になじんだ久石譲の曲の多くが和楽器を使った邦楽に編曲された。当然、役者は歌舞伎的な言葉使い、セリフ回しを多用する。異世界の無国籍ファンタジーが、和風の様式で演じられることに違和感を覚えた人は少なくないだろう。

しかし、そうした設定の根拠のなさは、原作にもあったものではないか。「火の七日間」で世界が深刻な汚染を被ったとする設定は、核戦争の暗喩だろう。そうして巨大産業文明は崩壊し、多くの技術の記憶が失われた。結果として文明が退行するにしても、それが中世のヨーロッパや中央アジア的な生活になる必然性はないし、日本人の作者が他国をモデルに舞台を設定するのは恣意的で趣味的な選択だ。また、作中世界で技術の記憶はまだらに喪失され、ラジオ、テレビ、コンピュータなどはないが、空中戦を可能にする飛行技術は維持されている。映画版では生物兵器の巨神兵を復活する企みが描かれたが、マンガ版ではヒドラという人造人間も登場し、かつて生命体を意のままに造り変える技術があったこと、それを新たに開発する動きが語られる。

マンガ版には、「火の七日間」以前に星への旅に使われた宇宙船が捨てられ、超硬質セラミック鉱山となって何世代にもわたって削られているとあった。一九七〇年代後半にブームとなり、従来、子ども向けだったアニメが青年層のファンまで獲得し後のオタク文化の先駆けとなった『宇宙戦艦ヤマト』（一九七四―一九七五年テレビ放送）の始まりを思い出す。時代を二一九九年の未来に設定した同作では、太平洋戦争で撃沈され埋もれていた戦艦大和が宇宙戦艦に改造され、地球の危機を救うために旅立った。技術の記憶をまだらに喪失した『風の谷のナウシカ』の皮肉な設定からふり返ると、過去の技術遺産をすんなり継承し未来にアップグレードする『宇宙戦艦ヤマト』が楽天的だったと感じられる。

マンガ『風の谷のナウシカ』は、映画以上に過去の技術の喪失、継承、再創造がテーマになっている。先走っていってしまえば、波乱万丈の紆余曲折をたどった物語のラストは、ナウシカの「生きねば」という言葉で締めくくられる。彼女だけの行動原理ではない。どの人物、どの勢力も自らが生き延びるために行動しており、その過程で技術のテーマがせりあがるのだ。では、物語を舞台化する際、なにが行われたのか。
歌舞伎には化け物が登場する演目があり、生き物の精が現れるなど、宮崎アニメのアニミズムと親和性があった。歌舞伎版では、巨大なものを自由に操作できないかわりに、ナウシカと王蟲の精（子役）による舞踊、巨神兵の精が登場しての立ち回りが挿入される。さらに、宙乗り、本当の水を使っての殺陣、引き抜きによる衣裳の早変わり、見得、六方、『連獅子』で知られる毛振りなど、昔からある技巧が総動員された。考えてみれば日本では、明治維新と太平洋戦争での敗戦から二度の近代化・西洋化をうながされ、歌舞伎への逆風が吹いて失われたものもあった。今では内容が忘却され題名だけが伝わる演目も多い。上演が途絶えた演目の復活を掲げながら、資料の少なさから新作同然になる例もある。

伝統の継承と新作による現代化の両方をにらまざるをえない歌舞伎は、技術の喪失、継承、再創造をテーマとする点で『風の谷のナウシカ』の物語と響きあう。そこに特有の味わいが生じる。マンガ版と同じく歌舞伎版もナウシカ役の尾上菊之助が「生きねば」といって終わる。関係者が意識したかどうかは不明だが、そのセリフは技術によって歌舞伎が生き延びねばという意味をも帯びていたように思う。

また、伝統の継承に関して研修生制度や芸養子という方法もあるとはいえ、幼少時から親が心技体を教えられることもあって家、血筋は未だに重い意味を持つ。未来への存続のため子どもが生まれることを優先事項とする『復活の日』にみられた価値観は、梨園では根強い。その意味でも長い年月における生命の連鎖をテーマとする『風の谷のナウシカ』と歌舞伎は共振性がある。

生き物をケアしケアされるナウシカ

映画『風の谷のナウシカ』で久石譲が音楽を担当したのは、彼が同作公開の前年の一九八三年に発表した『風の谷のナウシカ　イメージアルバム　鳥の人』を宮崎駿と映画版プロデューサーの高畑勲が気に入ったという経緯がある。原作を読んだ久石は、シンセサイザーとともにケーナ、タブラ、ダルシマといった民族楽器を用いた音楽を作った。そのモチーフやメロディを利用し、オーケストラを加えた映画のサントラにも民族楽器は使われた。主人公ナウシカは、架空世界にある小国の族長の娘であり、そうした地域性、属性を連想させるものとして民族楽器は選ばれたと考えられる。

歌舞伎版では、久石の曲に対し新内節の新内多賀太夫がナウシカに篠笛、彼女と対比されるキャラクターであるクシャナに箏でイメージづけしたほか笛、尺八、胡弓、三味線などの和楽器でアレンジし、新曲も書き下ろした。場面によっては長唄（杵屋巳太郎）や義太夫（鶴澤清治）を挿入している。オーケストラのような国際的に公約数的な音楽でなく、日本の民族楽器による音楽を選んだことは、地域性や属性の表現として理にかなっていたととらえられる。

トルメキアでは父ヴ王および兄の三皇子と末娘クシャナが、土鬼ではナムリスとミラルパの兄弟が対立する一方、風の谷では族長の父ジルから娘ナウシカへとリーダーの立場が継承される。これに対し、家や血筋を題材にした演目が多い歌舞伎というジャンルや演者の各家系自体が、伝統芸能として継承をテーマにしている。この点でも『風の谷のナウシカ』と歌舞伎は、内在するテーマを共有していたといえる。

ここからは歌舞伎版から原作マンガへさかのぼり、物語についてさらに考えていこう。マンガ版の第1巻に付された文章「ナウシカのこと」で宮崎駿は、主人公の着想の源として二人のキャラクターをあげていた。ギリシアの叙事詩『オデュッセイア』に登場する王女「ナウシカ」と、『堤中納言物語』の「虫愛ずる姫君」である。宮崎の文章は二つの原典をそのまま紹介したとはいえず、むしろ自身が創造したナウシカのイメージを着想源だった二人に逆投影したごとき記述になっている。

彼はもとの「ナウシカ」について「俊足で空想的な少女。求婚者や世俗的な幸福よりも、竪琴と歌を愛し、自然とたわむれることを喜ぶすぐれた感受性の持主」と記し、「虫愛ずる姫君」については「年頃になっても野原をとび歩き、芋虫が蝶に変身する姿に感動したりして、世間から変り者あつかいにされるのである」と書く。原典の二人はこの説明ほど現代的な自由は有しておらず、宮崎は意図せずに二次創作したようなところがある。二人を重ねて想像を膨らませ、恋愛より自然に魅了され社会習慣にこだわらないキャラクターへと発展させたのが、ナウシカだと推察される。

ナウシカは風を読み、メーヴェで飛行する能力が高い。また、辺境一の剣士ユパを師として剣術に優れ、秀でた身体能力を持つ。それ以上に彼女を特徴づけるのが、王蟲をはじめ様々な生き物と心を通わせられることだ。序盤で彼女が、キツネリスに手を噛まれる場面があった。傷口から血がにじむ。ナウシカは痛いはずだが、キツネリスが脅えていると察し、「ホラこわくない」と噛まれるままにする。穏やかになったキツネリスは自分がつけた傷口を舐め、以後、彼女はこの動物と行動をともにする。

ナウシカと自然との親和性を印象づけるエピソードであり、この構図は王蟲の群れの激流を止める場面で変奏される。囮として宙吊りのまま移動させられていた王蟲の幼虫をナウシカは奪取し、群れに返そうと地面に下ろす。幼虫は遠くにいる群れに近づこうと多数の傷から体液を流しながら動き、有毒な酸性湖に入ろうとしてしまう。その体にすがりつきやめさせようとした彼女は、自身の足を湖に浸し激痛を受ける。その傷を幼虫の体液が中和し、痛みを和らげる。その後、突進する群れの激流を止めたナウシカに王蟲たちは多くの触手を伸ばし、彼女の体を癒す。

キツネリスや王蟲とのやりとりでわかる通り、ナウシカは生き物をケアするとともに生き物からケアされる存在なのだ。ナウシカは幼虫に限らず王蟲を「おまえ」と呼び、子どものように慈しむ。一方、王蟲もナウシカを「小サキ者」、「オマエ」と呼び親に似た大きさを感じさせる。互いがケアしあい、親―子的な立場が時によって入れ替わる。宮崎駿はもとの「ナウシカ」、「虫愛ずる姫君」から恋愛より自然に魅かれる女性主人公を発想した。『風の谷のナウシカ』序盤では風の谷の族長の娘であるナウシカが、同じく小国のペジテ市の王子アスベルと出会う。以後の物語で二人の関係がロマンスに発展しても不思議ではないが、そうならない。同作は恋愛がないかわりに、親―子的関係をポイントに展開していく。

赤坂憲雄は、同作で母と子というモチーフが物語の根源と化していることを『ナウシカ考　風の谷の黙示録』(二〇一九年)で論じ、ナウシカは擬態としての母をたびたび演じると指摘する。例えば、彼女は、瘴気で廃墟となった村に残された双子の幼子を抱いて連れ帰り、噛んで柔らかくした実を口移しで与える。また、瀕死の兵士を看病し、「たすけて……母さん……」とうめく彼の口からあふれた血を自らの口で吸って毒をとり除こうとするのだ。彼女は、人や生き物を相手に母のごとくふるまう。

小国の族長の娘ナウシカが剣術に秀でながら平和を希求するのに対し、大国トルメキアの皇女クシャナは根っからの軍人であり、父や兄たちに厭われつつ戦い続ける。二人は最初敵対するし、対照的なキャラクターだが、後にクシャナは重い傷を負った部下クロトワを抱いた状態で子守唄のようななにかを口ずさむ。好戦的だった彼女は、ナウシカに感化されたのか、徐々に性格を変えていく。

赤坂の『ナウシカ考』は、表裏で補完しあうようなナウシカとクシャナのどちらにも母が不在であり、壊れた母と子の関係が二人の背景にあることを的確に評している。クシャナは先王の血を一人だけ引いていた。そのため、子どもの頃の彼女を殺そうと父ヴ王が毒を入れた盃を身代わりに飲んだ母は、心を病み、娘が娘だとわからなくなった。一方、ナウシカには幼い頃、可愛がっていた王蟲の幼虫を「蟲と人は同じ世界にはすめないのだよ」と親や大人たちにいわれてとりあげられ、「ころさないで」と泣いた思い出がある。記憶に登場する母は一言も喋らない。母が産んだ十一人の子どもは、彼女の体に蓄積された毒を引き受け次々に死んだが、ナウシカはただ一人生き延びた。母はその子を愛さず、ナウシカが幼い頃に死んだ。

ナウシカとクシャナの母子関係の設定は、注目に値する。赤坂が抽出したこの共通点から議論をさらに進めよう。母なる大地という決まり文句がある通り、母性と自然を重ねる見方は昔からある。腐海が増殖する土地を舞台にした物語の主要人物二人の母が、毒と結びつけられた形で造形された。毒に侵された母は、穢れた世界を象徴している。では、そんな母から生まれた主人公ナウシカは、いかなる存在なのか。

体をはって王蟲の大群の暴走を止めた時、彼女の上着は傷ついた幼虫の体液を浴びて青く染まった。それを見たものが、古くから伝わる予言を思い出す。

その者青き衣をまといて金色の野におりたつべし

それは、救世主が出現するといういい伝えであり、映画版ではナウシカの行為によって王蟲たちの暴走が静められ、これ以上の戦争の危機も回避されてエンディングを迎える。彼女が救世主らしく感じられるのは、大群の突進に弾き飛ばされ倒れた後、王蟲たちの触手に癒され、死から復活する奇跡があったからでもある。だが、映画版とは違ってここで終わらず、物語がさらに長く続くマンガ版は、違う描きかたをしていた。傷ついたナウシカが触手に癒されるエピソードはあるものの、死からの復活というドラマチックな経緯はないのだ。マンガ版の物語はその後、映画の終わりかたにむしろ批評的な視点を示す。

裏表の穢れと清浄

『風の谷のナウシカ』の「火の七日間」の後に穢れた世界という設定は、核戦争による汚染を暗喩している。アニメの世界では同作以前に先に触れた『宇宙戦艦ヤマト』が、ガミラス星人からの遊星爆弾の攻撃で地球が放射能に汚染されるのが物語の始まりだった。『宇宙戦艦ヤマト』シリーズでは、ガミラス星人が放射能を含む大気でしか生きられないのか、そのような大気に耐性があるだけなのか描きかたに揺れがみられたが、いずれにせよ有毒な瘴気を発する腐海の森に棲む蟲たちの先駆けといえる設定だった。同作の場合、宇宙戦艦ヤマトが苦難の旅の末、イスカンダル星からコスモクリーナーを地球に持ち帰り、放射能を除去して問題は解決される。

さらにさかのぼると、特撮怪獣映画『モスラ』(一九六一年)が、やはり核汚染の問題を物語の発端にしていた。東宝の怪獣映画の嚆矢『ゴジラ』(一九五四年)は、水爆実験により恐竜が放射能を帯びた状態で目覚めた。『モスラ』でも、巨大な蛾で部族の守護神的な怪獣モスラがいる南洋のインファント島が、やはり水爆実験の影響を受ける。だが、島にいる人々は赤い実の汁を飲むことで、放射能による健康被害を免れたとされていた。『モスラ』の原作を担当した純文学作家三人（中村真一郎、福永武彦、堀田善衛）のうちの一人である堀田善衛を宮崎駿は愛読していたし、モスラと双子の小美人が心を通わせる様子は、王蟲とナウシカの関係に相似している。

しかし、『風の谷のナウシカ』における汚染は、コスモクリーナーや赤い実の汁で解決できるほど単純なものではない。すでに汚染は千年続いているのだし、腐海の森から有毒な瘴気を発する胞子が村に入りこんだ場合、人々は焼き払って除去するが、増殖を止められなければ住んでいた場所を放棄するしかない。拡大し続ける腐海から人間は遠ざかる以外に術はない。

ただし、腐海は汚染を広げるだけでもない。若き日のユパは腐海の深部に迷いこみ、そこが清浄であることに気づいた。一方、ナウシカは、風の谷の地下室で密かに腐海の植物群を育て、きれいな水と空気で育てれば瘴気を出さないこと、汚染されているのは土であることを確かめていた。ユパがかつて体験で知ったことを彼女は自力で見抜いており、後にアスベルとともに下りて目の当たりにした腐海の底の様子から、次のように考える。

　きっと腐海そのものがこの世界を浄化するために生まれたのよ
　太古の文明が汚した土から汚れを身体にとりこんで無害な結晶にしてから死んで砂になってしまうんだわ

その浄化作用にはコスモクリーナーや赤い実の汁の即効性はなく、今後も長く人類は、腐海の毒とつきあわざるをえない。だが、物語の早い段階で未来における浄化への期待が示され、映画では終盤でナウシカが予言された救世主の出現のように描かれるため、希望のある結末となっていた。

宮崎駿は『風の谷のナウシカ』の着想源について『オデュッセイア』の「ナウシカ」や「虫愛ずる姫君」以外にも様々なものをあげており、次の発言を残している。

実は「ナウシカ」をつくる大きなきっかけになったといまにして思うことが一つあるんです。水俣湾が水銀で汚染されて死の海になった。つまり人間にとって死の海になって、漁をやめてしまった。その結果、数年たったら、水俣湾には日本のほかの海では見られないほど魚の群れがやってきて、岩にはカキがいっぱいついた。これは僕にとっては、背筋の寒くなるような感動だったんです。人間以外の生き物というのは、ものすごくけなげなんです。(「〝風の谷〟の未来を語ろう」一九八五年、「朝日ジャーナル」掲載。一九九六年『出発点 1979〜1996』所収)

熊本県で化学企業チッソの水俣工場の水銀を含む排水で汚染された魚を食べた地域住民に健康被害が多発したのが、水俣病である。妊娠中の母親の被害は、胎児性水俣病として産まれた子にまでおよんだ。一九五〇年代に社会問題化し、その後、原因が判明し公害対策の必要性が認識される契機となった代表的な公害病だ。患者の苦しみやチッソへの抗議活動で生じた地元の軋轢などを描き評価された石牟礼道子の文学作品『苦海浄土　わが水俣病』(一九六九年)のあとがきには、「会社のえらか衆の、上から順々に、水銀母液ば飲んでもらおう。(中略)奥さんがたにも飲んでもらう。胎児性の生まれるように」という患者の激烈な呪詛の言葉が書きとめられていた。考えてみれば『苦海浄土』という書名は、腐海の浄化という『風の谷のナウシカ』の裏テーマと響きあうものでもある。

自分が生きる地域の生態系、命の循環のなかに毒が入りこんでしまう構図を『風の谷のナウシカ』は水俣病から受け継いでおり、毒に侵された母と子というモチーフも必然的に導き出される。腐海が実は世界を浄化するために生まれたとする設定（の外に出ない映画版）は、人間にどれだけ毒されても母なる自然の生態系は、自浄作用を働かせてくれる、そうあってほしいという願望の吐露のようなものだろう。米ソの中性子爆弾が強毒の細菌を無害化したとする人類に都合のいい展開を用意した『復活の日』と同種の手法である。どちらの作品もその安易な解決では終わらせず、人間が普通に暮らせるのははるか先のことだとしているものの、希望は与えている。これらの設定は、人類は未来に救われる、それがいつかはわからないけれど、というぐあいに希望をどこまでも先送りできる無限遠点においてきた古来よりある宗教と相似した説得のしかたである。

そもそも『風の谷のナウシカ』の「火の七日間」という初期設定が、キリスト教の『新約聖書』の「ヨハネの黙示録」を連想させる。「黙示録」は、世界に終末が到来してから千年を経てイエス・キリストによる最後の審判が行われ、神の国（新しいエルサレム）が実現するという予言的内容を持つ。地震、大火、生物の死、星々の異変などの天災や戦争による破滅が語られ、「七つの教会」、「七つの封印」、「七人の天使」、「七つの災い」と「七」が多用される。『旧約聖書』の「創世記」で、神が七日間で世界を創造したとされることに対応し選ばれた数字だろう。「七」は終わりとともに始まりを意味する。『風の谷のナウシカ』では、火による「七」日間の破滅から「千年」という「黙示録」的な大枠のなかに多くの宗教的イメージをちりばめている。

映画版ではナウシカが伝説の救世主・青き衣の者に見立てられて終わったが、その後も物語が続くマンガ版では、複数の人物が彼女に関する異なった解釈を語る。土鬼諸侯連合に属するマニ族僧正は、「古き予言はまことであった……　そなたたちを青き清浄の地へみちびく者があらわれたのだ」と部族に話す。この言葉を読むと、王蟲の激流を静めたナウシカは、行く手を阻む海を割って通り道を出現させ、民を約束の地へ導いた「出エジプト記」のモーセとイメージがだぶる。だが、僧正の見方は、土鬼では邪教とされるものだ。

ほかにも青き衣の者については、森の人セルムが「青き人は救ってはくれないのだよ　ただ道を指し示すだけさ」といい、クロトワとユパが「青き衣の者てのは救世主じゃなくて死神なんですかい？」、「同じ予言が時には生への希望となり時には彼岸へのあこがれにもなる」との会話を交わす。この多面性、多義性は、ナウシカのものでもある。

ナウシカは風の谷から離れて旅し、トルメキア、土鬼の人々とかかわり、腐海の生き物と交信する。物語後半では、王蟲が大量に暴走し有毒な胞子が飛散して腐海が急拡大してしまう「大海嘯」の発生がポイントとなり、穢れと浄化のテーマがいっそうせりあがる。ナウシカは、腐海の森にいて外界と接触せず蟲の卵を食して生きている森の人に出会う。エフタル王国の末裔である彼らは、汚染を超越して清浄を保っているような、高貴な一族である。反対に人々から蔑まれているのが、悪臭を放つ体で蟲を操り、戦争の下働きをして死体から金品を盗みもする蟲使いだ。ナウシカは蟲使いとも行動をともにし、何百年もそうして生きてきた彼らを怒る資格はないと、相手を理解するようになる。

彼女は、穢れと清浄のいずれともアクセスできる存在なのだ。蟲使いの祖は森の人だともいわれ、読み進むと、穢れと清浄を裏表のものとする世界観が作品の基層にあることが読者にわかってくる。というか、連載を続けテーマを掘っていくうちに作者がその基層を発見したのかもしれない。

無限遠点とプログラミング

大海嘯で住処を失った土鬼の民は、同国の神聖皇帝に率いられトルメキアへ移住しようとする。ナウシカはその先には憎悪と復讐の繰り返ししかないとして、「腐海のほとりに移りそこで生きましょう」、「苦しみを分ちあって生きる方法を私の一族は知っています。みなさんに教えられます」、「憎しみより友愛を」と説得する。穢れた腐海のほとりを指し示す彼女が、「青き清浄の地へみちびく者」ではないとわかる場面だ。

大詰めが近づくと、物語では土鬼の聖都シュワにある二つの場所がクローズアップされる。一つは、旧世界の技術で造られた不死の生命ヒドラが主となった庭である。ナウシカが入りこんだ庭には、絶滅したはずの動植物が汚染されずに棲息し、音楽や詩が残されていた。将来、浄化された世界を再建するための種が、保存されていたわけだ。それは、神が大洪水で人類を罰する前にノアの家族とあらゆる動物のつがいを方舟で避難させ、新たな時代の種とした「創世記」のエピソードを想起させる。あるいは「創世記」で人類の始まりとなった場所、アダムとイヴが追放されたエデンの楽園を思わせる。見方を変えるなら、腐海の森の拡大で居場所がどんどんなくなる『風の谷のナウシカ』の人類は、楽園から追放され続けているととらえてもいい。

シュワの庭でナウシカは、この世界の真実に気づく。先人は汚染された世界にあわせて人間や動物を変化させ、浄化のために腐海を造った。自然ではなく人工的な生態系に適合した今の人々は、浄化に憧れても毒なしでは生きられないのだ。庭の主は、彼女を庭にとどまらせようとする。だが、庭はシュワの墓所の貯蔵庫であり中心ではないと知った彼女は、真実を見極めるため墓所へ向かう。楽園のごとき庭に居続けようとはしないのだ。

映画版のイメージを抱いてマンガ版を読むと後半の展開はかなり異様である。映画版ではクシャナが巨神兵の復活を急ぎすぎたため、攻撃していた彼らの体は間もなく崩れ落ちてしまう。一方、マンガ版では巨神兵以外にも、土鬼が兵器にするため王蟲を培養し、ヒドラを使役するなど生命操作のモチーフが多くなる。技術の継承と命が循環する生態系という二つのモチーフが別個のものではなく、絡みあっていたことが浮かびあがる。また、映画版とは違って、巨神兵復活にとり組むのはクシャナではなく土鬼だ。しかも、目覚めた巨神兵は、復活の鍵となる秘石を持っていたナウシカを母だと認識し、彼女も巨神兵を子として扱いオーマ（作中で「無垢」を意味するとされる）の名を与える。「火の七日間」で世界を汚染する原因となった巨神兵と主人公が、親子関係を結んでしまうのだ。それは、ナウシカが実母の体の毒を引き受けない形で産まれたことの反動のようにみえる。

シュワの墓所には、「火の七日間」以前の高度な技術を文書として伝える仕組みがあった。冬至と夏至に一行ずつ新たに生まれる聖なる文書を教団は解析している。それは、汚染された大地と生物をすべてとり換えるためのプログラミングであり、いわば人類が造った神だった。しかし、ナウシカは受け入れない。

生きることは変わることだ　王蟲も粘菌も草木も人間も変わっていくだろう　腐海も共に生きるだろう
だがお前は変われない　組みこまれた予定があるだけだ　死を否定しているから……

そう断言したナウシカは、我が子と認めた巨神兵オーマに墓所を破壊させ、世界が清浄に戻った時のために準備された、穏やかで賢い人間になるはずの卵を潰す。プログラミングされた未来を断固として拒否するのだ。はじめから恋愛より自然に魅かれる少女を主人公にすえていた『風の谷のナウシカ』は、王子様と結婚してめでたしめでたしとなる昔話の道筋はたどらない。『復活の日』や『日本沈没』とは異なり、社会のために女性が子を産むことを前提にもしていなかった。

かつてナウシカは、森の人セルムに対し「でもあなたは生命のながれの中に身をおいておられます私はひとつひとつの生命とかかわってしまう……」ともらしていた。高貴な森の人とも蔑視される蟲使いとも共感できるナウシカは、「ながれ」という総体ではなく、「ひとつひとつ」の個別性の側に立つ。彼女は、先人のプログラミングを守護する墓所の主に対し、「その人達は、なぜ気づかなかったのだろう　清浄と汚濁こそ生命だということに」と語っていた。この作品の世界観を象徴するセリフである。そして、知った真実を伝えてなになると考えたナウシカは、清浄な世界で生きられないことを隠したまま、「いつか明るい世界が両手を広げて迎えてくれるでしょう」と人々に嘘をつき続けることを決意する。

歌舞伎版でも墓所での対決が、通し狂言の終盤で展開された。梨園の名門の跡継ぎとして生まれ育てば、名前がどのように変わり、どんな役柄を演じるかはある程度定められている。ナウシカ役の尾上菊之助はいずれ父の菊五郎の名を継いで八代目となるだろう。音羽屋の家の芸を継承する責任を負っているのだから。伝統芸能では当たり前のことであり、未来がプログラミングされている面がある。だが、興行として時代に応じて演出を変更し、新作を必要とするのも事実である。その意味では「生きることは変わることだ」もあてはまる。保守的な価値観からすれば伝統＝清浄、新奇性＝汚濁だが、あわせ呑まなければならない。ここにも歌舞伎が『風の谷のナウシカ』と出会う内的必然性があったと感じる。

マンガ版も歌舞伎版も本編の最後のセリフは、ナウシカの「生きねば」だ。マンガではそのセリフの下に「語り残したことは多いがひとまずここで、物語を終えることにする」と始まるナレーション的な文章が記され「おわり」となる。「この後、ナウシカは土鬼の地にとどまり、土鬼の人々と共に生きた」、「帰還したクシャナは、やがてトルメキア中興の祖と称えられるにいたるが、生涯代王にとどまり決して王位につかなかった」などと簡単にその後が説明されている。

『風の谷のナウシカ』は、いつとはわからぬ無限遠点に救済の希望があると予言の成就の形を思わせながら、実は過去から未来へプログラミングされていたと判明しそれが破棄される。さらに、ナレーション的記述によって新たな歴史を記録した次の時代の人々がいたことを示唆する結末になっていた。予言の成就、プログラミングの判明と破棄、次の時代の記録へと推移し、作中世界における歴史把握のありかたが変化することが、希望の持ちかたの変化にもなっている。

本章の前節でディストピア小説、パンデミック小説で〝言葉の伝染〟が希望として夢見られていることに触れた。基本的にそれは真実を志向した言葉である。それに対し『風の谷のナウシカ』では、予言、プログラミング、歴史のナレーションと注目される言葉の位相が移っていく。物語は隠された真実を掘り起こす方向で進むが、最終的にナウシカは大きな嘘を抱えこむ。彼女が嘘を引き受けてくれるから、人々は希望を抱くことができる。しかし、リーダーは真実を知っているが、共同体をまとめる手段として嘘を教えるというのは、ディストピアものによくある構図でもある。清濁あわせ呑んだナウシカが導いたユートピアは、危ういバランスで成立していたのだ。

Chapter2　統治／分断　Governance/Division

1　パラレル・ワールドの日本――『R帝国』『オーガ(ニ)ズム』『ブラック・チェンバー・ミュージック』

資本主義の終わり、世界の終わり

朝、目が覚めると戦争が始まっていた。

中村文則『R帝国』(二〇一七年)は、この一文から始まる。R帝国の一市民・矢崎は、隣のB国との戦争をニュースで知る。だが、間もなくこの島国の最北にあるコーマ市をY宗国が攻撃してくるのだ。「党」が統治するR帝国では、民主主義を形だけ維持するため、極小の野党が存在した。その党首の秘書・栗原は、謎の組織Lと接触する。矢崎と栗原は、それぞれ戦時下の大きなうねりに巻きこまれていく。

本の冒頭にはアドルフ・ヒトラーの言葉「人々は、小さな嘘より大きな嘘に騙されやすい」が引用されている。作中の防衛大臣は、移民が住む区は壁で囲え、費用は移民が払えと、同作発表時のアメリカ大統領ドナルド・トランプのごとき発言をする設定だ。ヘイト・スピーチ、フェイク・ニュース、生活保護バッシング、自己責任論、歴史修正主義、陰謀論などのモチーフが盛りこまれ、右傾化する日本、各国で国家主義が台頭する世界の状況を風刺・批判している。国名がR、抵抗する側がLとされるのも、Right（右）とLeft（左）を含意したのだろう。ほかにもRacism（人種差別）、Liberty（自由）など、RとLは様々な思考を誘発する記号になっている。

「党」は情報を操作して国民の支持をとりつける。また、『R帝国』は無人兵器の発達した未来を舞台にしており、物語のキーとなるガジェットがHP（ヒューマン・フォン）だ。それは人工知能を搭載した携帯電話であり、人格のごときものがある。持ち主と会話するだけでなく、自律的な思考もしてHP同士のやりとりも行う。HPは「党」が国民のデータを吸い上げ、監視する手段でもある。トランプ時代のアメリカ政府は、TikTokについて、中国が利用者の個人データを不正取得するスパイアプリだとして規制に動いた。また、本作はコロナ禍以前に執筆されたものの、ウイルスを物語のポイントに据えていた。予期せぬ非常事態、為政者の情報操作、通信サービス利用の危険といった『R帝国』の諸要素は、近年の現実とシンクロしている。

時代とのシンクロでもう一つあげられるのは、ここ数年の日本における加速主義への注目だ。加速主義とは、現在の政治・社会に対する批判的思想である。それは、共産主義が世界的に凋落した後、選択肢は資本主義しかないとしたマーク・フィッシャー『資本主義リアリズム』（二〇〇八年。二〇一八年に日本語版）の考えが前提になっている。同書の第一章は「資本主義の終わりより、世界の終わりを想像する方がたやすい」と題されていた。このフレーズは、アメリカのマルクス主義批評家フレドリック・ジェイムソンが発したものでラカン派精神分析のスラヴォイ・ジジェクが言及し、さらにフィッシャーがクローズ・アップしたことで広く知られるようになった。二〇世紀半ばにあった社会主義対自由主義の冷戦が一九九〇年代初頭に終結して以後、中国は共産党支配のまま資本主義化を進め、国際的に経済面での存在感を強めた。資本主義に問題があっても、この世界に代替策は見当たらない。それゆえ、冷戦以後のディストピア的思考は「資本主義の終わりより、世界の終わりを想像する方がたやすい」という感覚をどこかに含んだものばかりになっていった。

それに対し、資本主義を加速させ、限界まで押し進めることでしか「出口（exit）」は見出せないとするのが、加速主義だ。露悪的ともいえるその思想には左派と右派で様々な傾向があり、シンギュラリティ（技術的特異点）に突破口を期待するSF的志向もみられる。また、右派加速主義は、ポリティカル・コレクトネスやフェミニズムなどは自由の妨げだとする新反動主義と結びついている。その方面の代表的論客ニック・ランドが最初はブログに記した『暗黒の啓蒙書』（二〇一二年）の翻訳が、日本でも二〇二〇年に刊行された。同書でランドは、民衆の意志を聞かせようとする「声（voice）」は民主主義それ自体だとしたうえで「平等」対「自由」を「声」対「出口」といいかえている。民衆の声をくみとった民主主義が解決策である出口を指し示すというプロセスを、彼は信じない。ランドは『暗黒の啓蒙書』でアメリカにおける奴隷制からの解放を「出エジプト記（Exodus）」と同様に出口を目指すものだったと語り、その後も黒人が平等や公平へたどり着く出口は存在しなかったと記す。だが、それに対する同書の結論は「生物工学的分離主義は人種問題からの出口へと向かう」というものだ。生物工学の遺伝子操作で新たな種を生み出すことを提唱する、飛躍した着想でしかない。モーセは民を神との約束の地に導いたが、ランドの意図する出口がどこかは定かでない。

海外のネット発の議論だった加速主義は近年、日本の紙媒体でも論じられ、知られるようになった。バブル景気に進んでいった日本の一九八〇年代にはニューアカデミズムのブームがあり、資本主義の速度を賞賛する論調があった。しかし、一九九〇年代初頭にバブル景気が崩壊して以後のこの国では、株価などの経済指標はともかく、非正規雇用の増加や平均収入の下降など庶民レベルの体感景気は長期にわたって停滞し続けている。また、コロナ禍が各国経済を減速させたこともあり、資本主義の速度の意味が問い直される状況がある。とはいえ、加速主義は思想好きの一部の話題にとどまるし、『R帝国』にこの思想への言及があるわけではない。だが、同作は、資本主義世界に生きる作者が、意識せずとも必然的に加速主義と世界観を共有して書いたといっていい内容になっている。作中では戦争が世界の経済活動の一環で行われ、テロも需要と供給に応じた取引であると、政界の黒幕・加賀の口から語られる。彼はそんな醜悪な資本主義の外へ出ようとは考えない。多くの犠牲者が出るのを厭わず、効率的に戦争を遂行しようとする。資本主義の加速を是とするのだ。

『R帝国』のディストピアは、「党」が国民を一方的に圧制で支配するのではない。誰かを犠牲にして生き延びる後ろめたさを国民が抱えなくていいように、「党」は国家の正義のため、彼らは喜んで犠牲になったのだというロジックを用意する。自分は悪くない、正しいと思いたがる国民の承認欲求を、「党」はＨＰ《ヒューマン・ホン》を通じてくみとる。その意味で民意に応えているのだ。

政府と国民をつなぐ情報テクノロジーに関して近年、現実世界で注目された人物に台湾のデジタル担当大臣を務めたオードリー・タンがいる。コロナ対策でのＩＴ活用に手腕を発揮したタンは、政治的論点に関するオンラインディベートのプラットフォーム「vTaiwan」の構築でも知られる。そうした試みの延長線上に『R帝国』の状況の反対といえる、テクノロジーを活用したユートピアを人々は夢見ているのだろう。ただ、共産党が統治する中国が、「一つの中国」というスローガンで台湾に圧力をかけ続ける状況があるわけだ。中国では現実の街でもインターネットでも権力側が監視体制を強めているが、国民はそれに抵抗するよりも受け入れ、経済発展に伴って幸福を感じているとも伝えられる。情報テクノロジーの使用法をめぐり、ディストピア的な中国のイメージと対比する形で、台湾の民主的な達成としてタンの活躍を理想化した面はあるだろう。

世界的ベストセラー『サピエンス全史』を執筆した歴史学者ユヴァル・ノア・ハラリが、タンと対談した際、興味深い問いを投げかけていた（「ニューズウィーク日本版」二〇二〇年）。自分の行動を分析したＡＩのアルゴリズムが母よりはるかに自分のことを知っている時、アルゴリズムとはどんな関係性になるのか。アルゴリズムが民主主義を乗っ取った場合、それはどういうことなのか。ＳＦでは以前からテーマにされてきたこの問いに、説明責任と透明性の大切さを述べるタンの返答は、歯切れのよいものではなかった。

一方、『Ｒ帝国』では、ＨＰが知能だけでなく感情らしきものまであらわし、人間に匹敵する人格を有するようになる。また、作中では、人間は自分の意識でこうしようと考えているつもりだが、実際は脳の反応を遅れてなぞるだけだ、脳もプログラミングされているという仮説が紹介される。アルゴリズムの優位という着想が、同作にもみられるのだ。『Ｒ帝国』には、政権の黒幕・加賀が登場するとはいえ、特定人物の悪意によって世界が歪められた設定ではない。彼はむしろ、現に動いている社会システムを追認し解説する役割を作中で負う。戦争やテロが当たり前である資本主義リアリズムのプログラムをいかに円滑に遂行するか。それに関する加賀の思考も、あらかじめ社会のアルゴリズムで決定されているのかもしれない。彼は、資本主義の速度を維持する役目を負っているといってよい。

敵対するＬ側の人物に加賀が「党」の立場を説く終盤の章は、「プロとコントラ」と題されている。

ラテン語で肯定と否定、すなわち賛否両論を意味するこの言葉は、フョードル・ドストエフスキー『カラマーゾフの兄弟』（一八八〇年）の章題からとられている。この章で加賀は、「人々が欲しいのは、真実ではなく半径5メートルの幸福なのだ」と指摘する。そのうえで一部の犠牲者に対する国民の罪悪感に「党」が許しを与え、両者が罪でつながるのだと、支配を正当化する主張を展開する。それに対し『カラマーゾフの兄弟』の「プロとコントラ」では、一種の寓話が語られていた。カトリック教会を支配する大審問官は、復活したイエス・キリストにいう。人々は天上での自由ではなく地上のパンを求める。だから、自由をさしだし奴隷になってもいいから食べさせてくれと求める彼らに対し、労働を与えてやるのだとうそぶく。

一般の民の欲求に応じる形で支配が成立している。テクノロジーの発達を織りこんだ『R帝国』は、そんな必要悪としての支配をめぐる問題意識を十九世紀の名作から受け継いだ、古くて新しい物語だ。同作では、矢崎、栗原と登場人物が漢字で表記され、R帝国と日本に関係があることが暗示される。また、物語の世界ではナチ、第二次世界大戦、ルワンダ虐殺、9・11のアメリカ同時多発テロなどこちらの現実世界の出来事が、小説の形で伝えられている（正史がフィクションになって流通する設定は、フィリップ・K・ディックのパラレル・ワールドSF『高い城の男』と同様である）。そして、Y宗国に攻撃されたコーマ市の犠牲が、小説「沖縄戦」の犠牲と重ねて語られる。同種の悲劇が反復されているというわけだ。『R帝国』のRは、戦争やテロの歴史の繰り返し（Repeat）から脱することができるかというテーマを象徴してもいるのだ。

日本の南北とアメリカの南北戦争

『R帝国』単行本のあとがきで中村文則は、「この小説の希望は、読んでいただいた通り、ほとんどサキと、サキのHP、そして矢崎の元HPにしかない」と記した。国民が操られ自立心を欠くなか、自由への希望といえる「声」は、人工知能を搭載し擬似的な人格を有する携帯電話＝HPにしかない状況が語られている。矢崎だった記憶を失ったと装い、別人になるよう洗脳されたふりでかろうじて生き延びる。小説の最後は、そんな彼の思いで締めくくられた。

誰か僕達を助けてくれ。

救いの「出口」を求める叫びは、我々の声でもあるだろう。また、同作文庫版のあとがきで中村は、「現実が物語の中で「小説」で表現されるという、ある意味わかりやすい手法を取ったのは、逆の発想として、今僕達が住むこの世界の続きが、この小説の行先の明暗を決める構図にしたかったたからだった」と語っていた。『R帝国』は、現実の日本のパラレル・ワールドであり未来であるように位置づけられており、この現実がどうなるか次第で物語の未来も変わりうるというわけだ。

中村は『R帝国』を文庫化した二〇二〇年に長編小説『逃亡者』を刊行した。同作は第二次世界大戦時、日本軍の軍楽隊で使われ、「ファナティシズム」（＝熱狂）と呼ばれたトランペットをめぐる物語である。戦場で飢え疲れ、もう玉砕しかないと追いつめられた日本兵たちは、その名器の音色に鼓舞され、奇跡の作戦を実行したという。このため、「ファナティシズム」は、人を狂わせる悪魔の楽器といわれた。『逃亡者』は、それを入手したフリージャーナリスト・山峰健次が、謎の男に脅かされ逃亡するサスペンス小説風に始まる。彼は「戦争で稼ぐ人々」というノンフィクションで評判になったが、リベラルな思想が批判され、そんなことは「知りたくなかった」という感情的な反応も多かった。作中では、彼の恋人の母国であるヴェトナムが強国に抵抗してきた歴史、山峰のルーツである長崎で起きた潜伏キリシタンへの弾圧と原爆投下がふり返られ、「知りたくなかった」とは逆に歴史を知ろうとする内容だ。想像力を未来へ延ばした『R帝国』と過去へ延ばした『逃亡者』は、二作で対になっているようでもある。

山峰は「ファナティシズム」を吹いていた青年の手記を手にする。その名器は、戦意高揚ばかりが効能ではなかった。兵站病院への慰問で人気なのは流行歌だし、童謡や民謡を演奏すれば聴くものは内地を思い出して感涙にむせぶ。「赤い鳥小鳥」、「しゃぼん玉」、「赤とんぼ」などで傷病者は童心に戻り、何人かは息を引きとった。彼らは、今なら子どもに還って死ねると思ったのではないか、「生きる気力を、私達の音楽が失わせたのかもしれない」と奏者の青年は思う。しかし、彼に強い力があったわけではない。郷愁や哀しみを誘う曲より「相応しい曲をやれ」と上官に軍歌を強要されれば「海ゆかば」などを演奏せざるをえない。青年が好きなジャズなど敵性音楽だからご法度だ。「ファナティック」は聴く人の感情を増幅する得体の知れぬ力を持っているものの、奏者に選曲の自由はない。権力が操る道具でありながら、そこからはみ出て人間の「声」に近いなにかを発する点で「ファナティック」は、『R帝国』のHPに近い設定なのだ。『R帝国』と『逃亡者』は、人のものではない「声」を支点にして歴史に別角度から光を当てようとしたことが共通する。

設定に関し『R帝国』でもう一つ注目したいのは、同作では開幕して間もなくR帝国最北の島、コーマ市にY宗国が侵略してくることだ。政界の黒幕・加賀が、そのことを第二次世界大戦時に日本国内で唯一地上戦があった沖縄を引きあいに出して語る場面がある。過去に南で起きた戦争を、未来を舞台にして北へ置き換えてみる。同作はその発想で書かれているのだ。また、加賀は、大戦で日本が降伏したのは原爆投下が原因ではなく、当時の一部の支配層が日本より大事にした満州国にロシア（当時はソ連）が攻めてきたからだとの解釈を話す。未来で南と北を置換するだけでなく、沖縄、広島、長崎という南からの過去の敗戦を、北からの侵攻による敗戦へと歴史解釈を修正しひっくり返す。

南から北へ重心を移すことで、現実の戦後日本とは異なる、べつのこの国を想像しようとした小説家は、他にもいる。近年では、古川日出男と阿部和重がそうだ。古川の『ミライミライ』（二〇一八年）は、戦後の日本がアメリカに占領されるだけでなく、北海道へ侵攻したソ連との分割統治になったパラレル・ワールドを描いた。北海道では敗戦後も抗ソ武装組織が戦闘を継続し、本州、四国、九州はアメリカの占領終了後、「主権を持ちうるニッポンが、インドの州になる」ことを日本政府が提案し、印日連邦（Union of Indianippon）が形成されるという大胆な設定だった。これに対し、阿部の『オーガ（ニ）ズム　Orga(ni)sm』は、二〇一一年に東日本大震災および原発事故が起きなかったかわりに、核爆発も疑われる永田町直下地震が発生し国会議事堂が崩落したもう一つのこの国が舞台となる。首都機能は東北のただの小さな街でしかない神町に移転されている。二〇一四年にその神町に当時アメリカ大統領だったバラク・オバマが訪れた際の騒動を同作は描く。最後まで読むと、それは、日本がアメリカ合衆国五十一番目の州になって十周年の二〇四〇年からの回想だったとわかる仕組みである。首都を東京から山形県の神町にすることで『オーガ（ニ）ズム』も日本の重心を北へ移したわけだ。

あらかじめいっておくが、重要なのは北か南かではなく重心を移すことである。『オーガ（ニ）ズム』刊行時に「文學界」二〇一九年十月号で特集が組まれ、複数の評者が同作を論じた。そのなかで大和田俊之、越川芳明などは、ウィリアム・フォークナーのヨクナパトーファ・サーガと阿部の神町サーガを比較していた。フォークナーは、故郷であるアメリカ南部のミシシッピ州ラファイエット郡をモデルとする架空の地域ヨクナパトーファを舞台にして、多くの作品を執筆した。大江健三郎による四国の森、中上健次による紀州の路地、古川日出男による東北など特定の地域にこだわってサーガを書き続けた小説家はみなフォークナーと比較される。自身の故郷・山形県東根市神町を舞台に多数の作品を発表してきた阿部和重も例外ではない。ただ、マコンドという架空の町の物語群を発表したコロンビアのガブリエル・ガルシア＝マルケスもそうだが、大江、中上、古川らは、土地の霊性（およびその消失）をサーガで大切なモチーフにしていた。一方、阿部は、神町という名を持ちながら地域に霊性や特筆すべきものはなにもなく、記号しかないことをむしろ積極的に題材にしてきたという違いがある。

先の「文學界」に大和田が寄せた「占領、偽史、ユダヤ　『Orga(ni)sm』読解の糸口として」で興味深いのは、大戦での敗戦から十年しかたたず、アメリカを中心とする連合国軍の占領が終了してわずか三年だった一九五五年にフォークナーが来日した際の言葉を引用したことだ。彼がノーベル文学賞を受賞して五年後の来日中に書かれたものである。

我々の土地も家も征服者によって侵入され、私たちが負けた後も彼らは居残りました。私たちは負けた戦争によって打ちのめされたばかりではなりません。征服者は私たちの敗北と降伏の後十年も南部に滞まり、戦争が残した僅かなものまで略奪していきました。（「日本の若者たちへ」藤平育

子訳）

日本に勝利したアメリカは、同国内の南北戦争で勝利した北側の価値観を受け継いでいたのであり、この随筆でフォークナーは、同じく今に続くアメリカにかつて敗北した南部の人間として日本人へのシンパシーを示している。とはいえ、南北戦争後に生まれ育った彼は、奴隷制の廃止に至った勝利側の自由と民主主義の価値観を支持している。随筆の後半では、いずれ日本も苦難を乗り越え価値観を共有しうるだろうと希望を述べるのだ。大和田は、「南北戦争後から公民権運動が展開される20世紀半ばまでのアメリカ南部において、理想と現実、建前と本音、嘘と実が入り混じる奇妙な言説空間が形成された」と歴史を整理する。そして、戦後の日本が占領終了後も独立国家でありながら属国のような日米関係を維持したことで、歴史が「必然的に偽史と陰謀論にまみれた言説となる」と指摘した。嘘と実の二重性を帯びた地域の物語群という点で、フォークナーから阿部への継承を大和田は読みとっている。

ここで大和田は、主にアメリカの南部と北部の関係を日本とアメリカの関係に重ねているが、それは日本国内における地方と首都圏の関係と相同的なのだ。『オーガ（ニ）ズム』では、小説家「阿部和重」のところへ、脇腹を負傷して血まみれのアメリカ人、ラリー・タイテルバウムが転がりこむのが発端となる。「ニューズウィーク」の編集者を名のった彼は、ＣＩＡのケースオフィサーだった。間もなくアメリカのオバマ大統領が神町を訪問する予定だが、核によるテロが疑われている。「阿部和重」は、妻の「川上」が留守で幼い息子の面倒をみなければならない状態のまま、ラリーとともに危機回避のため行動せざるをえなくなる。著名な映画監督である「川上」が、撮影を目的にちょうど神町に長期滞在中だからだ。このように現実の阿部和重と、妻で作家の川上未映子のパロディである配役をしつつ、「阿部」とラリーというバディは日米関係を象徴する戯画となっている。また、日本の中心機能が東京から神町へ移ってまだ三年であることが、首都圏と地方というトピックを意識させる。「南北」（周縁と中心）の主題が二重化されているのだ。

天皇、子ども、ヒーロー

阿部和重は、自らが神町トリロジーと呼ぶ長編三部作を発表してきた。『シンセミア』（二〇〇三年）は、敗戦国の日本が戦勝国のアメリカから余剰小麦を買わざるをえなかった戦後史を踏まえ、「パンの田宮」の一族を物語の軸にした。朝鮮戦争の時期に米兵相手の娼婦の姿が目立った神町で進駐軍にとり入り、学校給食への納入からのし上がった田宮家は、地域で力を持つようになる。同作は二〇〇〇年代初頭のその地方都市で同時多発的に事件が発生する内容であり、土建屋兼市議やヤクザと利権争いをするパン屋の家系は、首都の天皇家のネガと意図されている。

男たちの暴力が地方の街をカオスにする凄惨なアクション小説だった『シンセミア』に対し、『ピストルズ』（二〇一〇年）は、ハーブ園を営み四姉妹がいる菖蒲家を描いたファンタジー風の年代記だった。セックス・ピストルズ（Sex Pistols）とは男性性器を暗喩するバンド名だが、『ピストルズ』の「pistils」は雌しべであり花の女性性器を意味する。『シンセミア』の「sinsemilla」が種なし大麻を意味し、種が男性性器に通じていたことと対をなす。菖蒲家はヒーリングを行っており、集まった人々が花から抽出された薬効に浸りながらコミューンを作る様子が語られる。それは、一九六〇年代後半にドラッグと花に象徴されるカウンター・カルチャー（フラワー・ムーヴメント、サイケデリック、ヒッピー）が、アメリカから各国へ飛び火したことを反映している。『ピストルズ』では四女のみずきが一子相伝の秘術を継承する設定であり、菖蒲家も万世一系の天皇家のネガだった。

一方、生命体、組織を意味する「オーガニズム organism」と、性的絶頂感を意味する「オーガズム orgasm」を重ねた『オーガ（ニ）ズム』ではアメリカという主題が前面にせり出した結果、天皇のテーマは後景に退いた。ただ、終盤で日本がアメリカの五十一番目の州になったと明かされた際、日本国憲法が州憲法にひきつがれる過程で象徴天皇制が廃止され、皇室は宗教法人への移行が決定したと簡単に記されるのみだ。そのかわりなのか同作では、息子・映記を連れて行動する「阿部和重」の父親ぶりが強調される。首都の天皇家のネガである地方の田宮家、菖蒲家を通して日本の現代史を語った前二作から、特に強い力を持つわけではない一家族の親子へ焦点を移し三部作を締めくくったことは、国体より個人を重視する著者の基本姿勢を示すようでもある。

『オーガ（ニ）ズム』は『シンセミア』、『ピストルズ』の内容とリンクしているほか、神町サーガの他の中短編とつながっており、作中の永田町直下地震は東日本大震災より前の二〇〇六年に刊行した『ミステリアスセッティング』の事件を流用したものだった。阿部は、事実だけでなく噂も含め新聞やウェブの実際の記事を多数引用し、過去の自作の要素も織りこむことで、偽史や陰謀論がはびこる今を描く作家である。オバマの次にドナルド・トランプがアメリカ大統領となった時期の政治や社会の風潮から、ポスト・トゥルース、フェイク・ニュース、オルタナ・ファクトなどが流行語になった。それ以前から作品自体が偽史や陰謀論となることで偽史や陰謀論を批判する小説を阿部は書いてきた。

天皇というモチーフで言及しておきたいのは、『オーガ（ニ）ズム』ともリンクする中編小説

『ニッポニアニッポン』（二〇〇一年）だ。ニッポニアニッポンとは、人工繁殖させるしかない絶滅寸前の鳥＝トキの学名であり、名前からして国を象徴する生き物である。主人公の少年は、人工繁殖は不純と考え、国の保護下にあるトキの殺害を企てる。作中にはニッポニアニッポンと象徴天皇制の相似を示唆する部分があり、政治的な含みもある。

阿部は自作がどのようなパッケージングで流通すべきかに自覚的な作家だが、同作の表紙には、主人公が挫折した場面でラジオから流れる「ボヘミアン・ラプソディ」を収録したクイーン『オペラ座の夜』のジャケットを模したデザインが使われていた。同アルバムの最後に英国国歌「ゴッド・セイヴ・ザ・クイーン」のインストゥルメンタルのカヴァーが収録されていることは、国家の象徴を扱った小説であることを考えれば興味深い（エリザベス女王の死後、長男チャールズが国王になった現在の英国国家は「ゴッド・セイヴ・ザ・キング」）。ヴォーカルで世界的なロック・スターだったフレディ・マーキュリーはゲイであり、ライヴでは冠とケープを身に着け、女王の戴冠式のパロディを演じていた。彼は、子どもを残さず死んだのである。ジャケットに描かれたクイーンの紋章は彼によるデザインがベースになっており、中央に羽ばたく白い鳥が描かれていた。フレディは自分を鳥になぞらえ「翼を広げ飛んでいこう」のフレーズをしばしば歌ったものだ。絶滅寸前のトキ、皇族の数が減り将来が危ぶまれる天皇家、子どもがいなかったフレディを重ねあわせたようでもある。いずれも生殖にかかわる書名を持つ神町トリロジーの最終作『オーガ（ニ）ズム』で、一家族の父子関係がクローズ・アップされ、象徴天皇制の廃止が語られたことは、『ニッポニアニッポン』への解答のように読める。

前章で触れた歌舞伎は、家、血筋が普通以上に重視される点が世間の興味を引きつけるが、そうした日本の伝統の中心に位置するのが、天皇制だ。だが、『オーガ（ニ）ズム』では天皇のテーマが後景に退く一方、アメリカを代表する大統領オバマが登場人物の一人になるとともに、「阿部和重」のところに突然現れて居座るラリー・タイテルバウムがアメリカを象徴するキャラクターとなる。「阿部和重」は脇腹を負傷したラリーの世話をし、CIA工作員である彼の調査に協力を要請される。ラリー自身が傷口を縫合する場面の記述ではシルベスター・スタローンが演じたランボーが引きあいに出され、本人はスパイへのあこがれに関してケヴィン・コスナー主演『追いつめられて』の影響を語る。そのほか、『ミッション：インポッシブル』でトム・クルーズが演じたイーサン・ハントなど、ラリーを描く際に映画を中心としたアメリカ的ヒーロー像がたびたび言及、引用される。強靭なラリーを相手にして結果的にいわれるままになる「阿部和重」。二人は、アメリカと日本の関係の比喩になっている。

金の支払いなど世話をされて当然という態度の相手に、小説家はおずおずと不満を口に出す。相手は「トモダチになれたと思っていました」と応じる。このカタカナ書きは、東日本大震災の際、米軍の支援が「トモダチ作戦」と呼ばれたことをふまえたものだ。二人の関係性は、日米同盟、安保体制のありかたを反映した形で描かれている。核爆発が疑われる地震が国会直下で起きた日本であるわりには、作中の国は現実世界のこちらの日本とさほど変わらず、ディストピア然としていた中村文則『R帝国』とはテイストが違う。どこかのんきでコメディっぽくもあるのが阿部和重流であり、そのゆるさがむしろ現実の日本の弛緩をとらえていると感じる。

作者の阿部は「文學界」の特集のインタヴューでラリーを「アメリカそのものとして書いたといえます」と述べた。アメリカが平等と正義の追求を掲げ続けながらも、国力と国際情勢の変化でオバマが「アメリカはもはや世界の警察官ではない」と発言するに至ったことを踏まえ、阿部はこうも語っている。

そんな現状にあるアメリカと日本が三部作最終部でどのような関係を結ぶべきか考えた時に、僕が行き着いた結論は「あまりにもろくはかないアメリカを助けなきゃならない」ということでした。

このテーマ意識は、村上龍が一九八三年に監督した映画で小説も刊行した『だいじょうぶマイ・フレンド』を思い出させる（一九七九年の短編小説「ハワイアン・ラプソディ」が原案）。空から墜落してきた男、ゴンジー・トロイメライが主人公である。彼は飛べなくなったスーパーマンであり、超能力を有するその細胞を利用しようと悪の組織ドアーズが追ってくるが、日本の若者三人の助けを借り再び空へ飛び立つ。村上は発表当時、飛べなくなったスーパーマンはアメリカの比喩だとたびたび語っていた。ヒーロー的キャラクターに傷ついたアメリカを象徴させ、日本との関係を表現した点は『オーガ（ニ）ズム』に先行する。

村上龍と阿部和重の『地獄の黙示録』

村上は、会話形式のエッセイ「私とアメリカ」（「群像」一九八三年四月号。『村上龍全エッセイ　1982—1986』所収）で「原作のコミックスを読めばちゃんと書いてあります。／スーパーマンは『アメリカの正義と真実』のために日夜戦うのです」「——ベトナム戦争みたいですね」と書いていた。これは勝利できず一九七五年に終結したヴェトナム戦争以降、アメリカが自信を喪失した時代をしばらく過ごしたことを背景とした発言だ。逆にアメリカへの輸出が増加した当時の日本は、この国の経営を評価した『ジャパン・アズ・ナンバーワン』(エズラ・ヴォーゲル著。一九七九年)なる本がアメリカで出版されたことが話題になっていた。上り調子の日本経済が一九八〇年代後半のバブル景気へ突入する前の浮ついた気分が、弱ったアメリカを日本が助けるという寓話を村上に思いつかせたと今ならいうことができる。

坂本龍一とともにホストを務めた鼎談シリーズ(一九八五年刊『EV.Café 超進化論』にまとめられた)で映画制作を翌年にふり返った村上は、「アメリカはもう僕の神じゃないし父親でもないから、さよならしようと思ってああいう映画つくったら……」といいつつ、自作の失敗を認めるしかなかった。ゴンジー・トロイメライがトマトに恐怖を覚えるなどコメディ調の内容とはいえ、オナニーをして弾より速い射精で敵のロケットを破壊する馬鹿馬鹿しさや、音楽も踊りもギクシャクしてノリのないミュージカル・シーンなど、欠点の目立つ映画だった。それらのシーンのない小説版は、「だいじょうぶマイ・フレンド」という言葉が飛べなくなったスーパーマンと日本の若者の友情をあらわす甘いものではなく、悪の組織に洗脳された若者たちが機械的に復唱する「ダイジョウブ・マイ・フレンド」のカタカナ書きで使われるなど、映画版より多少批評的な内容だった。いずれにせよ、バブル景気の頃にアメリカと同等になれるかと夢想した日本は、バブル崩壊後に長期で今にまで続く低迷に入ったのだから『だいじょうぶマイ・フレンド』という映画は、その後のこの国の失敗を先どりしていたのだ。

映画に傾倒してから文学に参入したこと、ポピュラー音楽などサブカルチャーの引用を小説に多数ちりばめること、主要な作品で日米関係をモチーフにしていることなど、阿部和重には村上龍をめぐる諸要素を継承する面がある。その意味で『だいじょうぶマイ・フレンド』のグレード・アップのごときコンセプトで『オーガ（ニ）ズム』が書かれたのも必然と思える。ただ、阿部は「アメリカを助けなきゃならない」と語っていたが、「阿部和重」はラリーをヒーローのごとく救うわけではない。二人はバディ＝仲間になるが対等の相棒ではなく、「阿部和重」がいわば内助の功のようにラリーをケアして寄り添い、要求に従うのである。妻の「川上」が不在の設定なのは、夫がラリーという家父長的存在の女房役になるため、役割のだぶりを避けるためだと考えられる。日本がアメリカの州になる未来を用意した阿部は、かつての村上より日本の身の丈に関する判断がシビアである。

親近性がある村上と阿部の二作で面白いのは、『だいじょうぶマイ・フレンド』の主演がピーター・フォンダであり、『オーガ（ニ）ズム』で妻の監督「川上」が神町で行っている撮影がフランシス・フォード・コッポラ監督の映画『地獄の黙示録』（一九七九年）の過酷だった制作現場になぞらえられることだ。フォンダは一九六〇年代後半のアメリカのユース・カルチャーを描写した『イージー・ライダー』（一九六九年）に主演し有名になった俳優であり、その相棒役だったデニス・ホッパーは『地獄の黙示録』に写真家役で出演していた。二人は一九六〇年代の若者世代のアイコンだったといえる。

『イージー・ライダー』は、コカイン密売で金を稼いだ若者二人が、バイクでアメリカを旅する話だ。まだ反体制的な色彩があったロックやフォーク、ドラッグ、ヒッピー、コミューン、長髪など、新世代の価値観が描かれ、彼らが上の世代から敵視され迫害される様子を追う。ラストで主人公の二人は、保守的なアメリカ南部の住民に銃殺されてしまう。加害者に躊躇はうかがえず、目ざわりな獣を排除したといわんばかりのあっけない結末である。同作でフォンダが演じたワイアットには「キャプテン・アメリカ」の愛称があり、バイクやジャケットに星条旗のデザインが使われていた。そんな彼が殺害されることに、世代やカルチャーの断絶が表現されていた。先に触れたフォークナーの主題にひきつけて書くなら、南北戦争の敗北で抑圧されていた南部の旧い価値観が、反体制的な新しいアメリカを生きる若者を殺したという図式だ。

当時のロックやフォークを聴いていた若者が多く駆り出されたヴェトナム戦争の狂気を語った『地獄の黙示録』に『イージー・ライダー』に出演したデニス・ホッパーが起用されたのは、象徴的なキャスティングだった。この戦争映画ではロックがたびたび流れた。その『地獄の黙示録』が題材にしたヴェトナム戦争では、アメリカの価値観がアジアのジャングルで通じず敗北したのだ。

同映画は、イギリスの作家ジョセフ・コンラッドの小説『闇の奥』(一九二〇年)を下じきにしていた。西洋人が異文化の奥地で現地人から神とあがめられ、蛮行を働くようになる。もう一人の西洋人が現地人の襲撃に遭いながらも奥地へ入り、神とあがめられる人物とついに対面する。そんなストーリーであり、『闇の奥』では象牙交易が行われるアフリカだった物語の舞台をヴェトナム戦争に置き換えたのが『地獄の黙示録』だった。西欧的な価値観と非西欧の価値観の衝突、文明と自然、時間を遡行するような旅、善悪の喪失、植民地批判といったモチーフが両作に共通する。一方、『オーガ(ニ)ズム』では、『地獄の黙示録』の制作現場に喩えられる映画撮影がされており、アメリカ大統領が来訪する日本の神町へ、CIA工作員が潜入する。この図式は異文化への侵入という『闇の奥』の図式を受け継いでいるが、『地獄の黙示録』の展開とは異なっている。同映画では奥地の人々を支配し異様な小王国を築いた大佐に対し、アメリカ軍の不祥事抹消を目的に大尉が暗殺に赴く。だが、ラリーは、暗殺のためではなく大統領を救うために行動するのだし、彼がオバマと直接会って対話することはない。アメリカ大統領を神のごとくあがめる日本は、すでにアメリカナイズされていたわけで、ラリーにとってどこまで異文化かも怪しい。その意味で『オーガ（ニ）ズム』は、『闇の奥』や『地獄の黙示録』のパロディの側面を持つ。

ふり返れば、アメリカ軍基地のある長崎県佐世保で育った村上龍のデビュー作『限りなく透明に近いブルー』（一九七六年）は、同じくアメリカ軍の基地がある福生を舞台とし、日本の若者が米兵と交流しながらセックス、ドラッグ、ロックに明け暮れる小説だった。同作が芥川賞を受賞しベストセラーになった際、群像新人賞受賞時の「ロックとファックの時代」という埴谷雄高の選評が話題になった通り、当時はまだ純文学にロックの固有名詞が出てくるのは珍しかったのだ。日米の近接した時代を舞台にした『限りなく透明に近いブルー』と『地獄の黙示録』は、どちらにもドアーズとローリング・ストーンズが流れるなど、BGMに親近性があった。村上はコッポラの同映画の撮影現場を訪れ、ルポを書いたこともあった。だが、一九七〇年代を通じてロックや長髪などかつての反体制的カルチャーの多くが産業の一選択肢に組みこまれ、体制の一部になった。それらはアメリカの周縁から中央へ移行し、初期の意味を減衰させた。ゆえに、かつて保守的な価値観に撃ち殺された「キャプテン・アメリカ」＝ピーター・フォンダが、『だいじょうぶマイ・フレンド』でアメリカを象徴する没落したスーパーマンに起用されたのは、時代の推移をとらえたキャスティングだったといえる。村上とコッポラは、日米関係の近さとズレの推移を反映したような歩みかたをしていた。

産業化したロックからの揺り戻しだったパンク、再度の揺り戻しだったオルタナティヴ、黒人にとってのパンクだったヒップホップなど、反体制を気どる表現は時代ごとに現れ、どれもやがて体制にのみこまれていった。マーク・フィッシャーが、『資本主義リアリズム』で一九九〇年代前半のオルタナティヴを代表したバンド、ニルヴァーナのカート・コバーンについて書いたことを思い出す。

同書では「コバーンの死は、ロック・ミュージックが抱いたユートピアとプロメテウス的野心の敗北、そしてその消費文化への包摂を告げる決定的な瞬間だった」と、資本主義しか選択肢がない傍証に彼の死をあげていた。

中村文則『逃亡者』で「ファナティシズム」と呼ばれるトランペットを軍楽隊で吹いていた若き奏者は、日本軍の適性音楽であるという理由で、彼が好きなジャズなどの演奏が許されなかった。だが、吹けば兵士たちが涙する「しゃぼん玉」、「赤とんぼ」などの懐かしい童謡は、歌詞は日本語でも明治以降に輸入された西洋の形式で作曲されたのだ。同様の日本化＝西洋化は、ロック以降にも起きている。阿部和重は、アメリカの進駐軍と地元のパン屋の接触から神町トリロジーをスタートした点で、アメリカ軍基地に隣接する場所から小説を書き始めた村上龍のテーマを継承した部分がある。作中で映画やポピュラー音楽への言及が多いこともそうだ。だが、後続世代の阿部和重は、ロックについて村上が初期作品で反体制的なカウンター・カルチャーと扱ったようには扱わないし、むしろ資本主義下の記号と化していることを露悪的に書く。『ミライミライ』でヒップホップに類する北海道生まれの架空のジャンル「ニップノップ」を抵抗する希望の音楽として描いた古川日出男とは、姿勢が違う。そして、西洋に由来し日本語で歌われ日本化した音楽だけでなく、アメリカナイズされたこの国では洋楽も異文化ならではの触発力など持たないことを阿部の小説はとらえている。

『オーガ（ニ）ズム』では、ジャズ、ロック、クラシックなど音楽趣味が幅広いオバマの iPod のプレイリストが紹介され、なかにはボブ・ディラン、ローリング・ストーンズなどが含まれていた。ちなみに『イージー・ライダー』で「キャプテン・アメリカ」の射殺後のエンディングで流れるバーズ「イージー・ライダーのバラード」は、ディランのサジェスチョンをえてロジャー・マッギンが作曲したという。まだユース・カルチャーだったロックやフォークが隆盛だった一九六〇年代後半は、ヴェトナム戦争反対運動とともに黒人の公民権運動が盛んだった時期でもあった。そんな歴史があったうえで、二〇〇九年にオバマが黒人初の大統領になったのである。

『オーガ（ニ）ズム』の最後では、サイモン&ガーファンクル「アメリカ」（一九六八年）が飛行機内で流れ、七二歳になった「阿部和重」がつられて鼻歌を始める。作中で一部が引用されたこの曲の詞は、ヒッチハイクやバスで移動する若い男女が、アメリカを探す旅をする詞だ。「キャプテン・アメリカ」が愛称の若者が旅する映画は同曲発表の翌年に公開されたのであり、アメリカとの出会いというテーマの同時代性が感じられる。ヨーロッパから北アメリカ大陸への移住をピューリタンは「出エジプト記」になぞらえたが、約束の地探しは以後も形を変え続いたわけだ。ただ、バーバンクにむかう飛行機に搭乗する「阿部和重」は、日本がアメリカの州になった二〇四〇年に生きており、探すまでもなく彼はもうアメリカにとりこまれている。「資本主義の終わりより、世界の終わりを想像するほうがたやすい」今、世界には資本主義しか選択肢がなく、日本にはアメリカしか選択肢がない、「出口」がないと暗示するような結末だ。

マクガフィンとパノプティコン

阿部和重は『オーガ（ニ）ズム』刊行と前後して次の長編『ブラック・チェンバー・ミュージック』の連載をスタートし、二〇二一年に書籍化した。同作は作者の故郷の街を舞台にしていないものの、神町サーガと通底する主題を有する。オバマに次ぎ二〇一七年にアメリカ大統領に就任したドナルド・トランプが、二〇一八年六月にシンガポールで北朝鮮の最高指導者・金正恩と第一回米朝首脳会談を催した。半年後、二〇一九年一月、トランプの隠し子を名乗る男が、米朝関係の橋渡し役を担うと称して中朝国境を越え北朝鮮へ入国を試みた。東洋系にみえる彼は、日本人の母がトランプと恋仲になったのだとタクシードライバーにもらしたという。冒頭でこのように歴史的事実と偽史・陰謀論的な虚構の両方を提示して始まる『ブラック・チェンバー・ミュージック』は、神町トリロジーの小説作法を継承している。東日本大震災ではなく永田町直下地震が起きたというような大胆な設定はないが、現実とのズレが設定され、これもパラレル・ワールドの日本だろう。

主人公は、大麻取締法違反で起訴され初監督作品がお蔵入りになった横口健二。名監督・溝口健二に似た名前の彼は、ある評論文を掲載した映画雑誌を入手しろと、新潟のヤクザに任務をいいつけられる。仕事のパートナーとして引きあわされた女は、北朝鮮からの密航者で名乗らないため、横口は「ハナコ」と呼ぶことにする。評論文とは北朝鮮の先代指導者・金正日が書いた「ヒッチコック試論」の日本語版であり、継承問題にかかわる暗号文になっているという。雑誌の捜査で一緒に行動するうち、横口は「ハナコ」に恋し始めるが、後の米朝首脳会談が不調となり、情勢変化で二人に危機が迫る。やがて、暗号文とトランプの隠し子の関係が浮かび上がる。サスペンスであり、ラヴ・ストーリーでもある内容だ。

作中で一部が引用される「ヒッチコック試論」では、このサスペンスの巨匠の作品群では階段が、変化、発見、緊張をもたらす装置になっていると指摘される。『ブラック・チェンバー・ミュージック』は、北朝鮮から日本へ密航した「ハナコ」が、危険を冒して日本海を渡り母国へ帰ろうとするのを横口が援助する内容だ。小説は横口と「ハナコ」の動きを追う一方、朝鮮半島情勢に関連した日本での課題を話しあうため、北朝鮮と韓国の担当官が東京都内で非公式接触をする様子が挿入される。

その際、カラオケ店の一室が、半島の軍事境界線上にある板門店の日本支店のような役割を果たし、出席者はカムフラージュのためBLACK PINKなどK-POPを流したりする。また、トランプの隠し子の北朝鮮入国という話題もあった。日本と北朝鮮、北朝鮮と韓国、中国と北朝鮮など国境をめぐる本作で階段論が引用されるのは、違う階への上下移動が越境の隠喩になっていると読める。

『ブラック・チェンバー・ミュージック』では、朝鮮半島の南北分断、米朝の軋轢、北朝鮮と日本が近くていかに遠いかが描かれ、横口と「ハナコ」が在日コリアンへのヘイト・スピーチをがなるデモに出くわす場面がある。また、カラオケ店の非公式会合に出席する担当官は南北いずれも女性であり、「それにしょせんは女の言うことですから」と互いに性別のため組織内で差別されている点で共感したりする。分断や差別について様々な形で書かれているわけだが、重苦しい作風ではなない。

同じ差別をテーマにした作品でも、シリアスな作風だった李龍徳『あなたが私を竹槍で突き殺す前に』(二〇二〇年)と読み比べれば、違いははっきりする。ショッキングな書名を持つ同作の舞台は、特別永住者制度が廃止されて外国人への生活保護が違法化され、公文書での通名使用が禁止された日本である。在日コリアンの人々は生きるため、この国からの脱出、抵抗運動、体制へのおもねりなど、各々の選択をせざるをえない。これが物語の大枠だ。差別主義対リベラルの単純な図式ではない。同作では、制度改正を断行したのは、初の女性総理大臣とされる。新政権は同時に同性婚を合法化し、選択的夫婦別姓制度を実現し、移民受け入れを推進する。リベラルな政策をとりこむことで嫌韓政策をのませる政治的取引が行われた設定なのだ。

立場の異なる若者が章ごとに交代し、視点人物となる構成である。描かれるのは、排外主義に対する在日の抵抗ばかりではない。渡韓の推進は「帰国事業」と呼ばれ、不幸を招いた北朝鮮へのかつての「帰国事業」と重ねあわせされる。韓国での帰国者や外国人の扱われかたがネガティヴに書かれているほか、積極的差別者の割合はどの国も変わらないとするシニカルなセリフもある。家父長制を否定するフェミニストであるとともに、肉食を不正義として動物虐殺に抗議する在日女性も登場するのだ。差別される側の間にも差別に関する意識の差があることが語られる。妹を殺された男の復讐、軍用ドローンが飛ぶ騒乱といった熱い物語展開でエンタメ性もある。とはいえ、差別の竹槍の標的となる「私」が「あなた」と容易に入れ替わりうることが浮き彫りになる。自分は安全圏にいるつもりの読者の意識を突き刺す緊迫感があるのだ。

一方、『ブラック・チェンバー・ミュージック』は、阿部和重の作品らしくコミカルな要素が多い。横口が拉致され廃病院の地下へ連れていかれると、そこには拷問を仕事とする男が待っている。筋骨隆々で七三分けの彼は「ビーチボーイ」と形容され、シカゴ「素直になれなくて」、TOTO「ホールド・ユー・バック」といった一九八〇年代のアメリカのヒット曲をリピートしながら、無造作に拷問を行う。この男は、形容のされかたや愛聴する音楽からアメリカの戯画にみえる。肉体的苦痛を扱った場面だが描写は露悪的かつ軽薄であり、ギャグの色彩を帯びている。阿部の小説は、こうしたノリが多い。二〇一九年に韓国で放送され、翌年に日本でも配信され話題になった『愛の不時着』というドラマがある。韓国の財閥令嬢が乗るパラグライダーが竜巻に遭い、不時着した北朝鮮で軍人に救助され恋に落ちる話だった。現在の政治情勢ではあり難い設定だが、隣りあった国なのだから夢見たくなるラヴ・ストーリー。同時期に連載され、自らの不祥事で仕事を干された日本の男が北朝鮮から使命を携え密入国した女に恋する『ブラック・チェンバー・ミュージック』は、そのドラマに通じる軽さがある。

意図的に選択されたエンタメ的な軽さは、「ヒッチコック試論」が物語の焦点になっていることと結びついているように思う。作中で語られ引用されるこの評論は、実は阿部和重が作家デビュー以前の一九九三年に書いたものであり、全文が『ブラック・チェンバー・ミュージック』の小特集が組まれた「文學界」二〇二一年九月号に掲載されている。そこでは階段という装置への注目のほか、ヒッチコック映画における「人違い」、「間違えられた」人物のモチーフが論じられており、トランプの隠し子など素性の怪しい人物が複数登場する『ブラック・チェンバー・ミュージック』との共振性も見出せて興味深い。

とはいえ、ヒッチコックについて多少知識がある人ならば、マクガフィンに思い当たるだろう。サスペンス映画では、高価な宝石や暗号文などなにかを追い求めるプロットが多いが、追い求められるもの自体にさほどの意味はない。追い求める状況を作るきっかけになることが重要なのだ。その半ば無意味なものが、マクガフィンと呼ばれる。ヒッチコックは、それの使いかたが巧みな監督だった。フランソワ・トリュフォーによるヒッチコックへのインタヴューをまとめた『映画術』（一九六六年）では、こう語られていた。

> つまり、冒険小説や活劇の用語で、密書とか重要書類を盗み出すことを言うんだ。それ以上の意味は無い。（山田宏一、蓮實重彦訳）

作品のテーマを重視するよりも、たとえそれ自体が無意味でも物語を牽引する力を有するマクガフィンの使いかたに留意するのがエンタテインメントの作法であり、『ブラック・チェンバー・

ミュージック』もそれに則っている。同作では最終的に物語世界内における「ヒッチコック試論」の成り立ちが解き明かされるが、真相は冗談としかいえないものだ。しかし、作品の中心に無意味なものが据えられていることには、意味がある。

国家権力の支配について説く際、よく引きあいに出されるのがパノプティコンだ。イギリスの哲学者ジェレミー・ベンサムは、円形の刑務所に犯罪者を収容し、中央に看守塔を設置した全展望監視システム＝パノプティコンを構想した。フランスの思想家ミシェル・フーコーは、看守が塔の高みからいつ監視しているのかわからないそのシステムは、管理、監視を囚人自身に内面化させると論じた。そうして規律を内面化させる自己訓練をうながすパノプティコン的な構造を国家権力のありかたに見出したのである。中心に誰がいるのか、なにがあるのかわからず、ひょっとすると空っぽかもしれないが、規律を内面化させているために不可視の中心の意向を忖度した行動を選ぶ。ディストピア物語の多くが、そうして支配が成立していることを描く。物語としてみれば、充填されているのか空洞なのか定かでない不可視の中心が、マクガフィンの効能を持つことでエンタメ性を帯びる。パノプティコンとマクガフィンを重ねあわせることで物語を組み立てているわけだ。

中村文則『R帝国』の場合、国民を支配する側の加賀が登場し、自分たちがふるう権力について話す。だが、その章題「プロとコントラ」を借りたドストエフスキー『カラマーゾフの兄弟』では、権力者である大審問官が作中にダイレクトに現れるのではなく、登場人物が書いた寓話的な物語詩の登場人物だったのである。『R帝国』ではたどり着いたパノプティコンの中心に人がいて直接解説してくれたぶん、わかりやすさがいかにも人工的で、チープな印象を与えたのは否めない。根拠の有無が不明な中心に対し忖度しなければならない不安が、そこでは消えてしまう。

阿部和重は、それとは違った形で国家を書いている。『ブラック・チェンバー・ミュージック』では、北朝鮮から使命を背負って密入国した「ハナコ」、カラオケ店で非公式会合する北朝鮮と韓国の担当官、いずれも上層部の意向を十分に把握できず、自分の立場から忖度して考えるしかない。「ヒッチコック試論」は金王朝の継承問題と関連しているらしく、本の冒頭でトランプの自称隠し子の存在が触れられていたが、国家指導者である金正恩、トランプは作中では詳細のわからない遠景でしかない。横口に支配的な力を直接及ぼすのは新潟のヤクザであり、小説では日本を舞台に国際的な権力の問題をモチーフにしているにもかかわらず、この国の権力の存在は希薄だ。同様のことは『オーガ（ニ）ズム』にもいえる。同作では主人公をバディにするCIA工作員がアメリカを象徴するキャラクターとなるだけでなく、アメリカ大統領オバマが登場人物となり、いわばアメリカが焦点化されマクガフィンになる（ラストで詞が引用される「アメリカ」はアメリカを探す歌だった）。それに比べ、やはり日本の権力は影が薄い。

とはいっても、私たちを直接支配するのは、国際情勢のなかでは存在感が希薄な日本の権力である。影が薄いようでもそれは私たちに忖度させ、なんらかの規律を内面化させようとしている。偽史や陰謀論をとりこみ、サブカルチャーを大量に引用する阿部和重作品は、夾雑物だらけでマクガフィンだらけだといえるが、そのスタイルでこそとらえることのできる空虚さ、希薄さがあるのだ。

2　収容所のロミオ――『Q:A Night At The Kabuki』

『ロミオとジュリエット』＋『平家物語』

二〇一九年十月八日、NODA MAP第二十三回公演『Q：A Night At The Kabuki』（以下『Q』）の初日を観劇した。野田秀樹の作・演出でクイーン『オペラ座の夜』の音楽を使い、シェイクスピア『ロミオとジュリエット』をベースにしてキャピュレット家とモンタギュー家の対立を『平家物語』の源氏と平家に移し替え、二作をないまぜにしてアレンジした芝居である。同作の脚本は、後に「新潮」二〇一九年十二月号に掲載された（本稿のセリフ引用は同誌掲載戯曲から）。この作品は、固有名、収容所、手紙といったモチーフを用いて、名前にこだわったために分断され対立する人々、数扱いされて人間性を奪われる状態を描き、ディストピア的世界を浮き上がらせるものだった。

『Q』では第一幕の冒頭、赦免状に名前がある囚われ人たちだけが船に乗せられ、都に帰れることになる。彼らはどうやら流刑にされていたらしい。だが、平の瑯壬生《ろうみお》だけが名を呼ばれない。彼は囚人仲間である平の凡太郎に愛した人への手紙を託す。それから三十年後、凡太郎は瑯壬生からの手紙をようやく愁里愛《じゅりえ》へ届けるが、そこに文字はなくまったくの白紙だった。赦免状に自分の名がなく悲嘆にくれる状況は、平家打倒の密談が発覚し島流しになった俊寛僧都をめぐる『平家物語』の挿話をなぞっている。瑯壬生が愁里愛へ送った手紙は、なぜ白紙だったのか。芝居ではプロローグから過去へさかのぼり、理由をたどる物語が展開される。

特徴的なのは、主人公となる男女が「それからの瑯壬生」と「瑯壬生の面影」、「それからの愁里愛」と「愁里愛の面影」――というように二人とも二重化された配役になっていることだ。第一幕では劇中現在の本人に対し未来である「それからの瑯壬生／愁里愛」が、第二幕では過去である「瑯壬生／愁里愛の面影」が、いずれも生霊のように現在の本人に寄り添う。手紙が真っ白な理由をたどるために現在から過去へ戻るのは、ただの回想ではなく、悲劇を回避したいそれからの愁里愛による歴史修正の試みでもある。これが、『Q』の大枠だ。

対立する一族同士の娘と青年が出会い、許されない恋に落ちる。だが、両グループの争いの最中、青年は娘の従兄を殺してしまう。追いつめられた二人は、逃げ延びて愛を成就するための知恵を授けられるが、行き違いが続いた結果、心中の様相を呈する。『ロミオとジュリエット』のそうした大筋を、『Q』第一幕は受け継いでいる。モンタギューのロミオが平の瑯壬生、キャピュレットのジュリエットが源の愁里愛という風にシェイクスピア劇の対立の構図は、源平が対立する『平家物語』の世界に重ねられ、ティボルトの代わりに源義仲が殺されるのだ（本稿での『ロミオとジュリエット』関係の表記、引用は小田島雄志訳による）。

注目すべきなのは、野田秀樹が『ロミオとジュリエット』と『平家物語』に二つの一族の対立だけでなく、名前や手紙のモチーフの重要性という共通点を見出したことだ。

『Q』において、源氏の主張が「欲を捨て、財を捨て、名を捨てろ！」であり名を捨テロリストと呼ばれるのに対し、平家は「欲を成し、財を成し、名を成すぞ！」という主義であり名を拾イズムを標榜する。平家は、名を成す「源」は自由であり、源氏はそれを家名にしながら「禁欲と戒律で世界を青ざめさせる」と難じる。一方、源氏は平家について、平等の「平」が家名なのに「欲望のままに、世界を貪り喰らう」と批判するのだ。家名にこだわるがゆえの両家の対立と、家名から離れて愛を成就したい若い二人。この齟齬が、ドラマの原動力となる。この物語では、名前をめぐり二つのイデオロギーが争っており、それは『ロミオとジュリエット』のような二つの家のいさかいにとどまらず、やがて国家全体を巻きこむ戦争に進んでいく。

源の愁里愛　ああ、郷壬生、郷壬生！　なぜあなたは郷壬生なの？　あなたのお父様をお父様でないと言い、あなたのお名前を捨ててください。

『ロミオとジュリエット』の有名な場面からもじったセリフだ。これに対し、第一幕で源氏の当主である源義仲は、「名を捨テロリストたちは、名前を捨てた代わりに、「匿名」という名前を手に入れるだろう」、「『いいね！』とだけ呟いておくれ！」と演説する。このあたりは、SNS隆盛の昨今のインターネット・カルチャーに目配せしたわかりやすい現代性の付与である。これに対し、平清盛は、「だが、名を捨テロリストのくせに、近頃有名だよな。無印良品のくせにブランドだよな」と揶揄し、鹿に「義仲」と名づけておちょくる。

平家の名を拾イズムとは英雄主義《ヒロイズム》のもじりだが、デヴィッド・ボウイが「ヒーローズ」で「私たちは英雄になれる」と歌いつつ「一日だけ」とつけ加えたことを思い出す。一日だけなら誰でも英雄になれるという同曲の認識は、名をなす英雄という概念を匿名性の方向へ解体しつつ、無名のはずの者が一時的には有名になりうることを指摘した。名を拾うことと捨てることは、容易に入れ替わるのだ。『Q』の源氏の名前に関する矛盾は、争いの場面で露呈する。「遠からん者は音にも聞け！　われこそが、平の水銀、当年とって約三十」と切りかかってくる相手に対し、源義仲は「近からん者は目にも見よ！　われこそは、あれだ」と名前を明かせずいいよどむ。

遠からん者は音にも聞け、近からん人は目にも見給へ。三井寺には隠れなし。堂衆の中に筒井浄妙明秀とて、一人当千の兵ぞ。

『平家物語』巻第四の宇治橋の合戦におけるこのセリフのように、白兵戦の時代には名乗りを上げてから刃を交えることを当然とする価値観があった。引用した筒井浄妙明秀は武士ではなく僧兵だが、やはり名乗りをあげている。この価値観に対し、『ロミオとジュリエット』の「ロミオという名をおすてになって」というジュリエットの思いを、『Q』ではヒロイン一人のものではなく源氏全体のイデオロギーと設定することで、批評的に扱っているのだ。

対立する一族の重要人物である義仲を殺めてしまった瑯千生は、ティボルトを殺害したロミオがそうだったように町から追放されてしまう。愛する人と添いとげたい愁里愛は、自ら毒をのみ仮死状態になって墓所に運ばれることで瑯千生に助け出させる策略を授けられる。しかし、その策略を知らせる手紙は、瑯千生に届かなかった（『ロミオとジュリエット』では手紙不達の理由を伝染病による足止めのためとしたが『Q』にその設定はない）。このため、相手が死んだという悲嘆が二人を時間差の自死にむかわせ、結果的に心中の状態を招く。それが『ロミオとジュリエット』本来のエンディングだった。しかし、『Q』にはその先がある。若い男女の死を目の当たりにして対立する両家は和解し、我が子たちの像を建て、悲劇の物語として伝えると発表する。この流れまでは『ロミオとジュリエット』の展開をおおむね踏襲している。しかし、それからの愁里愛が過去に介入したことで二人は死から逃れ、和平の合意に至ったはずの源氏と平家も、すぐに対立へと逆戻りするのだ。第一幕の終りでそれからの愁里愛は、運命を変えることはできたがもう一つの運命に巻きこまれたと、劇中現在の源の愁里愛に語る。

源の愁里愛　もう一つの運命？
それからの愁里愛　戦争。

爆撃音とともに紙飛行機が飛ぶのが第一幕のエンディングだ。

無名戦士への届かない手紙

第一幕のプロローグから真っ白な手紙が登場したように、『Q』では手紙が重要なモチーフとして何度も出てくる。愁里愛と瑯壬生が初めて出会い二度口づけする場面では、その都度、それからの愁里愛とそれからの瑯壬生が若い二人の唇と唇の間に封筒を差し入れ、口紅で封印されることで、手紙は愛の象徴となるのだ。一方、爆撃音のなか紙飛行機が宙に浮かぶのは、戦争に巻きこまれる個人を暗示している。このへんは、アニメーションで戦闘機の「十」の形が墓へと変容する場面のある映画『ピンク・フロイド　ザ・ウォール』（一九八二年）と同様の着想だろう。また、第一幕冒頭のごとく、手紙が届かないことが展開のポイントになる。手紙にはたいてい宛先、宛名があるものだ。この点で劇中に頻出する名前のモチーフと手紙は結びつく。

『ロミオとジュリエット』では錯誤で心中したロミオがジュリエットとの恋のいきさつを記した手紙を親に遺していたことが、両家の和解、二人の像の建造と物語の伝承に結びついた。ロミオが二人の今後を悲観し「ロミオの名が狙いあやまたぬ鉄砲の筒先から飛び出し、ジュリエットを撃ち殺したのだ、その名をもつこの身の呪わしい手があれの従兄を殺したように」という場面もあった。

一方、『平家物語』では、平家打倒の謀略の罪で藤原成経、俊寛とともに島流しにされた平康頼（平姓だが反平家の立場）が名前や歌などを綴った千本の卒塔婆を海に流し、それがめぐりめぐって平清盛に届き、赦免につながった。康頼の歌は、都で愛唱されたとある。「投壜通信 Message in a bottle」的なシチュエーションだ。また、源平の勢力が逆転し、平家の平忠度が都落ちする際には藤原俊成に自作の和歌を託し、それが『千載和歌集』によみ人知らずとして掲載されたことも書かれている。さらに『平家物語』の終盤には平家討伐後、源氏の兄弟が不和となり、義経が二心のないむねを書いた手紙を兄頼朝に送ったが受け入れられなかった腰越状のエピソードが配されていた。同作では、私信だけでなく公的な書状に関する話も多い。

『Q』は、『ロミオとジュリエット』と『平家物語』にみられるそれらの手紙、名前のモチーフをそのまま移植したわけではなく、変形してとり入れている。『ロミオとジュリエット』の大枠から飛び出した第二幕では、物語のアレンジがいっそう大胆になる。『平家物語』では清盛が、六波羅禿と呼ばれる赤い上着の少年密偵たちを京中に放ち、平家にたてつこうとするものを監視させた。『Q』でも平家が権勢を誇る第一部では六波羅禿が登場したほか、エルサレムのパレスチナ自治区のごとく壁のむこうに源氏自治区があるなど、ディストピア的な設定が提示された。第二幕では、背後にあったその荒涼とした世界観が前面に露出する。

第二幕では、第一幕で生霊の状態だったそれからの瑯壬生とそれからの愁里愛が劇中現在の本体の登場人物となり、第一幕で主役を演じた二人は瑯壬生の面影、愁里愛の面影となり、逆に生霊と化していずれもその後の自分に寄り添う。瑯壬生と愁里愛は生き延びたものの、彼らの美しい死の物語を喧伝した源平の親はそれぞれ我が子の生存を隠し、恋人に会うことを妨げる。このため、瑯壬生は志願して名もない侍となる。それは、かつて愁里愛にいわれた「名前をお捨てになって」の言葉に応ずることでもあった。一方、愁里愛も瑯壬生との約束を思って「もしもあなたが名を捨てるなら私も名を捨てこの世を捨てます」と尼寺へ行く。

清盛の死後、義仲に代わって頼朝が当主になった源氏は勢力を増し、平家を凌駕するようになる。清盛の息子である平の瑯壬生は、名もなき侍になってから平の平平《へいへい》と称した。一兵卒となった彼の同僚には、清盛とそっくりな顔であるためかえっていじめられる平の凡太郎がいた。清盛の息子である平の平平の名で平均が、清盛と瓜二つの平の凡太郎で平凡が強調されるのは、第一幕で名を拾イズムで名を成すと標榜していた平家の凋落を意味しているだろう。戦いの様相も第一幕とは一変する。平家の兵士が「遠からん者は音にも聞け、我こそが……」、「近からん者は目にも見よ……」と名乗りを上げようとしても最後まで言い切ることはできず、爆撃で吹っ飛ばされてしまう。源氏側は「名を名乗らずに戦ってこそ」、「名を捨テロリストの戦術だ」と容赦ない。名乗りを上げてから刃を交える昔の戦とは異なり、無差別に大量殺戮する近代戦の非情さが印象づけられる。

第一幕では平の瑯壬生が源義仲を殺すという家の名を背負ったもの同士の争いだったが、第二幕では瑯壬生が平の平平として敵の無名戦士を殺し、直後に失明する。戦争が終結し野戦病院となっている尼寺に運ばれた瑯壬生を、尼になった愁里愛がみつける。彼女は彼の名を呼びたいが、平家の重要人物と知られ捕まえられるのを避けるため、呼ぶわけにはいかない。かわりに声が他の人には聞こえない、生霊状態の愁里愛の面影が「瑯壬生！」と叫ぶ。恋人に名を捨てることを求めた本人が、名を呼びたくなる気持ちに追いつめられたのだ。その後、鄭壬生を含む平家の敗残兵は収容所に送られ、愁里愛は頼朝のいる鎌倉に連れていかれる。二人がその後、現実で対面する機会はない。

平家の名を拾イズムが凋落しただけでなく、名を捨テロリストだった源氏の姿勢も変質する。頼朝は自分の登場シーンで家臣に「征夷大将軍、源頼朝公、おなーり！」とこれ見よがしに名を呼ばせる。彼は自分が作った時代をこう表現するのだ。「刀でこの世を『平』にする。だがその『源』にあるのは欲望。買いたい、着たい、食いたい、携帯、恋したい」。第一幕では「平」を家名にする側が欲望のままで、「源」側は禁欲と戒律を求めているとされた。だが、気づけば、源氏が相反していたはずの平家とそっくりの姿勢になっている。

鄭壬生が移送された収容所は、滑野（すべりや）にあるとされる。野田秀樹の戯曲の参考文献リストをみると、シェイクスピア『ロミオとジュリエット』の中野好夫訳、小田島雄志訳と並んで辺見じゅん『収容所（ラーゲリ）から来た遺書』、香月泰男『香月泰男画集　生命の讃歌』があげられていた。辺見の著書は、敗戦でソ連軍に捕らえられシベリアの強制収容所に入れられた旧日本兵に取材したノンフィクションだ（『ラーゲリより愛を込めて』の題で二〇二二年に映画化）。香月泰男もシベリアに抑留された過去を持つ画家であり、その体験を描いた絵を多く残している。『Q』第二幕の後半では、収容所での過酷なルーティンと、頼朝一族の豪奢な生活が対比的に進行していく。

野戦病院だった尼寺で遭遇した時、それからの愁里愛は「手紙を頂戴」といい、それからの鄭壬生は「きっと送るよ」と応じていた。囚人たちは日々の辛い生活についてせっせと手紙を書き、郵便ポストに入れる。そのたびに愁里愛は「という手紙は届かなかった」というセリフを繰り返す。「君の面影だけが、僕を元気づける」という鄭壬生の思いは、愁里愛に届かない。手紙はポストに溜まったまま、結局、源氏に没収されるのだ。飢えや寒さ、シラミ、労働で弱った囚人は幻覚を目にし、耐えきれぬものは息絶え、自ら首をくくるものもいる。やがて、飽食がたたった頼朝が頓死し、恩赦を知らせる船が滑野に到着する。『平家物語』では恩赦する側だった平家が、『Q』では恩赦を施される側に回るひねった構図だ。喜ぶ囚人たちの前で帰れるものの名前が読みあげられるが、赦免状に卿壬生の名前はない。「平の平平という名はありませんか?」、「そんな者はこの世におらぬ」というやりとりがされる。以前、滑野で無名戦士の墓を見た卿壬生は、「無名の人間なんているものか。そうなったら終わり」といっていたが、赦免状に名前がないことで自らの終わりを突きつけられるのだ。

分断とアイデンティティ

帰ることができない卿壬生は、愁里愛への手紙を平の凡太郎に託す。失明した卿壬生の語る言葉を凡太郎が一字一句違わず覚えるという形で。だが、凡太郎が都に戻ってから愁里愛に会い、手紙を渡すまで三十年以上がたっていた。ここでようやく第一幕のプロローグにたどりつく。その手紙は、なぜ真っ白だったのか。書かれたのではなく伝言だったからである。届けるまで長い時間がかかったのは、それが愁里愛に伝えるべき内容なのか、凡太郎がためらったためだ。

この展開は、先に触れた参考文献『収容所から来た遺書』にインスピレーションを得たものだろう。同書の主人公は、日本との手紙のやりとりがままならず、読み書きも制限された収容所内で日本人捕虜の中心となり、文集や句会を営んだ山本幡男である。辛い生活が続いた後、帰国が許されたかどうかは名簿に名前があったかどうかで明暗は分かれる。源平時代の俊寛の状況が、より大きな規模で繰り返されたわけだ。ソ連に残ったまま病で命を落とすことになった山本は、妻、母、子どもなどに向けて複数の遺書をしたためていた。だが、ソ連は、日本人の収容所外への文書携行を許さなかった。このため、帰国する仲間たちは山本の各遺書を分担して記憶したり隠し持つなどしたうえで出立し、帰国後に各人が五月雨式に遺族へ届けたという。戦後の混乱や一人ひとりの生活もあり、すぐに全部が届くはずもなく、最後の七通目が伝達されたのは戦後三十七年目だった。また、山本は、右でも左でもなく自分なりに考えた第三の思想についても遺書としてノートに記したことを仲間に教えていた。結局、ソ連に処分されてしまったノートの表紙には、「平民の書」の字があったという。平の卿壬生が名もなき侍の平の平平になり収容所送りになるのは、「平民の書」の「平」に由来するのだろう。

『Q』では、この実話を俊寛の物語に重ね、恋人一組が最後に交わした手紙の形にアレンジしたのだった。そこで卿壬生は愁里愛に対し、「私はもはや、あなたを愛していない」と語りだしていた。収容所の悲惨な生活のなかで愁里愛を愛する力を失った卿壬生は、その力を取り戻したいと願ったことを切々と訴える。彼は自分が朽ち木のごとく死ぬと自覚している。最期の言葉は、こうだ。

どうかどうか、私を名もない兵士として葬らないでください。憐れんだ瞳で、無名戦士と呼ばないでください。もう二度と私に「名前をお捨てになって！」とおっしゃらないでください。私には名前があった。卿壬生という名前があった。一人の名前のある人間として、ここで死なせてください。卿壬生より。愁里愛へ。渾身の「愛」をこめて。

近代の戦場や収容所では自分の固有名を奪われ、一人ひとりがただの数になって確率的な死にさらされる。その悲惨さを訴える声だ。凡太郎には「愛」の手紙と思えなかったが、愁里愛は「愛」の手紙として受けとる。

若い郷壬生が背後から若い愁里愛を抱き、彼女はそれからの愁里愛に入れ替わり、彼はそれからの郷壬生に入れ替わりと抱擁がリレーされる。だが、それからの郷壬生の腕のなかからそれからの愁里愛がすり抜け、一人残された彼は倒れこむ。そして、他の無名戦士の死体の山に無造作に積まれる。第一幕で名を捨テロリストの源義仲は、名を捨てる代わりに匿名が手に入る、「いいね！」とだけ呟いてくれと演説した。だが、匿名という安全な隠れ蓑を得られず、むき出しの無名のまま死ぬものに「いいね！」はつかないのだ。

郷壬生の死体を運ぶのが、素性の知れない男二人と巴御前であることが暗示的である。彼女は夫の義仲を殺した郷壬生を恨んでいるが、以前には平家側の六波羅禿の巴にも身をやつす源氏と平家の二重スパイだった。また、夫の死後は、尼トモエゴゼとなって復讐心を抱き続けていることを尼になった愁里愛に明かしてもいた。名前のあるなしにわだかまりを抱えた郷壬生と愁里愛は、現在とそれから、あるいは面影に分裂する。それに対し、名前や姿を柔軟に変えてしぶとく生き残る巴御前は、主人公たちと対照的な存在であり、郷壬生の死の処理を担当する役割にふさわしい。

郷壬生の死体が処分された後、真っ白い手紙（＝愛の象徴）を読む愁里愛と、遠くに飛ぶ紙飛行機（＝戦争の暗喩）の対比で幕は閉じる。生き延びるための出口を見つけられなかった無名戦士は、せめて自分の声を手紙に載せて愛する人へ届けたいと願った。この芝居は、一人ひとりの名前が無効になる近代戦と収容所の現代を第二幕に置くことで、名前にこだわった時代の『ロミオとジュリエット』や『平家物語』の悲劇が空転する悲劇を描いている。腕のなかから大切なものがすべてすり抜けていくラストは、悲痛である。

『Q』には『A Night At The Kabuki』とサブタイトルが付されている。これはクイーンのヒット・アルバム『オペラ座の夜　A Night At The Opera』全曲を使用した演劇企画であったためだ。オペラの語が歌舞伎に置き換えられたわけだが、芝居の内容も歌舞伎を意識したものになっている。知られている通り、歌舞伎の名作『仮名手本忠臣蔵』は、江戸時代の赤穂浪士討ち入りを『太平記』の世界にアレンジして展開したものだった。それに対し『Q』は『平家物語』の世界へ『ロミオとジュリエット』の物語を持ちこむ趣向である。また、『Q』のプロローグであり、第二幕の山場でもある流刑からの恩赦の場面は、「俊寛」から着想されていた。『平家物語』巻第三のエピソードが、近松門左衛門『平家女護島』の二段目切「鬼界が島の段」に脚色され、文楽から歌舞伎化もされて「俊寛」の通称で親しまれてきた物語である。終盤で真っ白な手紙を持った愁里愛が、そこに文字があるごとく瑯壬生の遺した言葉を語っていくのは、『勧進帳』でなにも書かれていない巻物を朗々と読み上げてみせる弁慶を連想させる。

さらに『Q』では、野戦病院の負傷兵のなかにいる平の瑯壬生を源氏が探しだそうとする。位の高い人物を特定しようと首実検することは、歌舞伎では珍しくない。登場人物がどの家系に属するかを問い、親への孝行、主家への忠義を道徳とする世界観で成立してきた演劇なのだ。キャピュレット家とモンタギュー家の対立が悲劇を招く『ロミオとジュリエット』は、家系にこだわる歌舞伎の題材にふさわしい。その際、同作と融合する作品に選ばれた『平家物語』の源平合戦は、歌舞伎の世界にされ様々なヴァリアントを生んできた。その原典を考えてみると、源氏と平家はただ争うのではなく、たとえ建前であっても天皇家からの命令をえて戦う形をとっていた。対立する二つの家系が、日本の歴史を始原より象徴する家系から正統性のお墨付きをもらうことで、相手を朝敵と位置づけようとしたのだ。歌舞伎化の過程で天皇の存在が後景に希薄化していても、演じる役者は家の芸を継承することで伝統の権威性を帯びている。日本の伝統芸能一般が、天皇制を模倣し世俗化したようなものなのだ。阿部和重『ピストルズ』で一子相伝の秘術を有する菖蒲家が、天皇家のパロディになっていたのも同様である。『Q』でそれからの愁里愛を演じ白紙の手紙を読んだ松たか子が、弁慶役で白紙の勧進帳をしばしば読んできた松本白鸚の娘なのは、偶然の配役ではあるまい。

劇中でそれからの愁里愛は、悲劇を回避するために歴史を修正しようとするが、そのことは歴史によって力を蓄える家系への反逆でもあるだろう。だが、彼女の試みは挫折し、やはり悲劇は到来する。心中ではなく戦争と収容所が瑯壬生を殺す。芝居全体がそれからの愁里愛の回想として構成されているが、第一幕でも第二幕でもそれからの愁里愛と愁里愛の面影は一対となって登場する。それからの瑯壬生と瑯壬生の面影もそうだ。時が過ぎても面影が舞台に登場し続けるのは、過去は消せないことを暗示し、それからと面影が切り離せない結びつきになっているのは、過去から未来への歴史の連続性がその人のアイデンティティを作っていることの表現だと思える。

一方、歌舞伎は、清元、常磐津、義太夫などの浄瑠璃や長唄、下座音楽、つけ打ちといった音が重要な役割を果たす音楽劇である。『Q』の場合、その音楽にクイーンが使われている。バンド側にももともと『オペラ座の夜』を演劇化したい要望があり、以前から『ロミオとジュリエット』の後日談を構想していた野田秀樹がそれに応じたのだという。

アルバム全曲使用の縛りが重荷となり、音楽を持て余している部分も散見されたが、劇中で繰り返し流れる「ラヴ・オブ・マイ・ライフ」は、生涯の恋人との出会いと別れを歌ったロマンティックな曲調で、この悲恋の物語にふさわしかった。また、同曲はスタジオ録音のオリジナル・ヴァージョンだけでなく、鄭壬生と愁里愛の像が建てられた後、観客の合唱入りのライヴ音源が流される。二人の悲劇が、世間の共有する物語になったことと呼応した演出だったといえる。『Q』は、エイズのため一九九一年に四十五歳で亡くなったフレディ・マーキュリーと彼がヴォーカルだったクイーンの歩みを脚色した映画『ボヘミアン・ラプソディ』（二〇一八年）がヒットした状況を受けての上演だったから話題性はあった。フレディは、かつてメアリー・オースティンと共に生活していたが、やがてゲイであると自覚し別れる。だが、男女の関係が終わってからも友情は死ぬまで続いた。映画で「ラヴ・オブ・マイ・ライフ」は、そんなフレディがまだメアリーと生活していた頃、彼女との関係を思い作った歌として描かれていた。

『ボヘミアン・ラプソディ』ではフレディが、宗教においてマイノリティであるパールシー（ゾロアスター教徒のインド人）のイギリスへの移民家族で育ち、セクシュアリティだけでなく人種の面でも差別の対象にされたことが語られた。それに対し「ラヴ・オブ・マイ・ライフ」を事実上のテーマ曲とした『Q』は、二人を隔てる障害を超えてなお永続する愛という映画のテーマを共有しつつ、二家の勢力の対立、人が数扱いされる収容所と外の日常の遠さといったまたべつの枠組みに置き換えられた。映画ではジェンダーの違いが、『Q』では互いの家名、自分の名前が二人を分け隔てる。それぞれのアイデンティティが分断と結びついているぶん、苦しみは根深いのだ。

3　多様性における天災――『日本沈没2020』『日本沈没　希望のひと』

未来の予測と過去の記録

二〇二〇年にNetflixで配信されたアニメ『日本沈没2020』(湯浅政明監督)は、賛否両論というより批判が多かった。一九七三年に発表されベストセラーになった小松左京のSF小説『日本沈没』が原作である。同年にはわりと小説に忠実な映画版(森谷司郎監督)も公開されヒットした。それらではまず天才科学者が地殻変動による列島水没を予測し、大地震や火山噴火、津波が頻発するなか、国民の避難をどう進めるか、首相を含め国家の関係者の側から描かれた。それに対し『日本沈没2020』は、一家族に焦点を絞ったのである。危機から逃れようと家族が西へ移動する姿を追う同作では、政府の対策はほぼ描かれない。後半で自衛隊が現れ海外への避難が進められる様子が出てくるものの、むしろ右往左往する庶民でしかない主人公のグループが、どんな道を選ぶかが主題になっていた。

『日本沈没2020』は、第一話から首を傾げる展開が相次いだ。陸上選手で中学三年生のヒロイン・武藤歩は、大地震による建物の倒壊や多数の死傷者に動揺し、瀕死の仲間が助けを求めるにもかかわらず逃げ出す。物語中では、偶然がたびたび冗談のように人の命を奪う。シビアな環境だ。未曾有の天変地異だから、それはいいだろう。ただ、歩の母の乗る飛行機が噴火の影響で川に不時着した後の描写がリアリティに欠ける。下流から津波が迫るのに彼女は飛びこみ、溺れた男の子を助けるだが、津波からどう逃れたのか描かれぬまま、助かっているのだ。歩の父は、オリンピックが終わった競技場で解体作業中に大揺れにあい、ワイヤーで一人宙吊りになる(予定通り二〇二〇年に五輪が開催された設定)。助ける人は見当たらないし、自力で降りられるはずもないのにいつの間にかバイクで走っている。多くの死や身体の損傷を描くシリアスな災害ものならば、いかにして生き延びるか、ディテールを表現しなければ説得力がない。作中ではインターネットや人々の伝聞を信じるかフェイクと疑うか、真偽の判断がクローズアップされる。それなのに父母は嘘くさいご都合主義で助かってしまう。物語のリアリティの水準をどう考えているのか、ちぐはぐな展開は以後も散見され、中盤から作画も乱れる。

小松左京の原作に登場した田所博士と潜水艇操縦士の小野寺がトリッキーな形で本作にも登場するが、列島水没の設定以外にもとの小説との共通点はあまりない。だが、個人視点で描いた『日本沈没2020』には、国家視点の原作への応答になっている部分もある。小説や最初の映画版に親しんだ身からすると、一九七三年と二〇二〇年の差を意識し、列島水没の設定を用いて原作とは違う光を日本に当てた。そう評価したい要素も見出せる。二作の違いは、国家視点と個人視点だけではない。原作は科学が異変を予測し、政治が対策を計画する物語だったが、アニメでは一般市民が突然巻きこまれ、生き延びるための旅をする。アニメ版では田所博士の地殻変動調査はすでにデータとしてまとめられており、旅する者たちは、それを発見することで列島の現状と今後を把握する。調査が計画を立てる出発点になる原作とは異なり、旅の後半で自分たちのおかれた状況を事後的に知るためのツールになるのだ。

また、国のありかたを主題にした『日本沈没2020』は、『イージー・ライダー』(一九六九年)というSFではない映画も想起させる。ロックなどのカウンターカルチャーが勢いを得た一九六〇年代、髪を伸ばしドラッグを服用する若者二人がバイクで旅をする。二人は旅先で様々な出会いを経験するが、保守的な人々は彼らに反感を持つ。長髪の若者はゴリラのようで「黒人女とお似合だ」というセリフもあり、アメリカの保守層の差別意識をとらえていた。ところが、主人公の愛称は「キャプテン・アメリカ」で、ヘルメットやバイク、ジャンパーは星条旗のデザインだったのだ。自由の国を象徴するキャラクターが、保守的な地方でむごい暴力にさらされるという、社会批判を含んだ映画だった。

一方、『日本沈没2020』の場合、武藤家の父はフィリピン出身の女性と結婚しており、主人公の歩と弟の剛はハーフである。シナリオ担当の吉高寿男がノベライズを刊行しており、ほぼアニメそのままの内容だが、人物の背景は多少肉付けされている。小説版によると子どもたちはハーフを理由にいじめられた体験があり、剛がオンラインゲームで海外の友だちを作り、なにかと英語を喋るのもそれが一因らしい。災厄の最中、人々は協力するが、意見の対立や抜け駆けしようとする人、商品の略奪、デマの拡散も起きる。一家は逃避行の途中で出会った人と仲間になったり、悪意をむき出しにする相手と戦ったりする。歩たちが純粋な日本人ではないと差別されることもしばしばだ。それゆえ作品に対し、日本人を醜くとらえた反日的な内容だとするネトウヨ的な反発も多かった。だが、中韓へのヘイトスピーチ、外国人労働者や移民への不当な扱いなど、この国に問題があるのは確かであり、物語は現状を反映しただけだろう。

『イージー・ライダー』には、新時代の価値観を共有する若者たちのコミューンが登場した。気ままに生活する彼らは来る人を拒まないが、数が増え過ぎてもいる。このため、主人公二人は短期間しか逗留しないが、自由な雰囲気のコミューンは、異質な他者を排除する地方と対照的な場所になっていた。『日本沈没2020』でも歩たちが、シャンシティと呼ばれるカルトの大きなコミューンに一時滞在する。外国人や体が不自由なものも受け入れ、あらゆる人に「尊厳を与える為の理想郷」として作られた場所である。同作でも差別的な社会と「理想郷」が対比されるわけだ。栽培した大麻を楽しみ、ダンス・ミュージックで高揚する光景は『イージー・ライダー』時代のカルチャーを継承したものといえる。だが、大地の異変で「理想郷」も崩壊へむかう。

小松左京は、国土を失ったら日本人はどうなるかという発想から『日本沈没』にとりかかったという。戦争で国土が分割されたり、領土を失った民族は世界各地に存在する。十四歳で母国が敗戦した小松は、そんな運命が日本に訪れたらと考えた。このため、列島水没までで第一部としたが、日本人が海外で漂流する第二部は長いこと書かれなかった。第一部が書かれたのは、単一民族国家だという思いこみが、日本でまだ強かった時代だ。また、科学や政治のシミュレーションは緻密な反面、作中に職業を持った女性が登場せず、次の時代の希望となる赤ん坊を産む役目として女性をとらえる旧い価値観で書かれていた。このため、樋口真嗣監督による二〇〇六年の『日本沈没』再映画化では、主人公の潜水艇操縦士の恋人はハイパーレスキューの女性隊員、政府計画を推進するのは女性大臣とするなど、ジェンダー観の更新を図った。『日本沈没２０２０』では、さらに価値観が更新されている。家族を牽引する母は職を持ち、他にも重要なポジションに女性が配されている。

小松は二〇〇六年に谷甲州との共著で『日本沈没　第二部』を発表し、列島水没後に各国へ分散した日本人が入植に成功する一方、現地で摩擦を起こしたり、難民化したことを書いた。それに対し、『日本沈没２０２０』は、この国が労働や観光の面で外国人に多くを頼るようになり、主人公のように家族となることも珍しくなくなった時代の変化を踏まえている。小松が領土消失後の海外避難先で起きると想像した日本人の国際化は、すでに国内で進行している。アニメの最終回でフジハタザオの花言葉「共に生きる」が紹介されるのは、多様な人々の共生を日本の未来の理想とするからでもあるだろう。

小松原作には、沈没を予測した田所博士と避難計画を裏から推進した政界の黒幕の老人が、この国の外国に対する内弁慶的な弱さを指摘するとともに日本列島に「恋をしていた」と会話する名場面があった。それに対し、『日本沈没２０２０』ではハーフの姉弟と日本人の若者が、即興ラップで「沈んで正解」、「勝手に出て行け」、「ここが私の大地」と一人ひとり日本への愛憎を吐き出す場面がある。また、原作は潜水艇操縦士を主人公に設定し、深海底で地殻の大変動の兆候に遭遇させたが、『日本沈没２０２０』の場合、モーターとプロペラを背負い空から舞い降りたＫＩＴＥ《カイト》が、歩たちに合流してキーマンとなる。海底の水圧の重さと空を飛ぶ軽さの対比が、両作のテイストの違いだ。原作では国民の避難先を確保しようと、政府が外交交渉を積み重ねたのに対し、『日本沈没２０２０』ではユーチューバーのＫＩＴＥやゲーマーの剛が、インターネットを介した海外とのやりとりで状況を知り、苦境を打開しようとする。一九七三年と二〇二〇年では個人レベルでの海外との距離感が大幅に変化している。

一九九五年の阪神・淡路大震災以後の災害の多さを念頭に企画された二〇〇六年版映画『日本沈没』では、主人公の命がけの行為で沈没の途中停止が試みられた。現実の被災者も意識して、未来への希望が残る結末に改変したのだ。また、『日本沈没　第二部』では、列島が消失した海域にメガフロートを建造し国土を復興する構想が出てきた。それに対し『日本沈没２０２０』の結末には、先行ヴァージョンに通じる国土保全のモチーフがみられ、後の時代からの応答とも感じられた。調査結果をみることについて原作が予測であるのに対し、アニメでは事後の確認だと先に指摘した。『日本沈没２０２０』では旅の過程で母が頻繁に写真を撮り、その習慣を歩が受け継ぐ。クラウドやＳＮＳに保存された家族の記録を、列島水没後に剛はあらためて集める。この家族だけではない。国土を失った個々人の記録が集積され、ありし日の日本の街並みを再現した島規模の施設が作られる。物語本編ではほぼ話題にならなかった国家政策は最終回の列島水没後に言及され、そうした過去のアーカイブ化や後年の日本のオリンピック・パラリンピック出場が紹介される。

震災時の傷がもとでロシアへの避難後に左足を切断した歩が、陸上選手としてパラリンピックに出場する幕切れは、本作の共生というテーマを強調するものだ。また、崩壊した理想郷シャンシティでは、死者と話す儀式が統合のエネルギーになっていたが、列島水没後の政府は、死者も含め過去をデジタルデータや建造物にすることを国の希望として打ち出す。ｅスポーツのオリンピック採用といったデジタル技術の発達が語られる。ただ、沈没した列島は再び隆起するとの予測も示されるが、それは約百年先だというのだ。たとえ破滅的であっても直近の未来をどう予測するかをテーマにした原作とは反対に、懐かしい過去をどう記憶、記録するかに重点をおく形でアニメの物語は閉じている。今後の成長が期待薄な現実の日本の停滞感と響きあうような後ろむきのラストなのだ。

生き延びるのは本当の幸せか

国家がいかに計画を立てるかではなく、自己責任で個々の命運が決まる『日本沈没２０２０』の世界観は、この国の現状とシンクロしている。歩はラストで日本生まれの父とフィリピン生まれの母の間に生まれ、多くの人と出会ってきたことを回想して思う。「私が今、ここに立てているのは、そのなかにいあわせた、賢明なる人々の恩恵からなる礎があるからだ。それは家族であるし、集団、大きくいえば国家ということかもしれない」。このナレーションのいいたい意味はわかるが、違和感はぬぐえない。確かに家族や、旅における出会いと別れで集団が描かれたが、それらが国家とどう結びついているかは作中で語られなかったのだから。「古来、日出ずる国と呼ばれ、国旗もそれに由来する」と述べたうえで出てくるこの愛国的なナレーションは、唐突で浮ついている。〝日本すごい〟といいたげな礼賛調の文言は、このアニメを罵倒したネトウヨ的なものいいに近いとすらいえる。興味深い観点や意欲的な構想もありながら、本作が傑作になれなかった理由がそこにもある。日本で育ち暮らしているが、家族や仲間などの身近な集団と国家というものがうまく結びつかない（それを短絡できるのが、いわゆるネトウヨ的な感性だろう）。そんなありふれた体感を同作は乗り越えることができなかった。

『日本沈没２０２０』配信の翌年で東日本大震災から十年目の二〇二一年には、一九七四年に『日本沈没』をテレビドラマ化したＴＢＳ系列が『日本沈没　希望のひと』として再びドラマ化にとり組んだ。樋口真嗣監督の二〇〇六年版映画がそうだったように、小松左京の小説とは別のストーリー、登場人物でありながらも、原作と同様に科学者の予測や政府関係者の対応に力点をおいた内容である。その意味で、一家族を中心に描いた『日本沈没２０２０』より原作の姿勢を受け継いだドラマになったといえる。時期からして『日本沈没　希望のひと』は、『日本沈没２０２０』に数々の批判があったことを踏まえたうえで制作されたはずだ。ドラマは、先行して近年にヒットしたり話題になったりした映画やドラマの要素を散りばめたような形に仕上がっていた。このため、国家の消滅という未曽有の状況を主題にしながら、どこか既視感のある、安全策といえる脚色や演出になっていた。

『日本沈没　希望のひと』では、総理大臣が発足させ、各省庁から若手官僚が集められた日本未来推進会議が、国難への対応策をまとめていく。この設定は、庵野秀明総監督・樋口真嗣監督の映画

『シン・ゴジラ』（二〇一六年）で、各省庁のはぐれ者官僚で構成される巨大不明生物特設対策本部（巨災対）が、ゴジラ対策を担当したのを連想させる。また、『日本沈没　希望のひと』の主人公である環境省官僚の天海啓示は、記者の椎名実梨と情報交換して協力し、時には国家の機密情報を新聞に流すことで政権の対応を引き出そうとする。その設定や、国家権力による情報の隠蔽、官僚や記者への監視や圧力、フェイクニュースと真実の暴露といった描写は、東京新聞の望月衣塑子記者の同名著書を原案にした映画『新聞記者』（二〇一九年）に近い。また、『日本沈没　希望のひと』が放映されたTBS系「日曜劇場」という枠は、銀行員を主人公にした二〇一三年の『半沢直樹』の成功以来、たびたび企業・経済関連ドラマを送り出してきた。それらでは、派閥の争い、横暴な上役と抗う部下、友情と裏切り、タフな交渉、タイムリミットと効率、打開策のひらめきといったモチーフで熱い人間ドラマを演出した。『日本沈没　希望のひと』も予算の関係からか、大災害のスペクタクル場面は意外に少なく、『半沢直樹』以来の前記のようなモチーフの人間ドラマを中心に構成されたのだ。

環境対策を看板に掲げる東山栄一総理大臣と彼を支えてきた環境省の天海啓示、逆に経済を重視する里城弦副総理大臣とその後継者に指名された経産省の常盤紘一。東山は実力者で自分をかついでくれた里城に離反されれば地位を失うし、天海と常盤は日本未来推進会議のメンバーと議長という関係だけでなくもともと盟友だが、しばしば意見が対立する。そうした四者の微妙な力関係のなかで経済に関する議論がたびたび起こり、自動車メーカー会長で経団連会長の生島誠、常盤紘一の父で常盤グループ会長の常盤統一郎といった経済人もキーパーソンとなる。政治ドラマであると同時に経済ドラマになっているわけだ。

環境か経済か、命か経済かというドラマ中の議論は、放映当時のコロナ禍の現実で交わされていた議論でもある。首相を演じた仲村トオルは小泉純一郎を意識したようなセリフ回しだし、副首相役の石橋蓮司は麻生太郎を真似たごとき帽子をかぶるなど、実在の政治家を思い出させる場面もあった。また、この連続ドラマは、まず関東沈没が発生し、それが予測より被害地域が狭かったため復興を考えようとした矢先に日本全体の沈没する未来が判明する展開だ。その関東沈没が、皇居の森に近いけれど到達しない形でいったん止まったのは、東京駅の地点でゴジラが凍結された『シン・ゴジラ』のラストを踏襲したかと感じられるし、ビルは建ったままだが都会の大部分が水に浸った状態で日常をとり戻そうとするのは新海誠『天気の子』（二〇一九年）の結末の光景に似ている。現実のニュースやフィクションが参照元として容易に多く想像できるため、未曾有の事態のドラマが既視感だらけになる。『日本沈没　希望のひと』は国難に対処するための未来の予測と構想を描いているのに、語り口は『日本沈没２０２０』が未来の予測より過去の記録を重視した物語になっていたことと微妙に響きあう。

『日本沈没２０２０』と『日本沈没　希望のひと』を比較した場合、前者は自分の住む国でなにが起きているのかなかなかわからない個人の視点から語られたのに対し、後者は国家の政策を立案する官僚や、それを報道する記者の立場から描かれる。官僚や記者の家族とのエピソードを盛りこむことで、個々人と国家の距離感もとらえようとしていた。

もう一つの差異は、『日本沈没２０２０』が主人公の母をフィリピン出身と設定し、人種の多様性や差別が国内に存在することを表現したのに比べ、『日本沈没　希望のひと』では国内問題としてはそれにほとんど触れず、海外で起きる問題として扱ったことだ。後者のドラマでは、関東沈没に際し日本未来推進会議が避難計画を具体化していくなか、在留外国人の帰国のために滑走路を確保しなければならないことがセリフで触れられる。日本に多くの外国人がいることに言及するのは、同場面くらいだ。一方、列島水没が確定的となり、国民の避難先を求めて日本政府は各国と困難な交渉を進める。そうして移民の枠が積み重ねられるが、一人ひとりが自由に行く先を選べるはずがなく、希望は出せてもどこの国となるかはオリンピックチケット販売のようにコンピュータ抽選とされる。移民申請は家族単位か個人単位となるが、事実婚や友人グループではどうなのかとの声も上がる。官僚たちが議論するなかで、生きかたが多様になった現状が表現されるわけだ。

その申請では反社集団やカルト組織をチェックしなければならないという指摘に加え、受け入れる側の国には労働力世代を求める声が多いと報告される。一連のセリフで様々な問題の存在が語られるが、ドラマでは解決策が語られないままの項目も多い。その種の問題があることは認識しているとドラマ制作側が示すため、いわばアリバイ作り的にセリフに織りこまれたと思われるトピックが少なくない。注目したいのは、在留外国人の帰国、労働力世代を求める受け入れ国といった言葉の断片から、日本の現状が連想されることである。この国は、外国人技能実習制度で労働力世代の確保には前向きだが、難民の受け入れには消極的で、入管施設での収容者虐待が問題になっている。ドラマを見ていると、それらの報道がすぐ思い浮かぶ。

ドラマでは移民計画が進展しているのに、国民の移民希望率の伸びが鈍いことに日本未来推進会議が焦燥感をつのらせる。知らない人ばかりのところへ行きたくない、外国語ができない、差別されるかもしれないといった不安が、移民することへの忌避感に結びつく。そうした国民の劇中描写が、日本がこれまで在留外国人をどのように遇してきたかの裏返しの反応だと思えば、納得してしまう。息子が避難計画を推進するメンバーであることを承知している天海の母親も、住み働いている漁港のある地方から動こうとしない。「そげまでして生き延びるのが本当の幸せながやろうか」と息子に心情をもらす。小松左京の原作小説では、列島水没に対して日本人のとるべき道を三人の識者が議論した際、「何もせんほうがいい」という意見も出たと書かれていたのが印象的だった。長い歴史のなかで、何度も甚大な災害に襲われた日本の国民性を象徴するようなフレーズだったからである。「そげまでして生き延びるのが本当の幸せながやろうか」は、「何もせんほうがいい」に類する言葉であり、移民希望率の伸び悩みという物語展開は、日本の自殺率の高さを視野に入れた設定とも感じられた。国難への日本人の反応として、一定のリアリティを有していたのだ。

　受け入れ国が労働力世代を求めるというセリフが、外国人受け入れに関する日本の現状をそれとなく示唆していたように、このドラマにはところどころ暗黙の前提が含まれていた。そもそも『日本沈没　希望のひと』の第一話は、環境省の天海が海でダイビング中にウミガメにまとわりついたレジ袋をとり除いてやる場面から始まる。海洋プラスチックごみ問題などを背景として、二〇二〇年の環境大臣在任中にレジ袋有料化が実施されたことで小泉進次郎に反発の声が上がるなど、環境問題が注目されていることを意識したオープニングだった。沈没をめぐっては後々、作中で地球温暖化の影響もいわれるため、その伏線の意味も持つ。ダイビングのエピソードと並行して、世界環境会議に出席した東山首相のスピーチが喝采を受ける場面が映される。その内容は、海底岩盤に存在するＣＯ２を出さないエネルギー物質「セルスティック」を日本が発見し、抽出するシステム「ＣＯＭＳ《コムス》」を稼働したというものだった。橋本裕志のシナリオをもとにした蒔田陽平のノベライズでは、東山のスピーチに次の一節がある。

我が国は二〇一一年三月十一日に発生した東日本大震災による原発事故以来、火力発電への依存を強めることとなり、その結果、CO2排出大国の一つとして国際的な批判を浴びてまいりました。そこで、地球物理学の権威である世良教授のもと、二〇五〇年のCO2排出量実質ゼロという目標をかかげ、本格的に取り組みを進めてまいりました。

スピーチでは、その切り札がCOMSだという展開になるのだが、実際にドラマで放送されたこの場面での震災及び原発事故への言及はなかった。とはいえ、3・11以後、クリーンなエネルギーを求める議論が起きたことを多くの国民は記憶しているし、それを念頭にCOMSの設定が考えられたと視聴者には見当がつく。後の物語では、各国に移民受け入れを交渉するため、列島水没にあたってゴミが出ないよう海洋浄化対策をとるとのセリフが登場する。ここでも言及はないが、東京電力の福島原発の事故が残した放射性物質や汚染処理水、また各地の原発の後始末が問題になると視聴者は連想するだろう。環境対策のためのCOMS推進が皮肉にも海底深くの地殻変動に影響を与え、関東沈没の一因となる。その事実を隠蔽しようとする世良教授と、関東の、後には日本の沈没を予測する田所博士の対立が物語前半の軸になる。ドラマでは、海外にいた田所博士が日本へ帰国したのは、3・11のニュースに接し心が痛んだからだと本人が語る。

"日本すごい"のファンタジー

3・11に関する視聴者の記憶に働きかけつつ、原発に直接言及しない。『日本沈没　希望のひと』がそのように作られたことには、政治家や官僚を主要な登場人物としながらも、政治的争点になりやすい原発とは距離をおきたいドラマ制作側の姿勢が感じられた。また、都市が水没する過程は、家や車などを横から濁流が押し流す津波のような描写ではなく、徐々に水位が上がりビル群が縦方向にそのまま沈んでいくものだった。3・11のトラウマを蒸し返すような生々しすぎる映像表現は避けた形である。物語には、国家が隠そうとする情報を報道する『新聞記者』的な要素があるものの、首相に対し政策立案で重要なポジションにいる官僚の天海と記者の椎名は協力関係になるのだから、反権力がテーマでもない。首相の政策に反対するデモの様子がたびたび挿入され、物語終盤ではCOMSを推進した東山と世良こそが国難の元凶だとして二人を標的にしたテロも起こる。ドラマ内でそうした反政府勢力は、十分な情報が与えられていないという理由は強調されず、むしろ不確かな情報に踊らされる人々と扱われる。

『日本沈没　希望のひと』の物語には様々な配慮、ある種の忖度が感じられる。反日的だと批判されネットで炎上した『日本沈没2020』が終盤で唐突に愛国的なナレーションを挿入したのとは異なり、このドラマは、随所に〝日本すごい〟の要素を織りこんだのが特徴だった。COMSについて首相が世界環境会議で発表する第一話から〝日本すごい〟像を打ち出したのである。新発見で夢のエネルギー政策だったCOMSは、技術としては優れていたが関東沈没の誘因となり、やがて日本沈没が始まってしまう。ただ、その予測を知った日本未来推進会議が立案する対策は、この国の経済力を、技術力を活用するものだ。国民の救いとして〝日本すごい〟のファンタジーが投入されるのである。

COMSの海底への悪影響を隠蔽した世良は御用学者の役回りであり、後に自分の学問は経済を後押しする都合のいい道具になっていたと反省の弁を述べる。劇中では沈没に関する情報が漏れた結果、先回りして土地を売買したり、事業計画を変更したり、株取引に走るなど、目先の利害に走る企業のダーティな面が語られる。経済重視の姿勢をとり、企業への情報漏洩の一端を担っていた里城副首相は、環境重視の東山首相とことあるごとに対立し、物語前半では悪役然とした印象だ。ところが、日本からの移民に関し、アメリカと中国をてんびんにかけた外交交渉をする過程で東山はアメリカ大統領と安易な約束をする（二〇一〇年当時の鳩山由紀夫首相が、普天間基地の移設問題に関し、アメリカのバラク・オバマ大統領に「トラスト・ミー」といったものの妥当な解決策を用意できず、問題をこじれさせたことを連想させる）。それに怒った中国側は内密だった日本沈没の予測を暴露し、アメリカも日本への協力を控えてしまう。その後の中国との交渉で里城がその実力をみせる一方、外面のいい東山の頼りない面をみせる展開である。東山がテロによる怪我で入院した期間には、里城が役目を代行して避難計画を推進し、ただの悪役ではなく政治家として地力があるところをみせるのだ。

経済重視の里城は沈没の予測を知った際、この国の資産価値が下落する、日本が買い叩かれると危機感を示す。それに対し、天海を中心とする日本未来推進会議が外交交渉の切り札と考えたのは、国内有力企業の現地移転とセットで移民人数の積み増しを図ることだ。米中をてんびんにかけた移民交渉でも、沈没予測の前には湾岸埋立実験都市計画を進めていた世界的メーカーの生島自動車（スマートシティ計画を進めるトヨタ自動車がモデルだろう）をどちらの国に移転するかが鍵になった。その生島自動車の会長であり経団連会長の生島誠会長は、東山首相の入院後、里城副首相によって移民担当特命大臣に迎えられる。主な有力企業の移転先が決定した後、日本未来推進会議では、文化財、特許、町工場の技術、ブランド米など交渉材料となりうるものをピックアップする。日本には、優れた売りものが多くあるというわけだ。

そうして移民の枠が積み上がり国民の避難が進みだしたというのに、国内で感染症の死者が急増し、日本人との接触による感染例が国外でみられたことから、各国が移民受け入れを拒否し始める。新型コロナウイルスのパンデミックが引き起こした移動制限、発生源とされた中国への不信や差別感情といった国際情勢をアレンジして物語終盤にとり入れたのである。ドラマではルビー感染症というその病気は、日本が発生源ではなく北極圏の永久凍土から溶けだした病原菌が原因だと判明する。この設定は『日本沈没』の小松左京によるパンデミックSF『復活の日』(一九六四年)が、極寒の南極大陸にいた人々のみ感染を免れた設定だったことの裏返しだろう。『復活の日』の時代には問題になっていなかった地球温暖化が、ルビー感染症の設定を通じクローズアップされる。その病気の治療法を発見した日本は、薬の特許を公開すると宣言すると同時に移民受け入れを要請し、各国首脳から拍手で賛同をえる。東山首相がそのスピーチをするのは、第一話でCOMSの発表をした世界環境会議だ。COMSの〝日本すごい〟は空振りに終わったが、薬の特許公開で〝日本すごい〟のムードが回復される。

移民交渉の切り札となった日本の大企業移転に関しては、当初、経営者からの反発が大きかった。自社で行く先を選べず、移転先の国でどのような扱いを受けるかもわからない。日本未来推進会議の議長である経済産業省の常盤紘一の父・統一郎が経営する常盤医療も中国移転を要請される。頑強に拒否していた父が移転を受諾したのは、天海がジャパンタウンなる構想をまとめたからだ。与えられた場所を日本人が開拓し、日本から企業と人が集まって街＝ジャパンタウンを築く。環境都市として街を整えれば、中国としては企業収益による税収が見こめるのに加え、国際的評価も上がる。日本人を同じ場所に集めれば、合理的な移民管理ができる。日本人にとっても中国にとってもメリットはあるし、世界中にチャイナタウンのある中国ならば理解されるはずだ。そのような論法で関係各者を説得できると、各国にジャパンタウンを作る未来が示されるのである。同様の論法は、国民の間で移民希望率が上昇しない問題にも適用される。個人、家族、小グループの申請だけでなく、百名を上限とする地域単位の申請を可能にすることを天海が提案するのだ。言葉も知らずなにもわからない外国にむきだしで放り出されるのではなく、人間関係を維持したまま移住できる選択肢が用意されたことで、移民希望者は順調に増加する。

天海の提案が楽観的すぎると感じる人は少なくないだろう。彼は里城副首相とともに中国要人との交渉に臨んだ際、移住できたとして日本人は中国人になれるかと問われる。天海は、中国に敬意を抱いてはいるが、日本人として捨てられぬものはあり中国人になれると約束はできないと正直な心情を明かす。劇中ではそれで交渉は落着するのだから、相手は日本人の立場を理解したということなのだろう。だが、一国二制度だったはずの香港への締めつけ、ウイグル族弾圧、台湾への強硬姿勢といった中国の現状をみると、ジャパンタウンがすんなり実現するとは考えにくい。

そもそも、日本が沈没する物語がこのタイミングで再び召喚されたのはなぜか。地震の頻発をはじめ自然災害が多い国だという大前提に加え、世界における経済的地位の低下と外国資本の参入、中国船の侵入が繰り返される尖閣諸島のほか竹島、北方四島など進展どころか後退しているようにみえる領土問題、米軍基地問題が改善されないまま従来以上の協力を要請するアメリカなど、これまでの日本が失われるかもしれないというファクターが数多く存在するからだろう。そうした国家をめぐる種々の不安に対し、列島の沈没という設定は、絶妙な暗喩になっている。

神の怒りによってアダムとイヴがエデンの楽園から追放されたように、日本人は日本列島から追い出されるかもしれない。そうした恐怖に対し、『日本沈没　希望のひと』の主人公は、国民に約束の地を用意する。天海啓示という名前からして、天の神から啓示を受けて民を連れ、紅海を渡ってカナンへと導いた「出エジプト記」のモーセのようではないか。沈没を予測した点では田所博士が予言者だが、その言葉を預かり民に伝えた点では天海のほうが預言者の役目を果たしている。彼は、国家沈没の危機にあたり、有力企業をはじめ海外に高く売れるものをフル活用して、ジャパンタウンを構想し、地域の人間関係が維持される約束の地を用意した。日本の消滅に対し、〝日本すごい〟の力を使って、新たな日本を希望として提示する。『日本沈没　希望のひと』は、日本という観念のなかで失望と希望がぐるぐる回っているかのごとき、ある種のトートロジー的な物語になっている。このドラマでは二〇〇六年版映画と同じく、国土の大部分の消失ではなく沈没は途中で停止する。原作とは異なるその結末は、物語のトートロジー的な曖昧さにみあっていた。

国民の移民希望率が低迷していた頃、記者の椎名実梨は天海に、各国の人々が日本からの移民を歓迎すると応援メッセージを口にしているヴィデオを見せる。それは、東日本大震災の時、海外から様々な応援メッセージが発せられたことを思い出させる。だが、椎名が見せたのは、海外の人々が自発的に制作したのではなく、移民希望率の上昇を目的に彼女が企画して実現した啓発ヴィデオだった。作中では励まされる映像だと美談のごとく扱われるが、椎名が行ったのは早い話が自作自演である。自分で自分を励まさずにいられないこのエピソードは、『日本沈没　希望のひと』における〝日本すごい〟の感覚がどういうものかをよく象徴するものだった。

Chapter3　情報／監視／記憶　Information/Surveillance/Memory

1　奪われる言葉――『日没』『新聞記者』

それぞれの「正義」

小説家のマッツ夢井に総務省文化局・文化文芸倫理向上委員会（略称ブンリン）から召喚状が届く。彼女は海辺の断崖の療養所へ連れていかれ、作品がレイプや暴力、犯罪に肯定的で社会に適応していないといわれ、矯正のための作文提出を求められる。反抗すれば減点が申し渡され、滞在期間は延びていく。

桐野夏生『日没』（二〇二〇年）は、そのようなディストピア小説の王道的設定で展開される。マッツは、他の収容者が部屋で同じ文言を書き続ける姿を想像する。雪で閉鎖されたホテルで執筆中の小説家が狂っていくスタンリー・キューブリック監督の映画『シャイニング』（一九八〇年）からの連想だ。だが、収容された作家の苦境を喩えるなら、同じくスティーヴン・キング原作の映画『ミザリー』（一九九〇年。ロブ・ライナー監督）のほうが近いかもしれない。人気シリーズ小説のファンがその作者を誘拐監禁し、自分の好みにあうように物語の続きを書けと脅す話だ。『日没』の場合、収容は読者からの告発が原因らしい。召喚前、小説の参考にと、つまらない四方山話を送りつけてくる人がいたのをマッツは思い出す。世間には小説をその程度のものととらえるむきもあるのだ。療養所の職員も、時おり小説家に対する私的感情をうかがわせる。

『ミザリー』の脅迫者は作品が好きすぎて常軌を逸したのだが、『日没』では小説を深く考えていない人が、悪意ではなくむしろ正しいと考えて小説に求めることと、国民を統制するための国家権力の判断がどのように結びついているのか、判然としないままなのが怖さとなっている。ポリティカル・コレクトネスが、歪んだ形で行使されているのだ。かつて主人公は、良識はずれの性愛を描いていたが、特に反権力だったわけではない。世の中の動きに関心をなくし、ニュースも見なくなっていた。ヘイトスピーチ法の成立と同時に差別表現も規制されたというが、召喚状が届いた時に探してもブンリンの情報は得られなかった。社会への関心を失った小説家が、小説に思い入れのない層からいつの間にか追いつめられているという話なのである。それは未来ではなく、現在進行中の出来事だろう。同書単行本の帯には、「ポリコレ、ネット中傷、出版不況、国家の圧力」という文言が並べられている。それら四つの要因が曖昧な形でからみあいながら、政治家のメディアへの介入、SNSのインフルエンサーによる煽り、なにかを叩きたい人々の欲望が錯綜しつつ炎上騒ぎが次々に起こる。結果として表現へ圧力をかけている側は、いずれも自分たちの「正義」をふりかざす。本の帯の背には「虚構VS「正義」」の字もあった。あくまでもカッコつきの「正義」なのだ。表現とそれを支えるビジネスの側は被害を避けようと先回りして忖度し、萎縮へ追いこまれていく。そうした近年の状況を踏まえ、『日没』は書かれている。

「正義」を楯にした表現の抑圧は、創作者以外が行うわけではない。『日没』刊行時のインタヴューで桐野は話していた。

20年ほど前に、人を殺しすぎると、ある作品（『バトル・ロワイアル』）を作家が問題にしたことがありました。気がつけば、大量殺人ってあまり小説に描かれなくなっている。現実にそうした事件は起きるわけで、なぜ起きるのか、人間心理も含めて作品の中で書くことを作家がためらうのはどうかと私は思うんです。（「小説丸」二〇二〇年。https://shosetsu-maru.com/recommended/book-review-745）

高見広春『バトル・ロワイアル』（一九九九年）が第五回日本ホラー小説大賞の最終候補になった際、落選理由として選考委員（荒俣宏、高橋克彦、林真理子）が倫理的な問題をあげたことは知られている。同作はむしろその落選をセールスポイントにして別の版元から発売されヒットした。

それから二十年以上が経過し、先述の選考で小説の表現の幅を抑圧する側に立った林真理子は日本文藝家協会理事長として、日本ペンクラブ会長になった桐野夏生、現代歌人協会理事長の栗木京子と鼎談していた。これは、文筆家が参加する三団体のトップがいずれも女性になったことを機に企画されたもの。「小説現代」二〇二二年一・二月合併号掲載の鼎談「いま大切にしたい「言葉」について」では、『バトル・ロワイアル』の件への言及はないが、ポリティカル・コレクトネスについて林、桐野がそれぞれ発言している。林が「私たち小説家は、出版社の編集者の手を経て、ものすごいプロフェッショナルである校閲さんが間違いがないか何度も見て、コンプライアンス的にもいいものを出しているわけです」と自分の側の「正義」による制限の正当性を疑わないのに対し、桐野は「ネットで発表した小説で面白いものができたらそれはそれでもいいと思いますけどね」とより自由な表現が可能な状態を肯定している。姿勢の違う二人が、それぞれ団体のトップに選ばれていることが、文筆の世界の現状を映している。

桐野の『日没』には、マッツの亡くなった父は新聞記者だったが、社会部から整理部に回されたことを恨んで退社し、ノンフィクション作家になったものの著書はすべて絶版になったと書かれていた。彼の人生は詳述されていないとはいえ、同作の内容からして報道への圧力を想像させるくだりである。二〇一六年から雑誌連載されたこの小説が刊行された二〇二〇年の前年には、権力による情報の隠蔽や操作をあつかった映画『新聞記者』（藤井道人監督）が公開されて話題になり、リベラル層から好意的にみられていた。意向に反する報道へ高圧的に抗議しメディアを萎縮させる一方、インターネットでの情報戦に力を入れた安部晋三政権（二度目の総理大臣在任期間は二〇一二年―二〇二〇年）の下での表現や報道をめぐる空気を、二作はそれぞれのやりかたで物語にしたといえる。

映画『新聞記者』は、安倍政権に批判的だった東京新聞記者・望月衣塑子が自分の活動を綴ったノンフィクションの新書『新聞記者』（二〇一七年）を原案としていた。映画は、学校創設をめぐる不正が疑われた森友・加計問題をモデルに展開された。政権による文書の隠蔽・改竄、真実を報道すべきマスコミの忖度や自主規制、上の意向に従わない官僚の失脚や板挟みになっての自殺、首相寄りジャーナリストによるレイプ事件の処理の不透明さなど、実際に報道された事案のパッチワークで物語の大部分が組み立てられている。さらに、反安倍の立場である元官僚の前川喜平と原案者の望月本人の座談映像を挿入し、現実の出来事をベースにした内容であることを強調する。そのうえで内閣調査室が国家安定のためとして国民に行っている情報操作が描かれていく。特徴は、主人公の記者の部屋、会見場、内閣情報調査室など、なぜ屋内の照明をもっと使わないのかと思うほど、暗く撮った場面が多いことだ。また、不安感を醸し出したいのかもしれないが、新聞社内のシーンなどではカメラの手ぶれがひどく、観ていて酔いそうになる。さらに、パソコン上の文字がそれを見ている人の顔に映って「耳なし芳一」状態になったりもする。同作は、そんなホラー風の演出までして、現在の日本はディストピアと化していると訴えていたわけだ。

映画はジョージ・オーウェル『一九八四年』に代表されるディストピアものの伝統に沿った作りになっており、現実に報道された疑惑だけでなく創作した陰謀も加え、監視、捏造、脅迫で人々が追いつめられるサスペンスになっている。同じく安部政権下で執筆された田中慎弥『宰相A』(二〇一五年)、島田雅彦『虚人の星』(二〇一五年)といった小説が、この国のトップについて風刺、批判というより〝あてこすり〟的で嫌みな描きかたをしたのに似た作風である。それゆえか、自分の職務に疑問を抱き苦悩する内調の官僚を松坂桃李が演じる一方、真実を暴こうとする記者役については、多くの女優が出演オファーを断ったと伝えられた。安部の次の首相になった当時の菅義偉官房長官の会見で冷遇され、かえって有名になった望月記者に相当する役を引き受けたら、面倒なことになるという判断があったのかもしれない。結果的に新聞記者役は、韓国人女優のシム・ウンギョンが演じた。

主人公である東都新聞(東京新聞がモデル)の吉岡は、日本人の父、韓国人の母を持ち、アメリカで育った設定だ。そのような出自を持つ女性が、自身も組織の歯車であるために悩まざるをえない一人の若手官僚と組み、情報のやりとりをして国をよい方向に導こうともがく。前章で触れた『日本沈没 希望のひと』に受け継がれた関係性だが、日本と他国の両方をルーツとする人物設定は『シン・ゴジラ』(二〇一六年)にもみられた。『シン・ゴジラ』では、巨大不明生物特設災害対策本部を特命担当大臣として仕切ることになった矢口蘭堂が、アメリカの特使であるカヨコ・アン・パタースンと組むことで自衛隊と米軍の連携を成立させた。カヨコは政治家一家の生まれだが、日系三世で祖母が被爆者であったため、日本人と核の関係に理解がある設定になっていたのである。ゴジラのような強力な敵に対抗するためには米軍の力を借りざるをえないが、無闇な核使用は回避したい。そのような安全保障上の現実と理想のバランスを表現するためには、カヨコ・アン・パタースンという日米の架け橋となる都合のいいキャラクターが必要とされ、演じる石原さとみは背伸びして英語を喋らなければならなかった。

一方、『新聞記者』では、政府の暗部を追及する主人公の記者役を国外に頼るしかない状況があったらしい。だが、民主国家であるはずの日本の政府を糾すのは日本国民であるべきだという価値判断もあったはずだ。主人公を日韓ハーフと設定することで役柄における日本人の血はかろうじて担保しつつ、他の日本育ちの記者が臆することもアメリカ育ちであるゆえに臆さないという心理的背景も与える。上手ではあるが流暢とはいえない訥々とした日本語のセリフによって、一所懸命さ、生真面目さを感じさせる。そのようにして劇中の記者のリアリティ、説得力はできあがっていた。『新聞記者』の主人公も、都合のいいキャラクターだったのだ。さらにいえば、日本と韓国は慰安婦問題など過去の歴史の扱いをめぐり、軋轢があり続ける間柄である。安倍政権では、歴史否認の傾向がいっそう強まってもいた。したがって、日本政府の真実に迫ろうとする記者を日本人ではなく韓国人が演じたことは、皮肉なニュアンスを生んだといえる。

映画『新聞記者』は、東京新聞および望月記者に批判的な保守層から否定的な反応を受け、ネットで賛否が飛び交った。評判になってもテレビで話題にされることは少なかったが、第四十三回日本アカデミー賞の最優秀作品賞、・男優賞・女優賞のほか、各種の賞に輝く結果となった。安部政権終焉後の二〇二二年には、映画と同じく藤井道人監督でNetfrixのドラマとして今度は主演の米倉涼子のほか、有名俳優が多数出演してリメイクされた。だが、内閣調査室をはじめとする暗い画面の多さなど、おどろおどろしい演出は、映画版のテイストを引き継いでいた。そのような演出によって権力の陰謀が強調されるとともに、記者側の「正義」も強調されたのである。

権力の悪魔化と「公共」の理想化

権力によって真実の言葉が奪われるディストピア的な映画『新聞記者』が公開されたのと同じ年には、逆に言葉のユートピアといえるドキュメンタリー映画も日本で公開されていた。フレデリック・ワイズマン監督の『ニューヨーク公共図書館　エクス・リブリス』（二〇一七年）だ。独立法人であるニューヨーク公共図書館が、どのように運営、運用されているかを追った内容である。その施設は、市の出資と民間の寄付で運営され、「公立」ではなく「公共」の場である。本館を含め九十二の図書館からなり、書籍だけでなく、映画、演劇、アート、ダンスなどもカバーして演奏会も催される総合的な文化組織となっている。加えて、就職支援、シニアのダンス教室、子どもたちのロボット制作など公民館的な幅広い機能をあわせ持つ。この長編ドキュメンタリーについてワイズマン監督は、ディレクターズノートで「ニューヨーク公共図書館は最も民主的な施設です。すべての人が歓迎されるこの場所では、あらゆる人種、民族、社会階級に属する人々が積極的に図書館ライフに参加しているのです」と記していた。映画のなかには「民主主義の柱だ」という発言も出てくる。描かれたテーマが裏表だといえる『新聞記者』と同時期に一部で話題になった『ニューヨーク公共図書館』は、リベラル中心の客層という点も共通していたように思う。

中国系住民のためのパソコン講座、ブロンクス分館の就職支援プログラム、障碍者のための住宅手配サービス、赤ん坊の泣き声も響く会場で行われるアーティストのパフォーマンス、地域住民参加の読書会、ボランティアスタッフによる子どもへの教育プログラム、点字・録音本図書館、ネット環境がない住民のための接続用機器貸し出し、イスラム教と奴隷制を関連づける研究の嘘を指摘する著述家のトーク、ユダヤ二世に関する講演、言葉の政治性を語る詩人、黒人文化研究図書館、奴隷制と労使問題に関するレクチャー、手話通訳者の実演……。三時間二十五分にもおよぶ映画は、年齢、身体の障碍、人種、貧富の違いを越えてあらゆる人々に知識、情報、教養を届けるため、この公共施設がいかにとり組んでいるかを丹念に追う。幹部会議の様子がたびたび挿入されるが、議論はあくまで前向きで建設的なものだ。また、人種にかかわるモチーフが多く盛りこまれており、それらはいずれも差別を批判し是正する方向づけで描かれている。日本では、自治体の財政難や民間委託などの悪影響で図書館の公共性が揺らいでいることが各地で問題になっている。それに対し、ニューヨーク公共図書館の意欲的で幅広い試みは、理想的だと感じられるだろう。

ドナルド・トランプがアメリカ大統領選に勝利した二日後に完成した本作は、あらゆる人々を包含しようとするこの図書館の姿勢を強く打ち出したわけだ。移民への態度をはじめ、なにかと排他的な言動が目立ったトランプ前大統領とは異なった方針で運営されているため、結果的に反トランプ的な内容になった映画だと思える。ただ、そうであるがゆえに感じざるをえないこともある。これだけ長尺のドキュメンタリーであるにもかかわらず、言い争いや喧嘩など、大勢が集まる場所では必ず発生するはずのトラブルがクローズアップされる場面がない。まるでトランプ的な思考を持った人がいないかのような世界なのだ。差別を批判し是正しようとする言葉は出てくるが、差別的言動そのものや、移民や弱者へのサービス提供を批判する人々など、そんなあるはずの現実が登場しない。負の面が描かれない点には物足りなさや単調さを覚え、その意味で長くもあり短くもある作品だった。

原案となった『新聞記者』がノンフィクションとして書かれていたにもかかわらず、同名の映画版(およびドラマ版)は本来取材で真実を追究するべきなのに、敵視する相手をフィクションによって悪魔化してみせていた。もともと原案となった新書も、感情的な記述を多く含んでいた。一方、『ニューヨーク公共図書館』は、実在の施設の真実を撮影しているはずだが、都合の悪いものは映らず、「公共」を損なう要素を排除した理想化されすぎた映像なのではないかという疑問がぬぐいきれない。『新聞記者』と『ニューヨーク公共図書館』は、言葉をめぐってリベラル層が有しているディストピア的な思いこみとユートピア的な思いこみをそれぞれ反映しているのではないかと感じられる。

しかし、私たちが暮らす世界はそれほど善悪がはっきりしているのではない。実在する施設をユートピアのごとく映した『ニューヨーク公共図書館』の公開から四年後の二〇二一年、アメリカでは特定の本を図書館から排除しようとする動きが高まった。宗教、人種、暴力、性、ジェンダーなど政治的争点になりやすいテーマの表現に関し、保守層、リベラル層のそれぞれから有害図書の撤去要請が出され、アンネ・フランク『アンネの日記』、マーク・トウェイン『ハックルベリー・フィンの冒険』、ジョージ・オーウェル『一九八四年』、オルダス・ハクスリー『すばらしい新世界』、J・D・サリンジャー『ライ麦畑でつかまえて』、マーガレット・アトウッド『侍女の物語』など、古典、名作として評価されてきた作品も標的になっている。以前からなにかを有害と指摘する声はあったが、現在はSNSなどで市民の善意が増幅拡大する環境があり、いわゆるキャンセル・カルチャーに結びつきやすくなった。『日没』が書いていた通り、人々の無思慮な「正義」がいつの間にか悪しき抑圧につながるような、どこか曖昧さを帯びた力が働いているのが現状ではないのか。それも踏まえ次節では、ユートピアともディストピアともとれる場所をテーマにした物語を考察する。

2　楽しい管理──『ユートロニカのこちら側』『透明性』

独裁でも番組でもないカメラの日常

大雑把に言えば、情報銀行は君たちが許可を出した日常的な情報を企業や政府に売りつけているということだ。サンフランシスコに新しくできる特別区では、居住する人間がマイン社に対して情報への無制限アクセス権を預ける代わりに、最高ランクの基礎保険が保証されるという寸法さ。（略）そしてその報酬として、住民は働かない権利を得る。

作中の説明である。巨大情報企業のマイン社は、情報銀行《アガスティア・バンク》を継続利用する住民がそのような利益を得られる実験都市アガスティアリゾートを各国に展開しつつあるのだ。住民は銃火器の私的所持が不許可とされる一方、ＩＤ認証ベルト式ブレスレット、生体コンタクトカメラ、立体集音マイクなどを装着し、視覚、聴覚、位置情報などあらゆる個人情報を提供することが求められる。治安がよく、辛い労働の必要がない楽園であり、居住を希望する人は多い。ただ、なかには理想郷に適応できない人々もいる。小川哲『ユートロニカのこちら側』（二〇一五年）は、そのような設定で書かれた連作短編集だ。徹底的に管理がゆきとどいた社会を題材にしており、設定だけ記すと、典型的なディストピア小説だと思われるかもしれない。だが、いささか趣を異にしている。同作を語るためには、前もって過去の作品に触れておく必要があるだろう。

ディストピア小説の古典であるジョージ・オーウェル『一九八四年』（一九四九年）は、各所に設けられた双方向のテレスクリーンやマイクによって、人々の行動が監視される国家オセアニアを舞台にしていた。反体制的なふるまいをすれば、拘束され恐ろしいことになるのだ。同作では「ビッグ・ブラザーがあなたを見ている」とキャプションのついた指導者のポスターがあちこちに貼られ、国民は常に自分の言動が見られ、聞かれることを意識しなければならなかった。独裁者の存在が誇示される環境にいて、体制が持つ強大な力に無関心ではいられない。国民は自由を奪われていた。

一方、撮影など情報の取得・伝達というテーマは、権力の監視による抑圧とは違う観点からも書かれてきた。メディアの発達で一般市民の情報が広範囲に伝わりうるようになったことが、悲喜劇としてとらえられてきたのだ。街のあちこちにカメラ・アイが設置され、あらゆる人々が映ることを前提に演じるようになった社会を戯画的に描いた『四十八億の妄想』（一九六五年）を第一長編として刊行した筒井康隆は、テレビが普及した時代の「映す／映る」を先鋭的にとらえた作家だった。テレビの隆盛により、一般人が被写体として受け身であるだけでなく、知ったうえで映ることも珍しくなくなった。カメラが映すことで普通の人の情報もスターなみに拡散される。それだけではない。『四十八億の妄想』、「東海道戦争」（一九六五年）などでは、視聴者がいることを前提の世界で、シリアスなはずの戦争や事件までがショー化し、悪ふざけが暴走する様子を露悪的に表現していた。擬似イベントSFと称されたそれら一連の筒井作品は、カメラ内蔵の携帯電話を個々人が持ち歩くのが当たり前になり、誰でもインターネットでの動画配信が可能になった現在を予期していたかのごとき内容だった。

そうした作品のなかでも興味深いのが、ある一人の生活ぶりが突然、盛んにニュースとして流され始める「俺に関する噂」（一九七二年）だ。平凡な若い男性の会社でのミス、デート、食事、オナニーといったありふれた日常が、なぜか突然、テレビ、ラジオ、新聞、雑誌で頻繁に報道されるようになる。周囲からからかわれ、妙な目で見られるなど本人は憤懣やるかたない。彼はメディアを意識した行動もしてみるが、それは報道されないのだ。しかし、新聞社に抗議へ行くと、マスコミと関係ない平凡な人間というカテゴリーから逸脱し報道価値が失われたと判断され、ニュースにならなくなる。今度はべつの平凡な一人がメディアでクローズ・アップされ、彼のほうは一ヵ月もすると世間から忘れられている。

「おれに関する噂」では、報道の対象になる主人公と、報道を見聞きする人々が同じ社会に暮らしているが、それらをセパレートした設定だったのが、同短編の四半世紀後にアメリカで制作された映画『トゥルーマン・ショー』（一九九八年。ピーター・ウィアー監督）だった。主人公の青年は、生まれた時からの全てをずっと撮影され、番組として放送され続けていたというストーリーである。主人公の住むシーヘヴンという平和な島、勤める保険会社、妻や親友のほか街の人々はなにもかも彼のために用意された舞台と役者だった。その真実に気づき、シーヘヴンから逃げようとするが、行った先では原発事故が起きたなどといわれて阻まれ、脱出の邪魔をされる。東京ディズニーシーのような広大なスペースと多くの人々が、主人公一人のために用意されており、本人は気づかぬうちに限定された場所に閉じこめられている。その外からテレビで、彼の一挙一動を視聴者は楽しんでいたのだ。ヴァラエティ番組の一形態であるリアリティショーを極大化した設定である。

しかし、『ユートロニカのこちら側』は、『一九八四年』とも筒井作品や『トゥルーマン・ショー』とも異なる性質の監視を扱っているのだ。『ユートロニカのこちら側』のアガスティアリゾートの居住者は、広範囲にわたる個人情報を運営企業のマイン社に与える対価として安楽な暮らしを享受する。彼らは居住者募集に応募し、個人情報へのアクセス権をマイン社に自ら許可した。『一九八四年』のように監視されることに国民が抗えないという、独裁体制の強制力が働いているわけではない。また、アガスティアリゾートの住人個々の言動がデータとして把握されどこかに蓄積されるものの、「おれに関する噂」や『トゥルーマン・ショー』とは異なり、その人のふるまいがメディアで不特定多数に流されるわけではない。犯罪をチェックするシステムは働いている。とはいえ、反体制的言動は許さないと国民を厳しく見張るビッグ・ブラザー、盗撮された誰かを笑って楽しむ視聴者といった自分を見る者の存在を、アガスティアリゾートの住人のほとんどは意識しない。これは、インターネットや携帯電話をはじめ様々な形で利用履歴が残り、監視カメラが増加した街を歩くという現在の私たちの日常をデフォルメした状況だ。作者の小川哲は、物語と現実の距離に関し次の通り述べていた。

ガジェットは、「リアリズムで書く」というコードと関係していて、読者が「こういうもんなんだな」と直感的に分かるものを入れました。「これGoogleだな」「これSiriだな」といった感じで、奇抜で新しいものを作るというよりも、読み手の常識に依拠した、くどくど説明しなくても分かってもらえるものを志向しました。

（「SF新世代　28歳哲学系男子が問う「明るい未来の絶望」とは？」二〇一五年。https://cakes.mu/posts/11547）

利用者は自身の判断に基づき、個人情報の提供を許可したうえでサービスを利用している。そのような形をとったうえで、検索サイト、SNS、ネットショッピングなど、各種のインターネット事業は展開されている。利用者の立場からすると、生活の利便性を考えれば使わざるをえない。一般化して大勢が頼るものになったゆえに、利用の選択肢が狭められた現実がある。利用しないと不利益を被るのだ。また、街中にカメラが増えていく当初には、監視社会化だと批判し反発する声も少なくなかった。だが、カメラが犯罪の摘発に役立ったと報道されれば好意的な反応を引き起こすし、犯罪を行わない自分がカメラを恐れる必要はないと合理化するむきも多くなる。当初は監視カメラと呼ばれたものが、防犯カメラといい換えられることが常態化した。店舗であれば、客の行動を見張り、むしろカメラがあると強調することで犯罪発生を抑止する意図があるとしても「お客さまの安全のために撮影しています」と説明書きを掲げ、ソフトな印象を演出するのが普通になった。実際の社会のこうした推移をとりこみ、『ユートロニカのむこう側』では、アガスティアリゾートに対する批判や疑問の声があがり裁判沙汰になりつつも議会で承認され、事業が拡大していったことが語られている。

決定と自由のダブルバインド

この小説の第一章で主役になるのは、ジョンとジェシカの夫妻だ。アガスティアリゾートは楽園だと憧れる妻に夫も説得され、二人は移住することになった。だが、ジェシカが新生活にすぐ馴染んだのとは異なり、ジョンは心を病む。彼だけではなく、居住者には性的不能、社交性やコミュニケーション能力の低下、食欲の低下、慢性的な頭痛、幻聴や幻覚などの症状が生じる「無気力性症候群」に陥る人々がいたのだった。彼らは従来の生活を清算し移住したわけで、資金や仕事の面で再び外部へ引っ越すのは容易ではないため、域内にはメンタルケアを行う専用サナトリウムが設けられている。それを経営するクリニックの広告には、病の原因として「視覚や聴覚を含む、ありとあらゆる情報をすべてマイン社に預けるということは、どこか自分の人生を奪われているような気分を引き起こすこともあるのです」と記していた。アガスティアリゾートで生活する人は、サーヴァント（情報管理AI）にサポートされている。ジョンは、後頭部の後ろに背後霊が張りついているという強迫観念にとり憑かれる。彼がそうなったのにジェシカが上手くやっていることについて医師は、彼女が努力の末に鈍感さを手にしたからだと指摘する。そのうえで付け加える。

そして鈍感さはこの街で最も尊い美徳のひとつなんです。時代は変わりました。あなたのように感受性の強い人間は、この新しい時代において、必要以上にストレスを感じることになってしまうのです。

ジョンは、過去のハイスクール時代に野球チームでエース・ピッチャーだった。だが、監督が信奉するサーヴァントによる練習管理システムは、彼の体を診断し一年間の投球禁止を告げた。監督は、どうするかは本人が選べといったが、どちらにせよサーヴァントの指示通りメンバーから外されるのだ。当時、ジョンは思いをこのように話していた。

ラジコンになることを選ばなければメンバーから外されるんだ。どう選択するかは実質的に最初から決まっているのさ。いっそ強制的に決めてくれれば、これは自分で選んだんじゃないって考える自由がある。

ジョンが過去に野球をめぐって味わった苦しみが、アガスティアリゾートで生活全般におよぶ形で回帰したといえる。かつて人類学・言語学者のグレゴリー・ベイトソンは、メッセージとメタメッセージが矛盾したコミュニケーションにさらされ、ダブルバインド（二重拘束）の状況におかれることと統合失調症の関係性を考察した。それに対し、サーヴァントの活用は、本人の行動選択に関して決定と自由という二つの矛盾したメッセージを届ける。この矛盾が「感受性の強い人間」を悩ませる。ジョンが入院したサナトリウムで会った男は、ここに来る人間は「おかしなソフトウェアをインストールしちまってバグった人間と、ハードウェアそのものがぶっ壊れた人間」の二つに分けられるといった。彼らは「自分や友人を騙せても、生体コンタクトカメラは騙せないというオブセッションに囚われるんだ」ともいっていた。逆にいえば、移住者の多くは、ハードウェアを壊さずに新しいソフトウェアをインストールできているのだ。この第一章は「リップ・ヴァン・ウィンクル」と題されていた。山で出会った集団と酒を呑んで寝こんだ主人公が町へ戻ると、二十年も過ぎており世の中が様変わりしていたという、ワシントン・アーヴィングの有名な短編小説から章題がつけられている。アメリカ版浦島太郎とも称される同短編の時代からの遅れ、乖離というテーマが『ユートロニカのこちら側』第一章でも打ち出されており、この連作短編集の大枠を提示している。

ジェシカのように鈍感な人間にとってアガスティアリゾートは幸福に満ちた約束の地だが、ジョンのように敏感な人間は楽園になじめず、かといって追放されるわけでもなく、適応できるよう努めるしかない。人によってユートピアともディストピアともとらえられるアガスティアリゾートの性格は、作者の発言で言及されていたグーグルが世界的に力を持つ企業になっているこの現実の延長線上に考え出されている。フィリピンのマニラ沖で試験運営の後、マイン社とサンフランシスコ市の特別提携地区として本格的に事業が始まる設定の『ユートロニカのこちら側』は、データ収集を核としたグーグル、アマゾン、フェイスブックといったインターネットのインフラを運営する巨大企業を念頭に書かれた小説といえよう（物理的に広大な土地を管理している意味では、ディズニーも視野に入っているかもしれない）。二〇一五年に刊行された同作の発想の源となったＩＴの巨大プラットフォームを中心とした経済のありかたについては、ハーバード・ビジネススクール教授のショシャナ・ズボフが、監視資本主義と名づけていた。それについて彼女が詳述した『監視資本主義　人類の未来を賭けた闘い』は、世界的に話題を呼び、バラク・オバマ元アメリカ大統領が二〇一九年のベストブックに選んだことでも知られる。同書は、グーグルが発明し完成させたとする監視資本主義についてこう説明していた。

監視資本主義は人間の経験を、行動データに変換するための無料の原材料として一方的に要求する。これらのデータの一部は、製品やサービスを向上させるために使われるが、残りは占有的な行動余剰と宣言され、「人工知能」と呼ばれる先進的な製造プロセスに送られ、わたしたちの行動を予測する予測製品へと加工される。最終的にこれらの予測製品は、新種の行動予測市場で取引される。

『ユートロニカのこちら側』の解説のごとく読める文章である。さらにズボフは、「わたしたちに関する情報の流れを自動化するだけではもはや十分ではなく、わたしたちを自動化することが目指されるようになったのだ」という。この指摘から今の私たちのおかれた状態を考えてみよう。例えば、特定のサイトにアクセスすると過去の閲覧や購入の履歴からそのユーザーにおすすめの商品が表示され、次の購買へと誘導しようとする。サイトは訪れた大量のユーザーのデータを数として全体的に処理するのと並行して、個別化（パーソナライズ）された応答らしきものを返す。そこでは人々の全体を把握しようとする不可視の大きな力が働きつつ、過去の自分の行為から計算された自分の未来予測が示されるのだ。先にサーヴァント（ＡＩ）の活用が、与えられた決定と本人の自由というダブルバインドをもたらすことに触れたが、ＡＩの反応は全体と個別の二面性をあわせ持つ。独裁者ビッグ・ブラザーの監視が圧倒的上位からされていたのに対し、ＡＩのアルゴリズムは圧倒的上位の視点からだけでなく、データから作られたもう一人の自分を含んだ形で自分に働きかけてくる。そうして二重化された働きかけを居心地悪く感じたジョンは、それを背後霊と表現したのだろう。

オーウェル『一九八四年』は、直接的にはスターリンが支配する共産主義のソ連批判として書かれた。だが、国家による監視と管理、歴史改竄と情報操作、その下で二重思考を強いられる国民といったテーマは他の社会体制の国家にも当てはまると読解され、最高権力者自身がフェイクニュースを発信したドナルド・トランプ大統領の時代のアメリカで同作が再注目されることにもなった。一方、サンフランシスコから始まる『ユートロニカのこちら側』の物語は、ＧＡＦＡ（グーグル、アップル、フェイスブック、アマゾン）が生まれたアメリカで主に展開され、一部で日本が舞台になる構成だ。だが、梶谷懐・高口康太『幸福な監視国家・中国』（二〇一九年）が書いた通り、民主化を阻む共産党の統治が続きつつ、自由経済を導入した中国でもＩＴ企業が発達した。同国では、政府が国民を監視して統制をゆるめない一方、国内ＩＴ企業が収集したデータをもとに国民へ様々な利便性を提供している。国民は国と企業にそれぞれ自身に関する各種の情報をさし出しているが、監視を抑圧だと意識しなければ幸福を得られる。『ユートロニカのこちら側』は、アメリカばかりでなく中国の喩えともなっているわけだ。
それだけではない。最高指導者を揶揄する際に用いられるキャラクターだとしてくまのプーさんを検閲して排除する習近平と、十代から起業しトランスジェンダーを公表しつつ三十代の若さでデジタル担当の政務委員を務めたオードリー・タン。二人のイメージに象徴されながら、国民の監視システムを強化する中国と、インターネットを民意の吸収に活用する台湾という風に二つの社会体制は対照的にとらえられてきた。しかし、ＩＴデータに基づいた国家運営という点では、対立する中国と台湾にも共通性はある。ケン・リュウ編アンソロジーへの収録で知られるようになった中国の作家・郝景芳《ハオジンファン》の「折りたたみ北京」は、社会的階層の異なる人々が分かれて住む三つの街が折りたたみ式になっており、地面が回転して交代で活動と眠りの時間が割り当てられているという短編だった。階層ごとの分断を印象づける奇想である。それに対し現実では、ＩＴの経済システムに参加できる人とそれ以外に分かれ、前者は商品の購入履歴から割り出したおすすめ商品の提案、利用金額・回数に応じたポイント付与やランク付けなど、サービスがいわば事細かに折りたたまれた形で個別化されているのだ。社会体制や主義の違いを越えて世界のアガスティアリゾート化は広まっている。

シナリオの谷間

先に引用したズボフの「監視資本主義は人間の経験を、行動データに変換するための無料の原材料として一方的に要求する」というフレーズは、ＩＴが発達し世界を覆うことに対する人々の漠然とした不安感を強烈な表現で要約している。「原材料」という言葉は、『マトリックス』（一九九九年）を第一作とするＳＦアクション映画連作を思い出させる。この人気シリーズは、反乱したコンピュータと人類が戦ったものの敗れ、従来の社会が崩壊した後から始まった。人類は空を雲で覆って闇とし、機械の動力源となる太陽の光を奪った。だが、コンピュータは人間の生体を動力源として培養し使用するシステムを構築する。眠っているのと似た状態で電池にされる人々は、楽園のごとき仮想現実空間で生きていると錯覚させられている。行動を奪われた人類が「原材料」にされ、データの夢だけ見せられる世界なのだ。

一方、「人間の経験を、行動データに変換する」発想は旧くからSFにみられるものだが、グーグル以後の物語としてフランスのマルク・デュガンが二〇一九年に発表したのが『透明性』だった。地球温暖化が進み人類の生存域が北方へ狭められた二〇六〇年代、グーグルなどデジタル大企業がますます力を持った未来が舞台である。デジタル革命によって独裁政治は減ったものの、専制的デモクラシーが生まれて監視は強化され、個人情報はいっそう透明化されていた。そんな世界で環境悪化に対応するため、個人データを人工身体に移植し不老不死になって人類を存続しようとする「エンドレス・プログラム」が立案される話だ。

『マトリックス』や『透明性』は、情報管理が最後に行き着く先だろう。それらの前段階とも思える『ユートロニカのこちら側』は、まだ今の現実に近く、次の状態への完全なる移行ではなく途上が描かれている。アルゴリズムが決定する答と人間の不確かな心がまだせめぎあっている世界である。同作では、マイン社がCompleteness（完全性）、Coherenece（一貫性）、Continuity（継続性）、Closedness（閉鎖性）を情報価値を決める4Cと呼んだのに対し、ある哲学者がContingency（偶然性）、Curiosity（好奇心）、Complication（複雑さ）こそ、人間が人間であるための3Cだと反論するのだ。『ユートロニカのこちら側』各章のエピソードは、いずれも情報の4Cと人間の3Cの摩擦を語ったものといえる。

第一章で人々の個人情報が徹底的に管理される様子をとらえた同作は、続く章でそれが現在だけでなく過去や未来にもおよぶことが示される。第二章「バック・イン・ザ・デイ」で題材となるのは、過去再体験《リバイバル》サービス「ユアーズ」だ。生体コンタクトカメラの映像や立体集音マイクの音声データが蓄積されれば、任意の過去の空間を再構成し、フルフェイスのヘッドギアをかぶった利用者に体験させることが可能になる。マイン社はその「擬似タイムマシン」プログラムを開発するが、著作権上の問題に加え、精神的な負担が物議を醸す。「人間の心は、実際の過去と改変された都合の良い思い出とのギャップに耐えられるほど頑強ではない」という某クリニック院長の指摘に関連したエピソードが、第二章では展開される。「擬似タイムマシン」を作者が「ユアーズ」と命名したのは「あなたのもの」の意味だろう。だが、実は「都合の良い思い出」こそ現実のあなたのものであり、より実際に近い過去はデータを記録したシステムのものだったと露呈した時、心はダメージを被る。

それに対し、第三章から第五章（「死者の記念日」「理屈湖の畔で」「ブリンカー」）では、近い将来に人を殺す恐れのある「予備殺人者」をリストアップする行動予測システム（ＢＡＰ）が、物語の焦点となる。脈拍、情報履歴、購入履歴、ストレス値、信仰する宗教、虐待の経歴、家族や友人関係など様々なデータに基づきＢＡＰは予測する。このため、アガスティアリゾートでは計画性のある殺人はもちろん、極度に暴力的な傾向のある人間には退去命令が出るので突発的な殺人も起きないという理屈だ。人間が自らコントロールできないストレスを基準にするのは差別だとする意見には、大学の入学も企業の雇用も選別がされており、すべて契約の問題だと反論が用意されている。未来の犯罪者をあらかじめ拘束すれば、被害者だけでなく加害者も犯罪から守ることができるというのが、ＢＡＰの意義とされる。だが、事前に犯罪が防がれるのならば、その人が本当に犯罪を起こす人だったかどうか、確認することはできない。そこに不正はないのか。犯罪予測システムをめぐるこの疑問は、フィリップ・K・ディックの短編「マイノリティ・リポート」（一九五六年）とそれを原作とした同名映画（二〇〇二年。スティーヴン・スピルバーグ監督）など、ディストピアもののフィクションでは、しばしばあつかわれるものである。

『ユートロニカのこちら側』中のデータに基づく過去の再現、未来の予測はいずれもかなり信憑性の高いものとされている。だが、BAPが対象の人物像を正確に把握し、未来の犯罪者を予測しても自動的に拘束されるわけではない。この世界ではまだ警察の捜査、司法の判断や裁きが必要とされている。第四章では、BAPが「予備殺人者」を抽出しても証拠能力がないため逮捕できないことが主題となる。少女が「予備殺人者」の犠牲になった事件に関しマスコミや世間は司法の不備が原因だと騒ぎ、社会はBAPにより頼る方向に進むと示唆される。だが、第五章では、犯罪に関して「たぶん悪いことはしないだろうけど、もし何かをしたら困る」という「シナリオの谷間」にいる人々には、監視が必要だがコストを回収できないことが話題になる。そのため、逮捕や隔離より、リゾートへの入場拒否といった措置がとられたりするという。この「シナリオの谷間」は、現実社会でもストーカーと警察の対応、家庭内の虐待と児童相談所の対応をめぐり事件が起こってしまった場合などに問題となることに近い。

マイン社は収集し解析したデータにもとづき、その人の過去、現在、未来を決定したシナリオのごときものとして提示する。先に触れた情報価値を決める4Cと人間が人間であるための3Cを思い出そう。双方の違いを象徴するのは、前者のCompleteness（完全性）と後者のContingency（偶然性）だろう。マイン社のシステムは、人々の言動を把握し確定したものとして扱おうとする。だが、人間は、予測からはずれた合理的でない行動をする生き物でもある。『ユートロニカのこちら側』では、BAPにかかわる人々が非合理性を抱えている様子を描く。「本物の男」幻想を抱え「男だったら」を口癖とする警官が、同僚から「男だったら」やるはずだと厄介ごとを押しつけられる。BAPの活用に疑問を抱く警官が、自分なりに捜査に打ちこんだあまり大事な人の命日を忘れてしまう。誰がどんな人物かを過去から未来にわたって記録し解析するシステムとの対比でみると、彼らの姿は滑稽であると同時に哀しくもある。

また、BAPの開発者ドーフマンは、「一日の予定をきっちりと決めるのが好きだった」という。彼は、少女が殺害された事件をめぐり、BAPが「予備殺人者」を抽出しても証拠能力がなく事前に逮捕できない法が不備なのだと憤る世間に同調しなかった。ドーフマンは記者のインタヴューに応じ、仮に証拠能力を認めれば、行為ではなく目的で裁かれる、つまり犯行以前に犯行を考えただけで罪に問われることになると慎重な姿勢を表明した。だが、発言は切り刻まれ曲解された形で記事になる。「予備殺人者」を罰したいという世間やマスコミの「正義」の吹きあがりで、彼は「悪」の側に分類され非難される。私たちが日頃、ネットの炎上騒ぎでよく接する光景が、作中でも展開されるわけだ。ドーフマンは「予定をきっちりと決め」言葉を選んで話したが、そんな事態になってしまう。BAPが対象者の行動を正確に記録し正確に予測するとしても、それを使う社会や報道するマスコミは一時の感情のおもむくまま、受けとった情報をねじ曲げ、考えたいように考える。

不自由がなければ自由もない

『ユートロニカのこちら側』の最終章では小さな教会の牧師アーベントロートが主人公となり、宗教的テーマがクローズ・アップされる。彼の妻は酔って車で交通事故を起こした後、奇行を繰り返すようになる。彼女のほうから離婚を申し出るが、アーベントロートは「不貞以外の理由で離婚をすれば、相手に姦淫の罪を背負わせることになる」ためイエスの教えに背くのだと、聖職者としての理屈を持ち出して拒否する。夫の信仰についていけず苦しんだ妻は離婚の理由をつくるため不貞に走るが、アーベントロートは「君の不貞はなかったし」、「君は私の妻で、敬虔なクリスチャンだ」という。「わたしには悪者になる自由もないの?」と問う彼女に彼は「神はそんな自由を与えなかった」と返す。結局、妻は失踪するのだが、夫は神があらゆる人を見て判断しているという世界観を信じ、それにしがみついていたわけだ。神と人のこの関係を、マイン社による収集データ運用と個人の関係に重ねて最終章のエピソードは発想されている。アーベントロートが、イエスは殺人行為だけでなく心のなかでの「殺人」に厳しかったと神の裁きを肯定する一方、殺意そのものを人間が司法で裁くことには反対だと語る場面がある。それまでの章であつかわれた「予備殺人者」の問題が、宗教的テーマでもあったことが明かされるのだ。前の章には、次のような議論も書かれていた。

不自由がなくなれば完全な自由が得られる、という考え方自体が間違っている。人間は、不自由からの解放という形でしか自由を認識できない。不自由がなくなれば自由もなくなる。完全に欲求が満たされれば欲求は存在しなくなる。意識がなくなれば、無意識もなくなる。

そもそも自由を求めてアガスティアリゾートに移住した人の大部分は、監視を不自由と感じていないのだった。著者は音楽ジャンルの「エレクトロニカ」と「ユートピア」を組みあわせた造語「ユートロニカ」を作品タイトルに用いた。小説中では「意識のない静寂な世界＝ユートロニカ」とも記されており、マイン社のプロジェクトの終着点として予想されるものだ。それは宗教のかわりにアルゴリズムが達成する理想郷ともいえる。アガスティアリゾートへの移住者の多数が幸福だと思い、少数が病むのは、約束された地へきて自由を得たと感じるか、監視される場所にきたことで逆に自由の楽園から追放されたと感じるかの違いだろう。その未来には自由の意味を問うことすら無意味なユートロニカが待っている。

先の節で『ユートロニカのこちら側』はまだ今の現実に近いが、情報管理が行き着いた先としてデュガン『透明性』の世界があると書いた。後者の小説ではネットに接続している人なら誰でも、集められた何十億のデータをベースに外見と本質的な機能、心理や魂を人工的な体に移植し、再生できる技術が語られる。環境が悪化した地球でなお生き延びるノアの方舟に匹敵する手段を人類が手に入れたというわけだ。「エンドレス・プログラム」と呼ばれるその計画では、今生きる人間すべてではなく、申請して生きるに値すると判断されたものだけが、生物学的な体を捨てた後も不死を得る。基準は「社会で生きる適性と、環境を尊重できる適性」だというが、グーグルでも働いたと設定され、設立したＩＴ業界のトップとして「エンドレス・プログラム」を推進する女性主人公は、世界の終りに際し、復活すべき人間を選別する神に類する力を手に入れたことになる。作中には、彼女が上りつめた立場ゆえに、アメリカ大統領に加え、ローマ法王とも会談するという象徴的な場面まである。同作は終盤で一筋縄ではいかない展開をみせるが、人々がデジタルになにを期待し、なにを恐れているかの要点をよくおさえた内容だった。

キリスト教には、最後の審判で誰が救済され、誰が滅ぼされるか、神によってあらかじめ決定されており、救われるために人が善行を積んでも運命は変えられないとする予定説がある。人知がおよばない神の判断というその宗教的構図が、人知がおよばないアルゴリズムの判断という構図にスライドするのではないか。そうした発想が、『ユートロニカのこちら側』や『透明性』の世界観の核になっている。『透明性』の場合、「エンドレス・プログラム」を推進する側は、一人称「私」で語る主人公の女性経営者に代表され、顔を持った登場人物として説明もする。それに対し、『ユートロニカのこちら側』では第四章でBAPの開発者が主人公になり、第六章でアガスティア・プロジェクトの立ち上げ人について語られるものの、マイン社全体の戦略を語ってみせるような、状況の支配者といえる誰かは現れない。

変化はその顔が見えないまま、そっと忍びこんできている。ビッグブラザーもオーバーロードもルイ十六世もヒトラーもサダム・フセインもいない。守るべき大衆と、倒すべき黒幕は等号で繋がっている。捨てるべき自由と、捨てるべき不自由も同様に。

引用中の「オーバーロード」とはアーサー・C・クラーク『幼年期の終わり』（一九五二年）で人類を統治する異星人を指す。第五章の終わり近くの地の文に書かれたこの一節が、『ユートロニカのこちら側』の世界のありようをよく表現している。ディストピア的な物語には、圧倒的な権力を持つ特定の存在が悪役として焦点化されがちだが、同作にはそれに類するキャラクターは登場しない。『監視資本主義』でショシャナ・ズボフは、「監視資本主義は、ユビキタスなデジタル装置という媒体を介して人形を操る人形師だ」としてこの装置を「ビッグ・アザー」（偉大なる他者）と名づけた。オーウェル『一九八四年』のビッグ・ブラザーとは支配のシステムが異なっていることを含意した命名だが、『ユートロニカのむこう側』を読むとそれは他者というより、もう一つの自己に近いのではないか。人々の全体を把握しようとする不可視の大きな力が働きつつ、自分の行為のデータから計算された自分の未来予測がつきつけられるのである。他者ではなく自分が現れる。だから、「守るべき大衆と、倒すべき黒幕は等号」というぐあいに、敵対するはずのものが癒着してしまう。そのような状況に対し、お金をもらうためならプライバシーは必要ないと思う人がいる。しかし、多くの人にとってはそれ以前のことなのだ。

「君はものごとを深く考えすぎだよ」

恐ろしい言葉だった。「ものごとを深く考える」のが悪いことであると、「ものごとを深く考えず」に口にしている。寒気がした。

最終章の一つ前の第五章で、すでにこの忠告は与えられていた。続く、第六章では「ものごとを深く考えすぎ」て、宗教の領域まで踏みこんだ展開になる。しかし、深く考えなければ、用意されたユートピアをディストピアだと感じずにいられるのだ。ふり返るなら、第一章のアガスティアリゾートに順応した妻と病む夫の対比で結論は出ていたのだ。神の目にも監視カメラにも鈍感でさえあれば、幸せに生きていける。

3　忘却という幸福——『白の闇』『見ること』『忘れられた巨人』『密やかな結晶』

「わたしたちは目が見えない」

小川哲『ユートロニカのこちら側』には、認知症となり徘徊し始めた祖父に発信機つきの差し歯を装着させ、位置情報を監視するエピソードがあった。それは家族の話しあいによる決定だったが、かつては記者でマイン社の批判記事を書き続けた祖父の口ぐせは「眼鏡をかけろ、自由を探せ」だった。周囲の状況にごまかされるな、自力で真実を知れと鼓舞する言葉だが、個人情報を収集するシステムが拡張する作中世界では虚ろに響く。監視から逃れる自由のない生活が拡大するのに対し、一個人の視力強化でしかない「眼鏡」がどれほどの自由を見つけられるのか。「眼鏡をかけろ、自由を探せ」というフレーズの作中での使われかたには滑稽なニュアンスがある。

では、監視の精度が高まるのとは反対に、もしも人々が視覚を奪われたら世界はどうなるのか。眼鏡をかけるどころか皆が裸眼の視力を失い、カメラの映像を確認する誰かもいなくなる。そうした異常事態を描いたのが、ポルトガルの作家ジョゼ・サラマーゴの『白の闇』（一九九五年）だ。同作では、突然失明する原因不明の伝染病が急拡大する。当初、失明者および感染したとみられる接触者は、軍の監視下で隔離され集団生活を送る。食料は運ばれるが、医療的ケアはない。脱走など不穏な動きをすれば容赦なく撃たれる。ただ、兵士たちは感染を危惧し遠巻きに見張るだけであるため、収容所での集団生活は一種の自治の形をとる。しかし、やがて施設外も失明者だらけになり、政治も軍も機能しなくなって社会全体の秩序が壊れてしまう。それでも、なお生き延びようといくつかの小集団が形成され、助けあったり争ったりする一方、一人で引きこもる者もいる。

『白の闇』で最初に登場する失明者は、車を運転していた男だ。いきなり目の前が真っ白になり、なにも見えなくなった男は、信号機が青になったこともわからず車を動かせない。交通の妨げになり周囲に人が集まるなか、代わりに車を運転して彼を近くの自宅まで連れていった男がいた。だが、親切そうだったその男は、持ち主がおりてから車を盗み去ったのだ。後の展開からこの発端をふり返ると、物語を象徴するエピソードだったと感じられる。視覚を失い自分一人でできることが狭められた状態で出会った誰かが力を貸してくれるのか、それともこちらの弱みにつけこむのか。相手の表情すらわからないのだから判断は賭けになる。また、運転者の失明でしばらく止まったままになった車は、通行の妨げになったわけだが、謎の感染病の急拡大に伴い、車をはじめとする機械類を人々は操作できなくなり、インフラも維持できなくなる。一台の車の停止は、都市機能喪失の象徴的始まりだったわけだ。

固く大きな塊が高速で移動する車に関しては、事故を避けるため、周囲をよく見て運転することが求められる。一九九五年の『白の闇』発表時には考えられなかっただろうが、技術が進展した現時点から読めば、自動運転装置が備わっていたなら失明した男もとりあえず自宅の前までたどり着く方法はあったのではないか、また、搭載したドライブレコーダーが車泥棒の捜査に役立ったのではないかなどと考えることもできる。とはいえ、失明のパンデミックが社会全域を覆った際には、自動運転やドライブレコーダーといった機械の視覚も役立たずになるのだろうが。

最初に失明した男は妻に連れられ、眼科診療所を訪れるが症状の原因はわからない。診察時間終了後に眼科医も失明し、男の妻や車泥棒など接触した人たちは次々に発症する。一日も経たずに眼科医が罹患したことに示される通り、原因を探るとか治療法を考える余裕もなく事態は進む。小説では初期の失明者としてほかに、同じ診療所に受診していた若い娼婦が登場する。彼女は性行為後、失明に気づき、裸のまま金切り声をあげパニックに陥りホテルから追い出されたが、警官に家へ戻されたのだった。視覚を奪われた人は、他人が自分とどう接するのかわからない無防備な状態で、聴覚や触覚をそのぶん使おうとするし、肌が触れるほど近くにいる相手を頼るしかない。性的な危うさというそのモチーフは、物語の後の展開でクローズアップされる。

同作の特徴は、人物の名前が書かれないまま進むことだ。眼科医の妻は、こう思う。

わたしたちは世界からあまりに遠く離れたため、いずれ自分がだれであるかわからなくなり、名前すら思い出せなくなるに違いない。それに名前があったとしても、なんの役に立つというのか。犬は与えられた名前でほかの犬を見わけるわけではない。犬は匂いを嗅ぎわけてほかの犬を特定する。（雨沢泰訳）

カメラによる監視でもモニターに表示されたデータの確認でも、名前をはじめとする個人情報をもとにした人間の特定は視覚が基盤であり、それが都市生活機能の前提ともなっている。基盤が失われた世界では、肌をあわせ相手の匂いを嗅ぐほど近い関係になっても、名前が意味を持たなくなる。失明者たちは収容所の内部がどうなっているかを懸命に覚えようとし、細かい部分はその都度、手探りで確かめるしかない。過去を反芻するのに名前はよすがとなるが、現在や未来では役に立たない。軍の銃撃や内部のいさかいで出た死体を放置できず、なんとか地面を掘って埋めるものの、トイレを上手く使えず糞便であちこち汚れた収容所は、人間らしい暮らしではなくなっていく。そんななかで名前を呼ばれるのは、むしろ恥辱かもしれない。

留意すべきなのは、先に引用したように「名前すら思い出せなくなるに違いない」と考えた眼科医の妻が、作中で唯一失明しない登場人物であったことだ。彼女は、使われなくなった精神病院に強制移送される夫につき添うため、自らも失明したように装う。失明者ばかりが集められた収容先で彼女は唯一の見える者として周囲の人々にそれとなく力を貸し、隔離生活を少しでもましなものにしようとする。逃げ場のない苦境にいる人々が協力しあう災害ユートピア的状況において、潤滑油の役割を務めるのだ。とはいえ、医者の妻は、平凡な一人の女性にすぎない自分が非力なことを自覚している。大勢の運命を背負うことや英雄的な活躍などできないため、健常者であるのを隠して行動する。彼女は、自分だけが見えていることについて「これは卑しむべき汚らわしい行為ではないのか。ほかの人びとにわたしが見えないなら、わたしだって見る権利はない」と罪悪感すら抱く。これは、施設を監視する兵士たちなら覚えない感情だろう。彼らは、命令による任務を果たしているのであり、感染拡大防止の大義もある。また、仮にカメラが失明者たちを監視していたとしても、なにか変事が起きない限り、映像が特に確認されることはないだろう。カメラは、見えない者を見ることを罪深く思ったりしない。

周囲の人々が気づかないまま医者の妻だけが見えていることは、登場人物には気づかせぬまま、作者が誰の物でもないカメラ的な視点、いわゆる神の視点で世界を表現する小説というもののありかたをトレースしてもいる。彼女は自身が神でないと知るからこそ、見えることに罪悪感を持つ。そこには、失明者だけの立場からは作中世界を描写できず、一名の見える者を設定するしかなかった作者の罪悪感も重ねられているかもしれない。

失明者たちが収容された当初、建物から出ることの禁止や食糧入りコンテナを一日三回玄関ホールへ運ぶという説明、病室ごとに代表者を選出することの提案、施設で火災や病気や騒乱が起きても助けないという告知など、国からの通達がスピーカーで流された。だが、まめに放送があるわけではない。また、カメラが失明者を監視している様子はなく、軍は外から見張るだけであって、内部の出来事に介入してこない。入所者のなかにはラジオを携帯する黒い眼帯の老人もいたが、小さなものであり乾電池の寿命に限りがあるため大音量にすることもなく、やがて彼一人が聞きニュースを他の人々に伝えることにする。だが、伝聞の内容は歪むし、ラジオ放送自体もやがてアナウンサーが失明し混乱を示した後、音声は途切れた。

情報を得る手段が失われるのと並行して、人間関係も変化する。収容所では災害ユートピア的な協力がある一方、銃を持った一団が配給の滞る食糧を独占し、分配と引き換えに他のグループに貴重品を、そして女をさし出すよう強制する。脅しに屈した男たちに相手が「男をよこせと言ったらどうするの？」という女に対し、「ここには同性愛の男はいないよ」と応じた者は「売春婦だっていない」と切り返される。悪党のなかにはもとからの視覚障碍者がおり、奪った貴重品の目録を点字器で紙に記していた。中途失明者たちのなかで見えないことに慣れている彼は、有利な地位に立てたのだ。武装集団に抗えず、女たちが屈辱にさらされるなか、医者の妻は悪党のリーダーをハサミで刺し殺す。点字を使っていた男が気づき、「てめえらが失明したときには、とっくにこの世界のすべてを知っていたんだ」と自らの優位を主張するが、彼女は「たぶんわたしはどんな人よりも目が見えていないわね。すでに人殺しをしてるし、せざるをえないなら、また殺すわ」といい放つ。

その後、失明のパンデミックが社会全体に広がり、監視する兵士もいなくなったことから収容者たちは外に出るが、そこにはもう都市機能はなくなっているのだ。後半では作家である人物が登場し「いまはだれも本を読めません。本などまるで存在しなかったようです」と話す。教会に行くと、そこにある彫像すべての眼が包帯で覆われ、描かれた人物像の眼にも白いペンキで線が引かれていた。医者の妻は「自分もいずれ同じように失明すると悟って、ひどく信仰がぐらついた人間の仕業かもしれない」と想像する。失明への同調圧力が、像にまでおよんだといってもいい。

文明が休止し、誰にも見られる心配がなくなった世界で、人々の欲望がむき出しになっていく。収容所では、悪党に脅され強姦されるだけでなく、夫婦や恋人といったパートナー同士ではない性行為も合意と黙認のうえでされていた。「いずれ自分がだれであるかわからなくなり、名前すら思い出せなくなるに違いない」と医者の妻は予感したが、見えなくなった人々は動物的な欲望に流され始めたのだった。食糧を求め街を彷徨う彼らは、死んで意識をなくしてもなお欲望の残滓によって徘徊するゾンビのようだ。サングラスをした若い娼婦が、医者の妻にいう。「わたしたちは死んでるんだわ。死んでるから目が見えないの」、「目が見えないから死んでるの」。そして、小説の最後で妻は医者にいう。「わたしたちは目が見えなくなったんじゃない。わたしたちは目が見えないのよ」。視覚が奪われることで、すぐそばにいる互いの本性、社会の真実をむしろ思い知ることになった。もともと目の前のものが理解できていなかった、見えていなかったというわけだ。この皮肉は、見える技術が発達する現状でも、逆に見えなくなるものがあることを意識させる。

サラマーゴは『白の闇』（原題「見えないことの試み Ensaio sobre a Cegueira」）の続編『見ることと Ensaio sobre a Lucidez』（原題「見えることとの試み」）を二〇〇四年に発表している。

喪失感の欠落

『白の闇』は、二〇〇八年にフェルナンド・メイレレス監督で『ブラインドネス』として映画化されている。カナダ、ブラジル、日本の合作であり基本的に英語が使われたが、運転中に最初に失明する男を伊勢谷友介、その妻を木村佳乃が演じ、彼らの夫婦間の会話や独り言では日本語が使われた。そのように音声で異邦人とわかる状況が示される一方、話しかけた相手が黒人と気づかぬまま白人が黒人差別的な発言をする場面もあった。視覚が失われた世界における人種の区別という原作には薄かったモチーフが、映画では可視化されたのである。一人だけ目が見える医者の妻は、失明者たち多数のケアをせざるをえなくなり、収容所から脱出できた後は一部の仲間を自宅へ連れていく。なぜか自分だけ感染せず、いわば運命に選ばれた彼女は、望んだわけでもないのに安息の地へ人々を導くモーセ的な役割を与えられる。収容所での悪党たちとのいさかい、食糧を奪いあい混乱する街。映画のＤＶＤに収録されたメイキングでは、演技本番での偶発的な出来事も撮りこぼさないように予備のカメラが回されたことが紹介される。失明したふりだけでなく、場面によっては視覚をふさぐ黒いコンタクトレンズで実際に見えなくした演技者を複数のカメラがとり囲む。それは、見えていない個人とどんどん見えるようになっている監視システムの不均衡をデフォルメした構図に感じられる。

興味深いのは、メイキング映像で『ブラインドネス』（直訳すれば「失明」）の演技コーチだったクリスチャン・ダーヴォートが「視力がないこと自体は悲劇ではない。持っていたものをなくす喪失感が不幸なのだ」と語っていることだ。それは、失明のパンデミック以前から視覚障碍者であり、点字や杖の使用に慣れた男の存在に示されている。他の失明者と同列で収容所送りにされた彼は、べつになにかをなくしたのではない。視覚を失ったほかの人々より、むしろ有利な立場にいる。では、逆になにかをなくした喪失感自体をなくせば幸福になれるのか。それは望むべきことなのか。そういった主題を扱ったのが、カズオ・イシグロ『忘れられた巨人』（二〇一五年）である。『白の闇』では、失明者たちが触覚、聴覚、嗅覚などで状況を知ろうとし、得た情報を覚えようとした。だが、視覚を使えない彼らにできることは限られ、文字や写真、動画などの形で情報を把握、蓄積できないせいで都市機能を維持できなくなった。視覚の喪失は、私的な記憶、社会が過去や現在を記憶し未来に伝承するシステムのそれぞれにダメージを与えたのである。一方、『忘れられた巨人』は、私的レベル、民族レベルの双方で過去の重要な出来事が忘却された世界を描く。

同作は、アーサー王没後の六、七世紀のブリテン島を舞台にして騎士や魔法が登場するファンタジー仕立ての内容だ。ブリトン人の老夫婦が、遠い地で暮らし音信不通の息子と再会するため、長い旅に出る。その道程で若い戦士、竜退治の任務を負った老騎士、高徳な修道僧、不思議な傷のある少年などに会う。序盤から記憶に関する記述が、しばしば出てくる。アクセルとベアトリスという老夫婦が住む村では、過去についてめったに語られなかった。タブーということではなく、過去は次第に薄れていくものとするとらえかたがあたりまえだったのだ。老夫婦は、いろんなことを忘れてしまう。妻は旅の途中、「分かち合ってきた過去を思い出せないんじゃ、夫婦の愛をどう証明したらいいの?」（土屋政雄訳。以下同）と考えていることを夫に打ち明けたりする。作中で繰り返し話題になる忘却は、彼らの老いのためとも思われる。だが、やがて、過去の戦争の虐殺に関する人々の記憶が、魔法をかけられたクエリグという名の竜の吐息によって消されていたことがわかるのだ。

老夫婦の仲睦まじさ、息子への愛情は、過去の妻の不倫、息子の死といった事実の忘却の上に成り立っていたのであり、過去を知ることは二人に苦痛をもたらす。また、現在の平穏はブリトン軍によるサクソン人の無差別虐殺の記憶がクエリグの吐息によって奪われたため、可能になったのだった。虐殺を認識しなければ、怨恨が生じることもない。過去の真実の判明後、サクソン人同士として戦士ウィスタンは、少年エドウィンにいう。「もしわたしが倒れて、君が生き残ったら、これを約束してくれ。君の心にブリトン人への憎しみを持ちつづけてほしい」。親切にしてくれたり尊敬したくなるブリトン人がいることは、ウィスタンも理解している。「だが、そういう個人的な感情よりずっと大きなことが、いま差し迫っている」と彼はいわずにいられない。知った過去の真実は老夫婦を動揺させるが、二人はなお互いの思いを信じようとする。ベアトリスは、お互いへの思いがあるから、悪い記憶をとり戻すことを恐れないと語っていた。物語は、夫と妻が離れ離れになることを暗示する結末になっているが、彼らに希望がないわけではない。だが、同時にウィスタンがエドウィンに求めた先の約束は、私的感情より民族の尊厳を優先すべしということであり、クエリグの吐息による魔法の霧が消えれば、再び戦争が起こりうることを暗示する。

イシグロはどのような動機から『忘れられた巨人』を執筆したのか。二〇一七年十二月七日に行われたノーベル文学賞受賞記念講演『特急二十世紀の夜と、いくつかの小さなブレークスルー』のなかに、それを示唆したような部分がある。彼は、かつて東京で講演を行った際、客席からの質問に答え、このような話をしたのだという。

これまで、忘れることと記憶することの間で葛藤する個人を書いてきたが、これからは、国家や共同体がこの問題にどう向きあうかをテーマに書いていきたい、と。国家も、個人と同じように記憶したり忘れたりするものなのか。（略）暴力の連鎖を断ち切り、社会が混乱と戦争のうちに崩壊していくのを阻止するためには、忘れる以外にないという状況もありうるのか。としても、意図的な健忘症と挫折した正義を地盤として、その上にほんとうに自由で安定した国家を築くことなどできるのか。私はそういうことについて書く方法を見つけたいが、残念ながら、いまのところどうやっていいかわからずにいる……。（土屋政雄訳）

講演では、引用部分に関連して自作のタイトルを具体的にあげてはいないが、『忘れられた巨人』がその問題意識とむきあい、ファンタジー形式を用いて書いた作品であるのは明らかだろう。東京で催された講演であることを踏まえれば、イシグロの発言からは、日本と中国、韓国などの間で歴史認識をめぐりたびたび摩擦が起きてきたことが連想される。だが、過去にあった戦争、虐殺、支配などが理由で戦争が繰り返されたり、差別や憎悪が長く続く地域は世界中のあちこちにある。

『ブラインドネス（白の闇）』における失明のパンデミックをめぐり、先に「持っていたものをなくす喪失感が不幸なのだ」というスタッフのとらえかたを紹介した。それに対し、『忘れられた巨人』では、民族同士の争いで多数の死者があったことに関し、虐殺という事実が魔法による忘却という方法で隠蔽され、平穏が作られた。喪失についての真実に蓋をすることでさらなる争いという不幸を遠ざけたのだ。つまり、大きな詐術があったのであり、それを象徴する人物が老騎士ガウェインである。彼は竜退治が使命であるかのごとく装っていたが、実際は逆にクエリグを守りその吐息の霧で人々の忘却を維持するのが、本当の役目だった。クエリグに魔法がかけられたことを「アーサー王の意志とともに神の意志をも行ったのだ」とふり返るガウェインは、「この雌竜の息なしで、永続する平和が訪れただろうか。われらのいまの暮らしを見よ。この村でもあの村でも、かつての敵が同胞となっている」と、忘却の意義を主張する。

『忘れられた巨人』では、国家的、民族的な平穏を持続するため、ガウェインが大きな嘘を抱えていたわけだが、考えてみれば『白の闇』にも嘘をつくことで状況の鍵を握る、いわば特権的な人物がいた。失明者ばかりが集められた収容所で、見えているのに見えないふりをした医者の妻である。それまでの身分や考えかたなどの違い、個々が抱いていた不満などがあっても、大規模な災害が到来すればそれらは些細なこととして一時的にせよ忘れるしかなく、当座を生き延びるため協力しあうしかない。そうして成立するのが、いわゆる災害ユートピアである。『白の闇』では、失明者だらけの状況になっても、それぞれが欲望をむき出しにし、武器の所持、以前からの失明者といった有利な差異を利用して他人の上位に立とうとする者が現れた。それに対し、医者の妻は、自分が健常者なのを隠したまま行動することで、人々の間に残っている災害ユートピア的な傾向を必死に保とうとする。彼女は、あからさまにリーダーになってしまうのではなく、それとなくよい方向へうながそうと試みる。武器によって他を圧倒しようとした男を殺す展開が典型的だが、彼女は誰かが突出することも自分が突出することも望まない。いいかえれば、一人ひとりが他人との差異を忘れ、名前を呼ばれないままの、ある種〝平等〟な状態が続くことをよしとするかのようだ。そのようにとらえれば、『白の闇』と『忘れられた巨人』、医者の妻とガウェインには、平穏を導くための嘘という構造的な共通性を見出せる。

一方、『白の闇』では、糞便を片づけることができず収容所のあちこちに放置されるが、死体に関してはは施設周辺の外の地面を手探りで掘り、なんとか埋葬していく。それは死体が腐り悪臭を放つことも理由だが、失明によって自分たちの身の周りの世話を適切に行えなくなった彼らは、すでに非文化的で不衛生な生活を強いられているのだ。それでもなお、死体を放置した場所に同居するのではなく、埋葬にこだわるのは、人間として最低限の尊厳の問題にかかわるからだろう。『白の闇』では、死者の埋葬は収容所という限られた場所の問題だが、民族や国家というレベルでは死者の弔いがもっと大きな問題になってくる。靖国神社問題などで従来から論じられてきたことだが、戦死者をどのように弔うかは宗教だけでなく、国家としての伝統、歴史観、統合のありかたなどにもつながるテーマだ。ブリトン人であり国家的な忘却をよしとする側にいたガウェインを、サクソン人であり虐殺された側の民族のウィスタンは決闘で倒す。忘却の魔法を解いた彼は、「これから何があると言うのですか」と問うベアトリスに「正義と復讐です」と答える。

わたしの王が雌竜退治を命じられたのは、かつて虐殺された同胞への記念碑を建てるためだけではありません。もうおわかりでしょう。竜退治は、来るべき征服に道を開くためです。

虐殺された同胞の死の理由を明示し、弔う「記念碑」が「来るべき征服」にむけた戦争の正当性を主張するものともなる。過去の忘却は死者の正当な弔いを不可能にするが、歴史的事実の明示は憎悪に根拠を付与し、次なる不幸の導線となる。忘却を是とするか、否とするか、『忘れられた巨人』は読者に問いを突きつける。

監視記録と記憶・忘却

『忘れられた巨人』では、忘却の魔法が解けた後、アクセルが「だが、これで古い憎しみも国中に広がることになるのかもしれない」と国家の行方を心配する。その一方で、実は過去に疫病が国中に広がった際、息子は死んだのだが、妻にその墓へ行くことを禁じたことを苦い気持ちで思い出す。その以前に不倫していた彼女を罰したかったのかもしれないと、今さら自身の心持ちを省みる。魔法による虐殺の忘却は、アーサー王による国家的判断だったが、その効力は人々の私的な思い出にまでおよんでいた。結果的に、息子の墓どころかその死まで忘れた老夫婦は、彼を弔う機会を失っていたわけだ。それはアクセルとベアトリスにとって幸福だったのか、不幸だったのか。また、魔法による忘却の広まりが国家的作為だったとしても、老人が認知症の進行で家族の現在を実態と違う状態だと思いこんでしまうのは珍しくない。アクセルとベアトリスの誤認識がすべて魔法のせいだったのか、老化に伴う認知機能の衰えが含まれていた可能性はないか。読者は断定できない。

人間は、たとえ嘘をつくつもりはなくとも、聞き手の受けとりかたを意識したり、自身のプライドが原因となったりして、自分でも気づかぬうちに実際と異なることを話してしまうことがある。記憶に関しても、無意識のうちに過去を美化したり、なかったことにして忘れてしまう。カズオ・イシグロの小説は、その点に着目し「信頼できない語り手」を設定するのがひとつの特徴となってきた。『忘れられた巨人』では、魔法による忘却というファンタジー仕立てのなかでそれを展開しているわけで、「信頼できない記憶」、「信頼できない忘却」が入りこんでいるようにみえる。

『ユートロニカのこちら側』には、認知症となり徘徊し始めた祖父に発信機つきの差し歯を装着させ、位置情報を監視する話があった。彼の不規則な行動を追尾するシステムが存在したのである。だが、情報を把握選別して蓄積、あるいは削除する監視記録のシステムがあるにしても、人の頭のなかで情報が取捨選択され、記憶、忘却に至る過程を正確に把握する技術は、今の現実には存在しない。

情報の蓄積と消去という意味では、監視記録システムと人の記憶・忘却は似ているが、正確さや規則性は大きく違う。それに対し、小川洋子『密やかな結晶』（一九九四年）は、似ているのに性格を異にする監視と記憶、それら二つが、交差し対立する世界が描かれている。

ある島が、舞台である。そこでは様々なものに関する記憶がある時、突然、人々の頭のなかからいっせいに消えてしまう。その現象は繰り返されるが、次はいつなのか、どういう基準で消える対象が選ばれるのか、規則性がまるでわからない。だが、なにかが消えたことについては、人々は気づくのだ。世界からそのものについての名前や概念が消えても、対象となった物自体が消えるわけではない。ただ、脳裏から消えたものは物理的にも存在してはならないのが決まりであり、切手、帽子、カレンダーなど、対象となったものは捨てられ焼かれ、実体としても消滅させられる。当然、大きすぎて処分できないケースもあるが、それらはなにに使うものなのか、どういう意味があるのか、人々はわからなくなるのだ。大切だったはずのものまで消えていくが、ほとんどの人は消えた事実を受け入れる。なかには、処分すべきものを隠し持ったり、大多数は忘れたのになぜか記憶を保つ者も少数いる。だが、大勢に従わない彼らは秘密警察に捜査され、連れ去られていく。「記憶狩り」である。そうした設定の『密やかな結晶』で主人公になるのは、小説家の女性「わたし」。かつて、母が「記憶狩り」で連行されて死に、父とも死別した彼女は、記憶を持ち続ける担当編集者Rを一人暮らしだった家の隠し部屋にかくまう。

作者の小川洋子は、アンネ・フランク『アンネの日記』を愛読し大きな影響を受けたことで知られ、それが濃厚にあらわれた作品が『密やかな結晶』といえる。ナチス・ドイツのユダヤ人迫害から逃れるため、協力者の家にかくまわれた少女の短い人生は、世界的に有名だ。そこにはフランクとペルスのユダヤの二家族が住んでいただけでなく、中年男も隠れ家に加わり、アンネと狭いスペースを分けあっていた。結局、彼らは密告で捕まり、アンネを含め多くが強制収容所で死亡したが、戦後まで唯一生き延びた父オットーによって娘の日記は出版された。アンネは日記を自分用に書いただけでなく、将来公表されることを夢見て清書していた。『密かな結晶』では、作家である「私」が、ほかの人々と同様に記憶を段階的に失い、ついに小説まで消滅した世界で執筆が困難になりながらも、編集者Rの勧めと励ましを受け小説を書き続ける。権力による厳しい監視、協力者を得て実行される潜伏生活、弾圧下で文章を書き残すことに希望を見出すこと。それらのモチーフを同作は、『アンネの日記』から受け継いでいる。

国家権力によって言論が厳しく統制され、自由な発言や執筆が許されない世界において、隠れて私的な手記を書くことで体制に抵抗しようとするのは、ジョージ・オーウェル『一九八四年』をはじめ、ディストピア小説の定番的設定といってよい。書物が禁じられ焼却される社会で、記憶することで本の内容を語り伝えようとするレイ・ブラッドベリ『華氏451度』のような作品もあった。その意味で『密やかな結晶』は、ディストピア小説の典型的な設定で書かれている。ただ、ユダヤ人弾圧を政策として打ち出したナチス・ドイツやディストピア小説の多くでは、言論を統制し国民を監視する国家権力の意志が明白であるのに対し、『密やかな結晶』には曖昧なところが多い。権力側がなぜ秘密警察に「記憶狩り」をさせるのか、理由がいまひとつ定かでない。秘密警察は母のように記憶をなくさない人をなぜ連行するのかという「わたし」の疑問に対し、Rは次のように答えていた。

「支配する側にとってみれば、あらゆるものが順番に消えてゆくこの島で、消えないことはもうそれだけで不都合だし、不条理なんだろうね。だから自分たちの手で無理矢理消しているんだ」

権力側からの説明の場面がないこの小説において、Rは最も理知的な市民として登場しているといってよいが、この分析もかなりあやふやだ。「消えないことはもうそれだけで不都合だし、不条理」というフレーズからは、支配側は消えることを条理とみているという彼の解釈がうかがわれる。なにが消えるかに特定の傾向はみられず、支配側にとってもなければ不便になると考えられるものまであっさり消えるので、その現象が権力の陰謀によって起きていることはないだろう。支配側は、ほとんどの人にとってあるものが消えたことは条理であり、消えたことを受け入れない者は不都合である、つまり危険であるとみなすだけなのだ。ここには、民に同質化を強いようとする支配側の意志がうかがわれる。

『ブラインドネス（白の闇）』における失明のパンデミックをめぐり、「持っていたものをなくす喪失感が不幸なのだ」といったスタッフのセリフを再び思い出そう。失明のパンデミック以前からの失明者はあらためてなにかを失ったわけではなく、そのぶん他の人々より優位に立てた。逆に失明者ばかりの収容所のなかで視覚を唯一失っていない医者の妻は、身体能力面での優位さはあっても、大多数を相手にたった一人でできることは少ないことから、その事実を隠すしかなかった。同調者多数の世界におけるサバイバル術が、そこにはあった。一方、『密やかな記憶』では、記憶が完全に消滅してしまえば、喪失感まで失われ不幸を感じることもないのだ。島では失うことが当たり前であり、失わず持ち続けることが罪として追及される。記憶を持ち続ける人々は、『白の闇』でただ一人見えている医者の妻の立場に相当する。同調圧力を強める社会のなかで、記憶があることを隠すか、自身が隠れるかしか選択肢はない。
消滅したはずなのにその物を持っているというなら捜査のしようがあるだろうが、人がなにかを覚えているかどうかという頭のなかのことをどこまで把握できるのか。その疑問に対し、作中では秘密警察が、対象者について身体、生理の面から判断できることが示唆されるが、踏みこんだ説明はない。だが、そもそもなにかが消えることに関しては、島の人々ほとんどがそうと気づく設定なのだから、秘密警察も当然、気づくのだろう。彼らはそこを始点にして同調圧力を徹底させようとする。では、消滅はどのように起きるのか。

ベッドの中で目を開けた時、空気の張りに微かなざらつきがあった。消滅のサインだ。（略）
その時、茶色の小鳥が一羽、空の高いところを飛んでいるのが見えた。（略）
「あれは、観測所で父さんと一緒に見たことのある鳥だったかしら」
そう思った瞬間、わたしは心の中の、鳥に関わりにあるものすべてを失っていることに気づいた。鳥という言葉の意味も、鳥に対する感情も、鳥にまつわる記憶も、とにかくすべてを。

これは「わたし」の経験である。消滅の唐突さ、それが体感されるものであることがわかる。そして、彼女の亡き父は鳥の研究者だったため、間もなく家に秘密警察が踏みこんでくるのだ。彼らは鳥に関連するものを室内で乱暴に探し、押収していく。「わたし」は「もっと、大事に扱って下さい」、「わたしにとっては、すべて父の形見なんです」、「そこのものは、鳥とは関係ありません」と抗議するが無視にあう。彼女は、消滅を体感した瞬間、「鳥に関わりにあるものすべてを失っ」たはずだが、その後、秘密警察がきた際には、鳥という認識が残存しており、鳥と父の関係もまだ理解している。この種の内容的に矛盾するような記述がところどころにあり、この設定を言語化する難しさが伝わる。実態としては、消滅は一挙に達成、完結するのではなく、ある程度時間をかけて記憶が減衰していくらしい。鳥の消滅に関しても、その事実を知って飼っていた鳥を解き放つ人たちがいたことが語られており、それだけの時間はあったことがわかる。とはいえ、いずれ消滅が完遂されれば、「わたし」が鳥とのかかわりで「父の形見」を認識するのは不可能になるだろう。だが、人の弔いをめぐる訴えを、秘密警察は聞こうとせず歯牙にもかけない。消滅の現象と支配側の態度が、人の大切なところを損なうものであることが理解できる場面だ。

楽に流される

『密やかな結晶』の島で消滅は不規則に起きる。そのたびにほとんどの人々は、さほど抵抗したり悲嘆したりせず、ただその現象を受け入れる。例えば、花が消滅した時、見渡せる限り水面に花びらが広がり流れていく川の近くに集まった人々は、次のように話す。


「しかし驚いたねえ」

「こんな見事な消滅は初めてだよ」

「写真でも撮っておこうか」

「よしなよ。消えちゃったものを撮ったって、何にもならないじゃないか」

「それもそうだな」

この会話からは、「驚いた」といってもそれは「見事」さについてであり、彼らにとって消滅自体はもはや日常茶飯事に類していることがうかがえる。秘密警察は、それが人々全体に徹底されるように行動するわけだが、いいかえるなら彼らは消滅という条理にそって世界を片づけるべきととらえているのだ。ここで思い出されるのが、片づけ術として二〇一〇年代に流行した二つのキーワード、断捨離ととときめきである。やましたひでこは『新・片づけ術　断捨離』（二〇〇九年）で断捨離を「モノの片づけを通して自分を知り、心の混沌を整理して人生を快適にする行動技術」と定義し、「「断」＝入ってくる要らないモノを絶つ」、「「捨」＝家にはびこるガラクタを捨てる」」、「「離」＝モノへの執着から離れ、ゆとりある〝自在〟の空間にいる私」と説明した。高野山の宿坊で修行僧の日常空間を見たことから発想されたというこの片づけ術には、禁欲主義的な色彩がある。「離」の〝自在〟はべつとして、「断」、「捨」の排除の姿勢は、秘密警察による「記憶狩り」に通じるものがある。一方、近藤麻理恵が『人生がときめく片づけの魔法』（二〇一一年）で提唱したのは、断つ、捨てるを重点にするのではない片づけ術だった。

心がときめくモノだけに囲まれた生活をイメージしてください。それこそ、あなたが手に入れたかった、理想の生活ではありませんか？
心がときめくモノだけを残す。あとは全部、思い切って捨ててみる。

そうすれば人生がリセットされ新たにスタートできるという近藤の片づけ術は、禁欲主義的な断捨離に比べれば快楽主義的だった。『密やかな結晶』では、あるものが消滅すればそれについての記憶もなくなるのであり、残しておく、覚えておく、思い出そうとすることには努力が必要だし苦労が伴う。だから、一般人のほとんどは禁欲するまでもなく、ただ消滅現象が進む流れに身を任せる。それが快とまではいえないにせよ、楽だからだ。自分が感じるままの世界をよしとする彼らの態度は、ときめきという自身の感覚を第一とする近藤の片づけ術の楽さに通じる。

しかし、もちろん世界は、そのようにはできていない。近藤麻理恵の著書では、ポイントとなる部分が太字のゴチック体で印刷されている。本の要点であり読者がときめくべき部分を明示しているのであり、太字だけを拾い読みすればだいたい内容は理解できる。そうであるのに、太字ではない文章が、ゴチック体の前後に多く書かれているのだ。ときめくものだけを残すという姿勢から考えれば欺瞞だし、無駄な水増しでしかない。だが、より多くの人に考えを理解してもらうためには念入りに書きこまなければいけない、あるいは、書籍らしい体裁と売価にするためにはボリュームが必要だったという事情もあるだろう。世界は、快や楽だけではなく、無駄に思える部分、必要悪もあってこそ初めて成立する。雑多な夾雑物を含んだ大きな全体という豊かさがなければ、ときめく部分も生まれない。近藤麻理恵自身にしても、掃除のカリスマとしてアメリカでも人気を得たとはいえ、三人の子を生み片づけを諦めたことを吐露した際には、アジア人差別も相まってバッシングを受けたのだった。

消滅するものの数が増えるにつれ、それを抵抗なく受け入れる人と、記憶を失わない人の認識の乖離は大きくなっていく。編集者Rを「わたし」が家にかくまうにあたっては、彼女の友人といえるおじいさんも協力者となる。Rは基本的に隠れ家にこもりっきりだが、たまに三人で密かに会う。他の多くの人と同じく消滅を素直に受け入れてきたおじいさんは、Rから消えたものを思い出す意義を説かれてもいまひとつ理解できない。「もし、何かを思い出せたとして、それからどうしたらよいのですか?」と問う彼に、Rは「記憶は目に見えないから恐ろしいのです。消滅の打撃をどんどん受けていって、手遅れになってもまだ、本人はその重大さに気づかないんです」と答えるが、どこまで通じているのか覚束ない。やがて、おじいさんが死んだ後、島の人々の左足まで消える。さすがに体から生えた足自体を切り落とせないし、秘密警察も自分の体を切断することはしない。だが、人々は左足がないかのごとき生活を受容し慣れていく。そうした移行時期の入口で、いずれうまく収まる時がくるという「わたし」とRは、こう話していた。


「うまく収まるって、どういうこと?」

「左足の空洞がわたしたちの心の中に、ぴったりと収まるべき場所を見つけるっていうことよ」

「どうして君たちはいつもそうやって、何でもかんでも消してしまうんだ。僕は君を必要としているのと同じくらい、君の左足を必要としているというのに……」


Rは、他の人々が次々になにかを失うままにしていることを哀しく思い、苛立ってもいる。それに対し、「わたし」は、島から消えたものを覚えていた亡母が、密かにそのいくつかをしまっていたことを知っていた。それもあってのことか、彼女は記憶を失わないRを、秘密警察に見つかる危険を犯してかくまった。そんな「わたし」ですら、自分の感じた消滅をそのまま受け入れる楽に流されようとする。近藤麻理恵風にいえば、ときめかないものは存在しなくていいという態度だ。

しかし、「わたし」は楽に流されるばかりでなく、小説を書き続けようとする。島からついに小説が消滅し、「物語の記憶は誰にも消せないわ」と叫ぶ女が秘密警察に引きずられていく光景を「わたし」は見聞きする。「物語の記憶」に言及し、本が焼かれ、図書館も燃やされるのは、『華氏451度』を意識した展開だろう。「ユリイカ」二〇〇四年二月号で千野帽子が小川洋子にインタビューした際、彼は『密やかな結晶』から想起される小説として、ポール・オースター『最後の物たちの国で』、筒井康隆『残像に口紅を』、ボリス・ヴィアン『うたかたの日々』、ブラッドベリ『華氏451度』をあげた。それに対し、著者の小川も「まさに『密やかな結晶』を書いているときに手の届く範囲にあったものです。もうひとつ、ブローティガンの『西瓜糖の日々』をつけ加えれば、完璧です(笑)」と応じていた(「なにかがあった。いまはない」。『小川洋子のつくり方』二〇二一年刊所収)。興味深いのは、このやりとりの直前に小川の村上春樹読書体験が語られていたことだ。そこでは書名があがっていないが、村上が『西瓜糖の日々』の影響を受け書いたと察せられる『世界の終りとハードボイルド・ワンダーランド』(一九八五年)と、『密やかな結晶』には、構造的な相似がみてとれるのである。二つの小説はいずれも、作中の現在では避けられない消滅(前者では主人公の意識、後者では島の様々なもの)が起こり、作中作では主人公の現実をどこか反映した物語が展開される。

『世界の終りとハードボイルド・ワンダーランド』の「ハードボイルド・ワンダーランド」のパートでは、暗号技術を操る計算士の「私」が、老博士によって脳に特殊な処置を施された結果、近い時期に意識が消滅することが告げられた。一方、「世界の終り」のパートでは、壁に囲まれた街にいる「僕」が主人公となる。街の人々は心を持っていない。ここにきた時に自分の影と切り離された「僕」も、影が死んでしまえば、他の人々と同じようになるらしい。「僕」は外の世界の記憶をほとんど失っているが、「夢読み」の仕事を与えられ、一角獣の頭骨から古い夢を読む日々を過ごすかたわら、影の頼みで街の地図を作っているうちに、なにかを思い出す予感を得る。この長編小説では、交互に登場する二つのパートを読み進めることで、「私」の意識が消滅するとは彼の意識が封じこまれることであり、封じられたその閉域こそが「世界の終り」の街だということが徐々にわかってくる。つまり、街とは、「世界の終り」という特殊な物語の形に変換された「私」の意識なのだ。そこは、心（＝自我）のない人々が暮らすゆえにユートピア的であるが、生気を欠いた場所になっている。この設定が、ブローティガン『西瓜糖の日々』との親近性を感じさせる。コミューンを舞台にした同作には「iDEATH」（I＝「私」が小文字にされ、死＝デスと組みあわされている）、「忘れられた世界」という場所が出てきた。それと似て「世界の終り」は、自分の心を失った人たちが住む完全な場所なのである。

興味深いのは、「ハードボイルド・ワンダーランド」はタイトル通り、暴力が描かれ、東京の地下を歩き回るなど冒険小説的なのに、「私」が運命に反抗する方向での行動を示さないこと。それに対し、「世界の終り」の街は壁で外界から隔てられ、過去とも遮断された静謐な場所であり、影は「僕」とともにそこから脱出する計画を立てる。だが、最後の段階で「僕」は影だけを行かせ、自分は残る決断をする。過去を思い出し、街を理解することが、自分の責任だと彼は判断するのだ。動的な「ハードボイルド・ワンダーランド」の「私」が自らにふりかかった意識消滅の事実を受容するのとは違い、静的な「世界の終り」の「僕」のほうがむしろ意志的な選択をし、街の論理に抵抗しようとする対比が面白い。

一方、『密やかな結晶』の「わたし」は、調律師が耳に残った音色を頼りに行方不明の恋人のピアニストを探す、右足を事故で切断したバレリーナが恋人の植物学者とともに温室で暮らす、染色体が順番に溶ける病気の弟を姉が看病するといったストーリーを書いてきた作家とされる。後に「わたし」自身が経験する左足消滅を先どりしたかと思える右足切断の話が典型的だが、彼女は消滅が繰り返される島の現状をパラフレーズしたかのような、なにかをなくす話ばかり書いている。『密やかな結晶』の作中作としてその文章がまとまって出てくるのは、タイプライターの学校に通う女性が失語症になる物語だ。彼女は、声をタイプライターに吸いとられたらしく喋れなくなる。恋人となった教師とはタイプを用いて会話していたが、それが故障してしまう。直してやるという彼に連れていかれた部屋には壊れたタイプライターが山積みになっており、彼女はそこに閉じこめられて生きることになる。やがて、声が出せず言葉も出なくなった彼女は、恋人だった彼の言葉しか理解できなくなる。誰かが近くを通った時になにかアクションを起こせば、助けてもらえて脱出できたかもしれないのに、なぜかそうしなかった。彼がまたやってくる音が聞こえ、彼女は最後の時が訪れたことを知るというのが結末だ。

小説という希望

作中作は、「わたし」が作家として小説を書き続けながら、いろいろなものの消滅を受け入れている現状を比喩的に書いているように思える。彼女がタイプライターの物語を執筆する途中で、担当編集者だったRを家にかくまうことになり、小説が消滅する事態になる。影響は「わたし」にもおよび、「しょうせつ」という言葉が発音しづらくなり、なにを書いたらいいのかわからなくなる。自分の心を守るために書き続けろとRに励まされ小説とむきあうが、一晩かかって「わたしは水に足を浸しました」の簡単なたった一行しか書けない時もある（疫病流行のなか、小説の一つの文章だけを繰り返し直し続けたカミュ『ペスト』のグランのエピソードを思い出させる）。そうして苦労してたどり着いた結末が、声と言葉を失った主人公に最後の時が訪れるというものなのだ。作中作のタイプライターをめぐる女性と教師の関係は、小説原稿を介した「わたし」と編集者Rの関係と相似的でありながら裏返されている。「わたし」がRを隠し部屋にかくまっているのに比べ、作中作では教師が女性を監禁するのも、状況が反転されているといえる。編集者が小説の擁護者ではなく、秘密警察のように「記憶狩り」の一貫として言葉や声を狩る側だったらという想像の比喩的表現として、作中作が読めるのだ。だが、その小説完成後も島では人々の体の部位が次々に消え、最後に声だけが残ったが、それすら消えてしまう。「わたし」が完全に消滅したことを機に、Rは隠れることをやめ外の世界へ出ていく。

『世界の終りとハードボイルド・ワンダーランド』は、二つのパートが動的、静的と性格を異にし、それぞれの主人公が、運命に対する受容と抵抗という反対の選択をした。だが、『密やかな結晶』では、本編の主人公も作中作の主人公も最終的に運命を受容したように受けとれる。また、編集者は作家の黒子であり影のごとき存在だが、「世界の終り」で影だけが壁の外へ脱出し「僕」は街に残ったのに対し、『密やかな結晶』では「わたし」がいなくなった後、すなわち島の人々がほとんど消えたと推測される段階になってRが隠れていた家の扉を開ける。約束の地があるわけではないが、とりあえず自由な外の世界へ脱出するのだ。影の脱出は共通するが、村上作品では主人公が自らの選択をするのに対し、小川作品では主人公が消滅する。二つの小説は構造的に似ていながら、なぜ異なる結末になったのか。

村上の場合、『世界の終りとハードボイルド・ワンダーランド』に先行して「世界の終り」パートの原形にあたる中編「街と、その不確かな壁」(「文學界」一九八〇年九月号)を発表していた。作者の意向により書籍に収録されていないこの作品は「世界の終り」の多くの要素をすでに含んでいたが、大きく異なるのは結末だ。「街と、その不確かな壁」では「僕」は影と一緒に脱出する。最終ページにはそれからの「僕」の感慨めいたモノローグが書かれている。「僕はこれまでに余りに多くのものを埋めつづけてきた」、「何もかもが失われていく。失われつづけていく」などと喪失感が綴られるなかには、次の一節がある。

僕はかつてあの壁に囲まれた街を選び、そして結局はその街を捨てた。それが正しかったのかどうか、いまだに僕にはわからない。

同作最後の断章で「僕」は、かつて街で聞いた角笛の音を耳にする。それは時空を超えて届いたのか幻聴かわからないが、彼が街でのできごとを覚えていることを示す。変更点から考えれば、村上春樹は「僕」が街を捨てたのは正しくなかったと判断したのだろう。また、結末において「街と、その不確かな壁」では「僕」の記憶は損なわれていないが、大幅に改稿された、『世界の終りとハードボイルド・ワンダーランド』では「僕」は過去を思い出そうとしているが、記憶のほとんどはまだ回復していない。精神分析的にとらえれば、影とはその人自身にも把握できない心の大切なところを意味していると考えられる。それを切り離せば、安定して平穏になる。完全になる。だが、「世界の終り」では、「僕」は影と離れても街に残り、忘れているいろいろを思い出そうとするのだ。それは、「僕」の心を物語化したものが街であり、そこに住む人々やものごとに「僕」は責任を負っていると彼が気づくからである。「ハードボイルド・ワンダーランド」パートにおいて、老博士によって脳に特殊な処置を施されたと設定されているのに、そうした相手に対し「私」が怒りをむける展開にはならない。

処置によって彼が封じこめられる閉域「世界の終り」は、「私」本来の心の形を物語化したものであり、つきつめれば自意識の問題だからだ。その意味で「街と、その不確かな壁」がそれまでの自意識から逃げる物語だったのに対し、『世界の終りとハードボイルド・ワンダーランド』は、自分では把握できないが自身で積み重ねてきたに違いない自意識を引き受ける物語になっている（村上春樹は「街と、その不確かな壁」に関し、『世界の終りとハードボイルド・ワンダーランド』とはべつの形で長編化した『街とその不確かな壁』を二〇二三年に発表している。『世界の終りとハードボイルド・ワンダーランド』が、対照的な二つの世界を並行して描くことで自意識の問題をあつかっていたのに対し、『街とその不確かな壁』は老境に入った作家が若い頃に書いた物語を懐古する色が強く、若い世代が街を引き継ぐ内容だった）。

『世界の終りとハードボイルド・ワンダーランド』では、街から出ていく影と別れる場面で「僕」がいう。

「君のことは忘れないよ。森の中で古い世界のことも少しずつ思いだしていく。思いださなくちゃならないことはたぶんいっぱいあるだろう。いろんな人や、いろんな場所や、いろんな光や、いろんな唄をね」

村上春樹は『ねじまき鳥クロニクル』（一九九五年）以降、社会とのコミットメント（かかわり）を志向するようになったが、それ以前はデタッチメント（かかわりのなさ）が作家的特徴だったことは知られている。デタッチメントの時期の代表作といえる『世界の終りとハードボイルド・ワンダーランド』は、社会と距離をおき、自意識をテーマとする小説であったため、自意識を引き受けるか逃げるかのテーマに収斂した。それに対し、『密やかな結晶』は、不可思議な消滅が繰り返される非現実的要素を中心にすえた作品ではあるが、もともと『アンネの日記』を発想の起点としていたのだ。国家に迫害された歴史的に実在した少女の経験に触発されて書かれた小説の根っこには、当然、コミットメント的な意識がある。村上作品と小川作品は、記憶の消失という共通性がある一方、自意識の問題か、個人と世界の関係の問題かという違いがあることが、相似と差異の背景にあるように思う。

二〇二一年に行われた講演「小説の不思議」(『小川洋子のつくり方』所収)の質疑応答で小川は『密やかな結晶』の執筆動機は「アンネ・フランクへの思いを何か自分の小説の形にできないか」ということだったと話した。そのうえで、ナチス・ドイツ時代のユダヤ人たちは一挙に強制収容所へ連行されたのではなく、公園のベンチで座ること、学校へ行くこと、自転車に乗ることなどが少しずつ禁止され自由を奪われていき、命を奪われる道筋につながったと指摘した。なにかが強制的に奪われる過程の残酷さを意識して、『密やかな秘密』の様々な記憶が消えていく設定を考えたのだという。

秘密警察というのが出てくるので、ちょっと社会的な問題、全体主義とかを告発するような意図があったかどうかよく聞かれるんですけれど、それはもちろん、そういう小説であっては欲しいんですが、出発点としては、一個人にとって最もその人に密着して本来ならその人から引き剥がせないはずの「記憶」が奪われる残酷さを、それを描こうということだったんです。

『密やかな結晶』では、この島では反体制的な人物とみなされるRを「わたし」がかくまい、自らも禁忌となった小説を書き続けるが、それらはいわば消極的な抵抗であり、秘密警察への反抗を組織するような積極的なものではない。臓器移植のためのクローンとして生まれ育てられた男女が、運命を甘受する様子を描いたカズオ・イシグロ『わたしを離さないで』(二〇〇五年)に対し、なぜ彼らは体制に反抗しないのかとの感想を抱く読者がいるが、それに似た反応を『密やかな結晶』に示すむきもあるらしい。だが。これらの小説は、状況にがんじがらめになり、反抗の手段どころかその発想すら奪われた人間(それは歴史上に多く存在した)を描くことを主眼としたのだし、読むべきポイントがズレている。

『アンネの日記』は、狭苦しいスペースに同民族とはいえ他人と同居した状態でナチスによる監視や摘発を恐れ、隠れ続ける日々を綴っていた。だが、日記は苦しみや嘆きだけで埋められたのではなく、そんな生活のなかでみつけたちょっとした気晴らし、夢、恋なども書かれていた。制限が厳しい生活であっても、少しでも楽しさ/楽を感じようとするのは、人間として自然な態度だろう。太平洋戦争下における普通の庶民の暮らしを描いて話題になったこうの史代の漫画『この世界の片隅に』(二〇〇九年)を思い浮かべてもらえばよい。

『忘れられた巨人』の場合、魔法によって虐殺の記憶を消去することで戦争や憎悪に蓋をした。そこには個々の思い出を歪める欺瞞がありつつ、欺瞞に気づかないうちは、人々は平穏に幸福でいられた。それに対し、『密やかな結晶』における消滅は、国家的に意図されたことではなく、アトランダムに発生する現象であり、秘密警察が同調圧力の徹底を図るなかで人々は進行する事態をその都度受け入れ、やがて楽に落ち着くことに慣れていった。だが、ついに人々の消滅が訪れてしまう。作中作の主人公が最後の時をむかえるだけでなく、本編の「わたし」まで消える結末は絶望的に思えるが、彼女が書き終えた小説は、例外的に記憶を保持し続けた編集者Rに託された。それが同じく生き延びた他の誰かにも伝えられる可能性は残っていることが、『密やかな結晶』の希望である。神ならぬ人からの「預言」だ。それは、アンネ・フランクが収容所で亡くなった後、生き延びた父親が戦後に娘の日記を出版した経緯をなぞっている。ただ、『密やかな結晶』の「わたし」が書いていたのは日記やルポルタージュではなく、あくまでも小説なのだ。記録を残すことは、意図していない。

『白の闇』に関して、パンデミックで国中が失明者だらけになった状況を小説として読めたのは、視覚を失わず目の見え続けた医者の妻が語り手になったからだった。『密やかな結晶』の「わたし」も作家として、またべつの意味でほかの人には見えないものが見えるといえる。同作では、特に文化的ではなく小説に親しんだこともないおじいさんと「わたし」が友人関係になる。小説というものについて二人で話す場面もあるが、意識のズレは大きい。このままいろいろなものが消えたら、すきまだらけになった島はいつか溶けてしまうのではないかと「わたし」が話す。すると、おじいさんは、彼女が小説を書いているために「そういう余計な、いや失礼しました、つまり、何と言うか、とてつもないことを思いついてしまわれるんじゃないでしょうか」などという。また、小説の消滅後になお苦労して執筆し続けている頃、おじいさんから、そこには自分が体験していないことも嘘も書いていいのかと不思議がられる。それについて「わたし」は、Rの教えを引きつつ答える。

「ええ。小説なら誰にもとがめられないそうよ。つまり、ゼロから作り上げてゆけるの。目の前にないものを、あるかのように書くの。存在しないものを、言葉だけで存在させるの。だから記憶が消えても、あきらめる必要はないんだって」

先に触れたタイプライター教室で声を失う女性の物語をはじめ、「わたし」の書く小説は、島の消滅現象とどこか関連性のある内容ばかりだった。島の生活に関するある種の表現だったのである。それがRによって後の時代に伝えられる。また、小説は、「目の前にないもの」、「存在しないもの」、つまり現実とはべつの嘘を書いたものであり、言葉で存在させることは現実における記憶の消滅への抵抗になっている。小説を書き、読むことは、ここではないどこかへ行くことでもあり、彼女は小説を通して島から一時的にでも脱出していたのだ。消滅という災厄を止められない『密やかな結晶』において小説は、多義的な希望を帯びている。

とらえどころのない白票

本章のこの節をいったん書き終えた後、サラマーゴが『白の闇』（原題「見えないことの試み Ensaio sobre a Cegueira」）の続編として二〇〇四年に発表した『Ensaio sobre a Lucidez』（「見えることの試み」）が、『見ること』の書名で二〇二三年に邦訳された。ポルトガルの作家による同作では、首都の選挙で八三％が白票となり、非常事態宣言が発せられる。ふだんから投票率が高くない日本であれば見過ごされるかもしれないかもしれない選挙結果だが、その国の政府は、白票を投じる運動が他地域にも広がるかもしれないと動揺したのだ。政権は自らの正当性を主張しつつ、政府を別の都市へ移転し、残った住民の権利や保障を停止する。民主主義制度の危機ととらえ、生じた事態を首謀者がいる反政府運動と断定した政権は、防衛大臣が望む通り首都を包囲し出入りを封じる。ただ、首都の周囲に壁を築けと大統領は提案したものの、首相より発言力がないゆえに実現しない。『見ること』発表の十三年後にアメリカ大統領になったドナルド・トランプが、メキシコとの国境に壁を建設し移民を遮断しようとしたことが連想される。白票を投じた首都住民は既存の政治制度を揺るがした点で、その国にとって移民のような存在と化したのだといえるかもしれない。

同作で興味深いのは、首都住民が特に目立った反政府運動をするわけではなく、暴力やいさかいが発生するでもなく、ただ法律で禁じられているわけでもない白票を投じたことだ。住民の一人ひとりに白票を投じたかどうかを聞いても、答えようとしない。作者もその理由を説明しないまま、政治的な意味で〝首都消失〟の事態を迎えてしまう。むしろ、この異常事態に理由や意味を見出そうとする政権側が、暴走し始める。内乱の首謀者がいるのだと証明するかのごとく、首都の地下鉄の駅で死者多数を出す爆破事件が起き、テロリストがいると裏づけられた形になる。作中ではテロの背後に内務大臣の意向が働いていたと、ほのめかされる。やがて物語では、その国で四年前に『白の闇』の失明のパンデミックがあったことがクローズアップされる。人々の目前が白い闇に覆われたかつての災厄と白票が白の伝染病として重ねてとらえられ、関連する根拠などまったくないにもかかわらず、パンデミックのなかでなぜか失明しなかったあの女性が首謀者だと決めつけられるのだ。内務大臣は首都に警察官を潜入させ、でっちあげの捜査をさせようとするとともに、新聞やテレビで彼女を犯人と断定した写真を流す。

『白の闇』の前半で、精神病院に強制収容された失明者たちが、監視する側から病室ごとに代表者を選出するようながされたことを思い出す。いわば民主主義に関する提案があったわけだが、既に触れた通り現場では暴君が登場し、代表者の制度は機能しなかったのである。かといって、収容先の外側を統治していたはずの民主主義政府が、パンデミック下の国民を十分にケアしたのでもない。そのように民主主義に幻滅した経験から、政権のすぐ足下にいる首都住民は、選挙で白票を投じたのか。

だが、彼らは意思表示を欠き、なにに反対しているのか賛成しているのかわからない。その意味では、政治に対し失明したか、民主主義を忘却したかのようなのだ。一方、首都住民の真意をつかめない政府側も、有権者に関し失明状態に陥っているといえる。このため、見えない首謀者を捏造し、マスコミを使って強引に見える状態にして解決を図る。失明しなかった女性は首謀者ではないという真実に目をつぶってそうするのだ。

『見ること』は、国民と政府の見る—見られるの関係を白票というモチーフを媒介にして寓話化する。『白の闇』と同様に『見ること』の登場人物もみな名前を与えられていないが、それは選挙の投票が無記名であることとリンクしているように思う。無記名の投票が、数として集積され、それが民意とされて当選者に政治権力が与えられる。ところが、白票は何票あっても政治的な数としては加算されず、民意は不明なままだ。与党に投票することで過去の政治を肯定し、野党に投票することで未来の変革に期待するといった意思が、まるで見えない。『密やかな結晶』の場合、島でなにかが消滅した場合、消滅を徹底させようとして秘密警察が記憶を残す人を弾圧した。同作の秘密警察が標的とする相手には、記憶を残しているという特徴があった。それに対し、『見ること』の政権は、八三％の白票以外の与党に投票した人も含め、首都に封じる対策をとり続ける。誰が有効票を投じ、白票を投じたのか、正しく識別する手段はないため、白が伝染する不安を抱える政権は、強硬策を選ぶ。その背景には、事態が収束したなら再び選挙を実施しなければならず、その際には自分たちは落選するかもしれないという意識もうかがえる。

同作において横暴な政策をとる政権は、間違いなく敵役である。だが、明確な反政府運動ともいいがたい集積された白票の手応えのなさは、政権の立場にいる人間にとっては、なにか陰謀があるに違いないと疑心暗鬼になるものだろう。すでに論じてきた通り、ディストピアに関する想像では、権力側が国民の監視を徹底する設定が多い。また、ザミャーチン『われら』のように国民一人ひとりを記号や数字で呼ぶなど個性を認めず、数として処理する例が目立つ。ゆえに現実の世界において有権者は、政府の暴走を監視すべきだと警鐘が鳴らされる。それに対し、『見ること』では、民意を表現するはずの投票者の数が、白票を投じるふるまいによって無意味になる。同作の政権は暴挙に出るが、結果的に彼らのやりたい放題を引き寄せたのは、それ以前に有権者が民主主義にとって正しいとされない行動を選択したことなのだ。通常のディストピアの物語とは、国民＝数の描かれ方、位置づけが異なっている。

『白の闇』では、失明を免れた女性が近くの人々を密かに手助けし、小グループを救いに導いたが、『見ること』において与党に投票しなかった住民が、自治に動くようではないし、新たなリーダーが選ばれもしない。住民の権利や保障が停止され、警察がいなくなりゴミ収集がストップするなど不便は増えていくが、惰性で生活は続いているらしい。楽に流されているのかもしれない。爆破テロ犠牲者の追悼や、有効投票をした（と称する）人々が首都を脱出しようとして阻まれ帰還した時など、騒ぎの際に首都の人々が通りに大勢現れる場面はある。だが、それが積極的なデモになり運動が拡大することはなく、間もなく穏やかに家へ戻っていく。毎回そうだ。このとらえどころのなさには、得体のしれない不気味さがありはしないか。

すでに低投票率が当たり前になっている日本の読者が、『見ること』の白票八三％の設定をどれだけ異常だと受けとるか、疑問がなくはない。ただ、桐野夏生『日没』では、特に反権力だったわけではなく、世の中の動きに関心をなくしニュースも見なくなり社会への関心を失っていた小説家が、社会と政権から追いつめられたのだった。『見ること』を読むと、民主主義について失明し、忘却している有権者の行く末について考えてしまう。そして、同作の人々は、そこから脱出できなかったのだ。

Chapter 4　ジェンダー／声　Gender/Voice

1　女たちの奪われた声──『声の物語』『眠れる美女たち』『パワー』

男に管理される女の言葉

『密やかな結晶』の主人公は作家の女性「わたし」であり、彼女が書く文章の最初の読者となり感想を述べるのは、男性編集者Rだった。「わたし」が記憶を少しずつ失い、小説のことまで忘れようとしても、彼は粘り強く励まし、彼女から言葉を引き出して文章を書かせようとする。そうしたやりとりのなかで生まれた最後の小説は、タイプライターの学校に通う女性主人公が、教師の男から声を奪われる内容だった。島の人々の多くは記憶の消滅や言葉の喪失を受け入れているが、Rは「わたし」に対し、とり巻く状況や現象に負けずになお書くよううながす。逆に作中作では、教師が主人公から声も行動の自由も奪い、彼女を孤立させる。励ましと抑圧で正反対の方向づけではあるが、主人公の女性の使う言葉について、男性が指導的、支配的な位置に立つ関係図式は「わたし」の現実と彼女の小説で共通する。『密やかな結晶』の島で進行する記憶の消滅は、老若男女を問わない現象だが、作者・小川洋子が女性であり、作品の主人公「わたし」も作中作の主人公も女性であるため、言葉をめぐる男女の力関係の図式が前面に出ている印象だ。「記憶狩り」によって島における記憶の消滅を徹底させようとする秘密警察も、暗黙のうちに男性的権力を想定しているように感じる。Rは男性的権力に抗う男性であり、作中作の教師は男性的権力を象徴する男性なのだ。

『密やかな結晶』が、『アンネの日記』の影響下で執筆されたことにはすでに触れた。アンネ・フランクは一九四二年から自分宛ての手紙として日記を書いていた。だが、一九四四年にオランダ亡命政権の文部大臣がラジオ放送において、戦争終了後にはドイツ占領下でのオランダ国民の苦難を書いた手記や手紙などを集め公開したいと語った。それを聞いたアンネは、自分も戦後に本を出したいと考え、それまで書いた日記を推敲し、実在の人物を変名にするなどして清書したのである。自分宛ての手紙から、他人に読まれる本になることを意識したものへと、文章の性格が変わったわけだ。アンネが死亡し戦争が終わった後、日記を引き渡された父オットー・フランクは娘の望みを実現するため、それを出版した。だが、十三歳から十五歳の時の娘が綴っていた母に対する辛辣な批判、性をめぐることがらなどを父は削除し、言葉づかいも一部改めた形での刊行だった。

一家の長として、妻、娘に関し公にすべきでないと判断した〝赤裸々〟な箇所は表現を丸めている。それは社会の目を意識し、夫として妻を、父として娘を気づかったためだろう。だが、日記が公表を前提に推敲した〝作品〟であることを考えれば、その自主規制は、亡き娘を検閲し抑圧したものとも解釈できる。妻と娘の考えの齟齬、娘の性的な成長を隠し、家族を自分が考えるよい形で世間へ提示しようとした。そこには、家父長としての男権主義的な体質も感じられなくはなく、現実を書き残そうとした娘の誠意と家族が他の人々からよりよくみられるようにという父の善意がぶつかっていた。彼は、亡き娘の言葉を社会に届けようと動いた一方、自分が社会に出すべきでないと判断した言葉は排除したのである。一九八〇年のオットー・フランクの死後、彼の遺したアンネの自筆原稿は精査された。かつて信憑性が問われてもいた日記は本物とされ、後には父が編集される前のオリジナルが公にされた。文章の生殺与奪の権を握る者が持つ前記のような二面性を、『密やかな結晶』の編集者Rと作中作の教師は分割して受け継いだかのようだ。

『アンネの日記』に関し父が娘の文章に加えた修正、『密やかな結晶』の作中作での男性教師による女性主人公からの声の強奪は、私的領域における出来事だった。それに対し、クリスティーナ・ダルチャーのSF小説『声の物語』（二〇一八年）では、女性の声を規制する国家が描かれる。同作における近未来のアメリカでは、女性は一日百語しか喋ることを許されず、それを超過すると電流が流れるカウンターを手首に装着しなければならなくなった。さらに女性は出国が禁じられたほか、日常生活を大幅に制限され、男性との平等は完全に失われたのである。だが、この政策を強行した大統領の兄がスキーの事故で脳を損傷し、言語障碍を負った。それに対し、女性として権利を奪われる前は認知言語学者で失語症の専門家だったジーン・マクレランが、治療研究への参加を要請される。女性ではあるが、特例として自らの知見を活かす立場を与えられるのである。

国家権力による言葉の制限・管理は、ディストピア小説における定番のテーマだ。この分野の古典、ジョージ・オーウェル『一九八四年』（一九四九年）では、全体主義国家によってニュースの内容が刻々と変更され、歴史の改竄が常態化している。また、国民の公用語であるニュースピークでは、使用する語彙を減らし、反政府的な思考をすること自体が不可能となるように方向づけられていた。一方、レイ・ブラッドベリ『華氏451度』（一九五三年）では、書物の所持が禁じられ、発見された場合は焼却処分される社会が描かれた。文字の読書から遠ざけられるとともに、音声や映像にしか触れられなくなって、思考や記憶を鈍らせていく。そうして国民を無力化、無害化しようとする措置だ。

『声の物語』の一日百語の制限は、思考の幅を狭め脆弱化させようとする点で『一九八四年』のニュースピークや『華氏451度』の書物禁止と通じる。だが、それが国民全体に対するものではなく、女性を対象とする政策であるのが異なる。

『声の物語』の女性を抑圧する国家という設定は、マーガレット・アトウッド『侍女の物語』(一九八五年)の影響を受けている。原題が『VOX(声)』である小説に、『声の物語』という『侍女の物語』に似た邦題がつけられたのも、それを踏まえてのことだろう(二作の日本語訳は現在、いずれも早川書房から刊行)。『侍女の物語』では近未来のアメリカに成立した宗教国家・ギレアデ共和国において、支配層の子どもを産ませるための「侍女」という身分を強いられる女性たちが語られた。出産の道具としてあつかわれる侍女は名前を奪われ、所有者の持ちものであることを示すように「オブフレッド」(Offred = of Fred。「フレッドのもの」の意)などと呼ばれる。侍女は社会での自由や権利を奪われて所有者の家に囲いこまれ、当然、発言権もなかった。女性から権利を剥ぎとる政策が断行されるその過程で、女性主人公が勤務する図書館から追い出される場面は、女性と言葉の関係から自由が奪われることを印象づけるものになっていた。

『侍女の物語』は、保守的な家族観を掲げ、妊娠中絶にも反対だった共和党のロナルド・レーガンがアメリカ大統領だった一九八〇年代の作品である。これに対し『声の物語』は、やはり保守層から多くの支持を得るとともに、やはり中絶反対の側に立ち、女性蔑視の言動が批判されもしたドナルド・トランプが大統領になった2010年代後半に発表されている。立候補した際、メキシコとの国境に壁を建設し同国に費用を負担させると主張したのをはじめ、彼は人々の分断を煽る発言でむしろ右派からの人気を高めた。『声の物語』は、そうしたアメリカの政治風土をデフォルメして描いている。国家の強硬な女性抑圧政策について『侍女の物語』は、宗教国家の成立がそれを可能にしたとされた。『声の物語』におけるアメリカ像も、ユダヤ教・キリスト教的価値観（＋男らしさ）とフェミニズムの思想対立が大きな枠組みとして用意され、前者の急進派が政権を握るのである。女性の抑圧をめぐり『侍女の物語』で妊娠出産がテーマになったのに対し、『声の物語』では言葉が焦点となるが、それは女性に社会的発言をさせず妻、母、主婦という家庭内の立場に押しこめることを意図した施策だ。社会の激変後、例外的に仕事をしている女性のジーンが家庭の事情を話そうとすると、上司が遮っていう。

「ほら見ろ。だから以前のやり方はうまく行かなかったんだ。いつだって何か問題が起こる。子供が病気になったり、学芸会があったり、生理痛がひどかったり、産休が必要だったり、いつだって問題だらけだ」

家庭の切り盛りや子育ては女性がするべきだという旧来的な価値観に立ち、家庭についての多くを背負わされた女性が仕事することへの困難に無理解で、一方的に批判する発言だ。そういう彼も女性から産まれたのであり、子育てに責任を持つべき親の一人だという意識が欠落している。『声の物語』の主人公を悩ませ苛立たせるのは、そうした価値観に家の外でぶつかるだけでなく、内でも対面しなければならなくなったことだ。国家における女性の位置づけが変更されたことに伴い、これまで家事を分担してきた夫や息子の妻や娘に対する態度も変化していく。夫は理解があるようなそぶりを続けつつ、男性の優位と女性の劣位という現状に同調し始め、なお自己主張しようとする妻にうとましげな態度を覗かせる。そのように、悪人というわけではないが、体制に順応して女性への無理解が露呈してしまう夫に妻が失望する場面は、『侍女の物語』にもみられたものだ。加えて『声の物語』では、ハイスクールの二年生である長男スティーヴンまで考えかたが変わってしまう。双子の弟たちのミルクがないという彼は、母ジーンから自転車で買ってくるようにうながされ、「ぼくの仕事じゃないだろ」と返す。その口の聞きかたを父は叱るが、「政府の方針になじまなくちゃ、父さん」と口答えするのだ。

「ほらね、こういうことになるから新しいルールが必要なんだ。すべてがあるべき形で進んでいくように」

これは、反抗期にいる男子の生意気な屁理屈というだけではない。社会の変化の波は、ハイスクールにもおよんでいる。むしろ、そこは新しい価値観を身に着けた人間を育て世に送り出すための最前線なのだ。政府の新方針に基づいて行われるようになった授業。男女の違いについてクラスメートとの間で話されていることがら。そうした外の社会の空気を吸いこんで家に帰ってきた結果が、スティーヴンの先のいいぐさなのだ。彼は、学校を訪れた保健福祉省の人間が集会で、男が十八歳までに結婚した場合の優遇策や子どもが一人生まれるごとに与えられる金銭について話したと、父母に嬉々として話す。次代をになう男子生徒に対し、女性を出産の道具あつかいすることを国家が推奨しており、そのことは彼らの同世代の女子に対する態度を当然、変質させてしまう。女性が抑圧される国家体制の成立を語る『声の物語』において、その悪夢性が最もよくあらわれているのは、母にとって別の思考回路で動くエイリアンと化した息子の言動だろう。

アダム不在のエデンの園

国家体制がこのように改められるまでの過程をふり返ったジーンは、「真の希望は最高裁判所だけだった」が、判事は保守派がそもそも多かったことを思い出す。一方、現実のアメリカをみると、大統領がトランプから二〇二一年に民主党のジョー・バイデンに代替わりした。だが、二〇二二年に同国最高裁は、一九七三年以来、女性の人工妊娠中絶権を合憲としてきた判断を覆し、リベラル層に大きな衝撃を与えた。バイデン大統領は中絶の権利を擁護する立場だが、出産の是非に関する女性の自己決定権を認めない保守的な価値観が、アメリカで大きな力を有していることをあらためて印象づけた。『侍女の物語』や『声の物語』の女性の言葉が奪われ、出産の道具あつかいされる設定は、依然としてアクチュアリティを持っているのだ。この章の後の節で触れるが、アメリカのそうした現実を踏まえ、アトウッドは『侍女の物語』の続編『誓願』を二〇一九年に発表している。

『声の物語』では国家の政策として女性の言葉が制限されたが、アメリカのホラー小説の巨匠スティーヴン・キングが息子オーウェン・キングとの共作で発表した『眠れる美女たち』(二〇一七年)では、女性の間だけに謎の疫病が広まる。体が繭状の奇妙な物質で覆われ、眠り続けるのだ。童話『眠れる森の美女』(眠り姫、茨姫)のお姫様の名前にちなみ、この病はオーロラ病と呼ばれた。男たちが繭を破って無理矢理目覚めさせようとすると、女たちは極端に暴力的な反応を示す。オーロラ禍は世界中に拡大し、社会は大混乱に陥るという内容だ。

『声の物語』が、国家の意図した政策として女性の言葉を制限し管理したのに対し、『眠れる美女たち』における女性の眠りは、怪奇現象として現れる。だが、ほかの女性たちがいくら睡魔と戦っても勝てないというのに、イーヴィという女だけが普通に寝起きしており、彼女の存在こそがパンデミックの引き金だったことがわかってくる。この設定は、サラマーゴ『白の闇』で唯一失明しなかった女性が、同作の続編『見ること』で白票選挙の首謀者とされ（Chapter 3で詳述）、いわば〝魔女狩り〟にあったことと微妙な親近性を感じさせる。災厄の元凶である魔女というのは、物語においてポピュラーな想像の形であり、サラマーゴ作品は冤罪とすることで批評性を持たせたのに対し、キング父子共作はそのまま悪役にすることでエンタテインメントの王道を歩んだのだ。

ドナルド・トランプが大統領に就任した年にキング父子が発表した『眠れる美女たち』は、ダルチャーがそうだったように同時代のアメリカのジェンダー問題に対するバックラッシュを意識したものだっただろう。ただ、『声の物語』の場合、先に触れたような家庭における息子との関係、自宅近隣の人々の動向なども描かれるが、主人公は、大統領の兄の治療研究チームに参加させられるほどの学者であり、夫は大統領の科学顧問だった。登場人物の多くは知的階層や国家権力側にいる人々だ。それに対し、『眠れる美女たち』は、スティーヴン・キングの多くの著作と同様に地方都市に暮らす庶民を描く。また、『声の物語』は、一日に百語以上を喋ると電流が走るカウンターや認知言語学といった技術や学問が重要な意味を持つSFテイストの作品である。一方、ドゥーリングという街を舞台にした『眠れる美女たち』では、オーロラ病になった女性たちが、異世界にあるもう一つのドゥーリングに移り、男性抜きの集団として過ごし始めていた。体から脱け出した意識が、別の次元で実体化したのだろう。元の肉体が破壊されれば、もう一つのドゥーリングにいるその女性は消えてしまう。ある種の魔的存在であるイーヴィ、もう一つのドゥーリングという設定は、ホラー的、ファンタジー的だ。同作で、母（mother）と綴りが近い蛾（moth）が、女性を象徴するものとして登場するのも幻想的なイメージを強めている（日本映画『モスラ』のタイトルになった蛾の怪獣が母性的な性格づけをされたのと近い発想）。

　オーロラ禍の鍵を握るイーヴィが収監されている刑務所も主な舞台の一つだ。『声の物語』とは反対に、登場人物の大部分が社会の中層、下層に属している。『眠れる美女たち』では、マッチョでホモソーシャルな価値観に染まった男たちと、平等を理想とするフェミニズム的な価値観の女たちの争いが、より泥臭い形で展開されるのだ。「女のドライバーがいなくなれば、道路がいまより安全になる」、「極右保守主義者がラジオのトーク番組で、オーロラ病は神がフェミニズムにお怒りである証拠だと放言した」（白石朗訳。以下同）など、オーロラ禍を機に様々なレベルでミソジニー、フェミニズムへの反感が噴出する。フェミニズムに理解をみせる男性について「政治的な正しさ《ポリティカル・コレクトネス》を旗印にする軟弱な男」などと男が嫌悪を語る場面もある。

　なかでも、結婚に三度失敗したことを南北戦争における南軍の敗戦に喩えた男が、オーロラ禍に関し「もうじき、どの離婚扶養料も払わなくてよくなるんだ。南部の再起だよ」、「負けただけ、叩きのめされてはいない。フォークナーだよ」と嘯く場面は印象的だ。扶養料を払う相手だった女性たちが眠ったことを、喜んでいるのである。『声の物語』にも、旧来的宗教観が優勢な南部諸州のバイブルベルトが国全体に拡大したことで、女性に対する政策が変更されたと書かれていた。二作とも女性の声の静まりを、旧来的で保守的な南部的価値観の浮上として語っている。しかし、急速なパンデミックで混乱する街の警察署で懸命に眠らず起き続け、電話に対応する女性の通信指令係は「この役立たずな男たちのなかには、自分の子供にどうやって食事をさせたらいいかを教えろときいてきた人もいるくらい！」と呆れ憤る。女性たちが活動しなくなったことに伴う機能不全が、家庭でも社会でも広がっていくのだ。

女性を限定された役割の範囲に押しこめた『侍女の物語』や『声の物語』は、自分が異性よりも優位に立ちたい男性にとって都合のいい国家体制を作ろうとしたものだったが、『眠れる美女たち』の女性たちは眠りこんで動かず、目覚めさせようとすれば凶暴化する。女性不在の社会が混乱するにつれ暴動、事故、犯罪が多発し、ミソジニーの男たちにとっても不都合に違いない状況になっていく。一方、平行して別の次元に移った女性たちが、男性抜きの暮らしを模索する姿も描かれる。もう一つのドゥーリングは、「アダムのいないエデンの園」のようなものだが、なかの一人は様々な職種の女性がいることを指摘して「わたしたちには必要な人材がそろってる」という。だが、彼女は「男たちが気分を話題にしたがることはぜったいにないと断言できるくらいだが、女たちはいつでも気分を話題にする」と同性を批判的にみることもある人物だ。彼女は、「政治的な正しさを旗印にする軟弱な男」と同属から嫌悪された女子刑務所の精神科医クリント・ノークロスの妻でドゥーリング群警察署長のライラである。クリントとライラは、男性だけ、女性だけが起きているそれぞれの世界で、両性について考えることのできる理性的なキャラクターとして物語を動かす。

『声の物語』は、女性を迫害する国家からの主人公の脱出を語る点でも『侍女の物語』の展開を踏襲していた。『声の物語』の場合、特定の宗教観に染まった近未来のアメリカの政権が女性の抑圧管理を推し進める施策を行ったとされている。作中では、女性の自由や権利を認める国家がアメリカとは別に存在しているのであり、ジーンはメイン州から国境を越えカナダへ脱出した後、イタリアへ移動するのが結末だ。それに対し、『眠れる美女たち』のオーロラ禍は特定地域の出来事ではなく、世界中を巻きこんだパンデミックである。アルジャジーラのコメンテイターが、女性たちがいなくなったために大混乱になっているとの見方を示したことに触れるくだりがあるように、アメリカとは思想や体制が異なる地域でもオーロラ禍による同種の影響が現れていると語られる。『眠れる美女たち』では、眠った体をこちらの世界に残したまま、すでに女たちは別次元にある、アダムのいない新たなエデンの園へと脱出しているのだった。物語の終盤で彼女たちに迫られるのは、男性たちのいる元の世界へ戻るか、女性だけの社会の建設を続けるかである。問いの設定のしかたも答えも『声の物語』とは違っており、彼女たちは結局、帰還を選ぶ。ただ、男性、女性、それぞれの立場から登場人物のなかでとりわけ冷静な思考をみせ、怪現象の中心であるイーヴィと対峙したクリントと、もう一つのドゥーリングでリーダー格になっていたライラの結婚は、男女の分離が解かれた後に破綻する。この大作ファンタジーは、二人の齟齬によって、男女が同じ世界に生きざるをえない現実のリアリティを示唆して終わる。外部の力に強制されるのではなく、自分たちの考えによって二人のこれからの距離を選ぶ。その点に救いがなくはない。

男女の地位が逆転した国家

スティーヴン・キングのデビュー作『キャリー』（一九七四年）は、家ではキリスト教を妄信する未亡人の母親に抑圧され、ハイスクールでは周囲からいじめられている少女キャリーが主人公だった。彼女は、自分に念動力があることを知り、密かにそれを育てる。そして、クラスメートの策略によってプロムの夜のステージで豚の血を浴びせられる屈辱を受けたキャリーは怒りを爆発させ、強大な念動力で学校関係者や母を死に追いやるだけでなく、暮らしてきた街の多くを破壊したのだった。後にキングはホラーについて書いたノンフィクション『死の舞踏』（一九八一年）のなかで、カレッジ卒業から数年後の『キャリー』執筆時点では、女性解放運動の男性一般にとっての意味を認識していたと語っていた。

この小説は、大人向けのサブテキストとして、男女平等の未来を前に縮み上がる男性の姿を描いたものだといえよう。私にとってキャリー・ホワイトという少女は、いじめにあう気の毒なティーンエイジャーであり、男女の別なく食いつくす地獄（たいていの郊外のハイスクールはそんなものだ）のなかで心をずたずたにされた犠牲者の一例である。しかし同時に、初めて自分の力を意識する〈女〉であり、物語の幕切れでは、サムソンさながら、その場にいあわせた者全員の上に神殿を押し倒す存在でもある。（安野玲訳）

実際の作中では、キャリーへのいじめは同性のクラスメートが中心になっており、男たちはその周囲で少女をバカにし、時には彼女をいじめたい女友だちに悪知恵を出し協力するといったぐあいだ。キャリーの怒りは、男女の区別なく自分をとり囲むみなへとむけられる。その光景に縮み上がるのは、男性ばかりではない。ただ、このデビュー作が、虐げられてきた主人公が、自分に力があることに気づき復讐を果たす、ある種の女性解放の物語であるのは確かだ。キングがキャリアを積んでホラー小説界の大御所となった後、息子と共作した『眠れる美女たち』には、『キャリー』以来の男女平等の未来への関心が書かれていたといってよい。

そして、『キャリー』の場合、超常的な力を用いたのはいじめられっ子の少女一人だったのに対し、世界中の女性が続々と強大な力を発現し、男女の立場が逆転するのがイギリスの作家ナオミ・オルダーマンの『パワー』（二〇一六年）だ。ある時期から女性たちが、手から強い電撃を放てるようになる。研究の結果、鎖骨の近くに発電器官らしきものが認められ、それは「スケイン（桛）」と名づけられた。男性を中心としてきた為政者側は、スケインの検査を実施し、陽性者を自治体の一部の職種から締め出そうとするなど、抑えこみの動きをみせる。だが、これまでになかった力を獲得した女性たちは、男性たちの反撃を退け、次第に社会の支配権を握っていく。男性が自分を強そうにみせるため女装するといったことも起きる。相手の性器に電流を流し勃起させることもできるため、女性が男性をレイプすることも可能になった。同作では、その種の性犯罪を含め、政治、戦争など過去に男性が主に行ってきたことを女性たちがするようになる。男性を標的とした大量虐殺も起きる。男女の地位が逆転した国家が成立していく歴史が記されるのだ。

『パワー』には、女性たちがそれぞれ、男性を攻撃できる力を持ったことで生きかたが変わる様子が描かれる。自分をレイプした養父を殺害した少女は、修道院へ避難した後、宗教的指導者になっていく。女性政治家の一人は、スケインの発現した若い女性を集め、力を適切に操れるように訓練するキャンプを各地に設ける。ある大統領夫人は、夫を殺して彼の役割を引き継ぐ。また、作中の視点の多くを女性が占めるが、女性の進撃を記録するナイジェリア人の男性ジャーナリストを登場させてもいる。社会の低層と支配層、女性と男性、様々な立場を通して世界の変容が書かれる。作中には、サウジアラビアでブルカを着用した女性が火花を飛ばす練習をしているとか、訓練した女子部隊を国連の委任契約により同国へ派遣するといったくだりもある。物語はイギリス、アメリカを主要な舞台としつつ、中東、インド、東欧のモルドバなどにもおよび、政治体制や宗教観の違いを越えて多くの国家で男女逆転が広まる世界の激動ぶりを追う。この点は、『眠れる美女たち』でアルジャジーラへの言及があり、オーロラ病が世界中に広まっている設定だったのと同様である。男女を差別する社会構造が、政治体制の差異にかかわらず各国で共通しているという現状認識が、怪現象が世界中を巻きこむ状況設定を発想させたのだ。

これまで男性からいじめられる側だった女性が手の電撃という武器を持ち、世界中で総〝キャリー〟化ともいえる逆襲を行う『パワー』の巻末の謝辞で、著者のオルダーマンが真っ先に名前をあげているのが、マーガレット・アトウッドである。男女のパワー・バランスが現在とは異なった社会を設定する発想を、オルダーマンは『侍女の物語』から受け継いでいる。ただし、アトウッドが、女性が現状以上に抑圧され男性からの管理支配が強められる方向で構想し、クリスティーナ・ダルチャーが『声の物語』でそれを受け継いだのに対し、オルダーマンは逆に女性が男性より優位に立つ体制を書いた。また、男女のパワー・バランスというテーマとともに、オルダーマンが『侍女の物語』から継承したのは、物語本体の現在に対する未来を外枠として用意する手法だった。

『侍女の物語』では、妊娠のための道具あつかいされる侍女の一人、オブフレッドが、レジスタンスの支援を得て宗教国家ギレアデ共和国を脱出しようとするまでが語られる。その直後のエピローグに相当するところに「歴史的背景に関する注釈」という文章が置かれている。未来の二一九五年に開催された世界歴史学会総会の分科会で行われた講演「『侍女の物語』に関する信憑性の問題」の記録という体裁だ。オブフレッドが自分の境遇を話すのを録音したテープが約三十本残されており、それを書き起こしたものについてピークソート教授が講演したのである。だが、ギレアデの歴史研究である彼の講演は、多少くだけたものであり、侍女についてのセクシャル・ハラスメント的な文言もしばしばさしはさまれる。

もしも我々の匿名の作者が違った精神構造の持ち主だったら、その謎の一部は解明されたことでしょう。彼女がジャーナリストかスパイの本能を持っていたなら、ギレアデ帝国の仕組みについてもっと多くを語っていたでしょう。じっさい、二十ページかそこらでいいから、ウォーターフォードの個人用コンピューターのプリントアウトがあったならどんなに助かったことか！（斎藤英治訳）

どこか揶揄が混じったこの話しぶりについて、松田雅子は「ここで教授は、オブフレッドをギレアデ帝国の仕組みを解明するための単なる情報源、それもあまり有能ではない情報提供者に過ぎないと捉えている。彼女の語りよりも、むしろ司令官だったウォーターフォードのコンピューターの情報が、ずっと彼にとっては信頼できる史料なのである」（『マーガレット・アトウッドのサバイバル　ローカルからグローバルへの挑戦』二〇二〇年）と指摘した。侍女が強いられた悲惨な生活への同情などうかがえない教授の講演は、どの程度の共感かは不明だが、聴衆から笑いや拍手で受け入れられている。『侍女の物語』で作者は、ギレアデが消滅した後の未来においても女性差別はなくならないだろうという、シニカルなオチを用意していたわけだ。

逆に『パワー』では記録者として登場するのは男性だが、彼らの立場は揺らいでいる。電撃の力を手に入れた女性たちを撮影しネットで公開するトゥンデは、インドで女性にレイプされそうになるなど、取材先で右往左往する。ちょっと滑稽な描かれかたをしているのだ。また、女性たちの攻勢の過程をたどった『パワー』は、ニール・アダム・アーモンなる男性が書いた歴史小説という形をとっており、本編の前には、ニールとナオミが交わした手紙が掲げられている。ニールが書いた小説に男性の兵士、警察官、「男ギャング」が登場する点についてナオミは「やってくれるなあ！」と反応し、次のようにも書いている。

おっしゃっていた「男性の支配する世界」の物語はきっと面白いだろうと期待しています。きっといまの世界よりもずっと穏やかで、思いやりがあって——こんなことを書くのはどうかなと思いますが——ずっとセクシーな世界だろうな。

物語本編に入る前にまずこの手紙に触れる読者は戸惑うだろう。だが、男女逆転の歴史を知ってからふり返ると、未来にいるナオミにとっては、暴力は女性のもの、穏やかで思いやりがあるのが男性というのが固定観念になっているのだと理解できる。男女に関してこれまで流通してきた一般論が、逆転されているのだ。スヴェトラーナ・アレクシエーヴィチの著書をもじれば『パワー』の未来の女性たちにとって「戦争は男の顔をしていない」のだ。物語本編で語られた男女のパワー・バランスの変化が、未来になっても後戻りせずそのままであると、シニカルに書いているのは『侍女の物語』の流儀にならっている。『パワー』では、歴史小説本編の終了後に再び、ニールとナオミの往復書簡が挿入される。ナオミは、彼の小説をフィクションとして評価しながらも、男女逆転以前の女性像が理解しにくいと告げる。それに対し、ニールは内容の史実性を主張し、互いの考えかたの齟齬が浮き彫りとなるのだ。二人のやりとりはナオミの次のような言葉で締めくくられ、小説もそこで終了する。

以前、なにをしても性別の枠にはめられてしまうとご説明くださったことがありましたね。その枠はまったく無意味なのに、どうしても避けられない。あなたの書いた本はすべて、「男流文学」のひとつとして評価されてしまうというご趣旨でした。（中略）ニール、これはあなたにとって腹にすえかねることかもしれませんが、この本を女性の名前で出すことも検討してはいかがでしょうか。

心からの愛をこめて、ナオミ

『侍女の物語』の未来の歴史学会には、女性の言葉の信憑性は薄いという態度がみられたが、『パワー』の未来では男性の言葉が女性の言葉より格下とされていることが伝わってくる。ゆえに男性が書いた本でも女性名で出版したほうが世間に受け入れられると判断され、男性の言葉が奪われようとするわけだ。このことは、メアリー・シェリーが『フランケンシュタイン』（一八一八年）を出版した時のことを想起させる。同作は、科学の力によって死体をつなぎあわせ人造人間を生み出す設定でSFの先駆けともいわれる。作中の人造人間は映画化では無知で狂暴な怪物に造形されたが、原作では知性を有する存在であり、意外に思索的な内容である。メアリー・シェリーの父は社会思想家のウィリアム・ゴドウィン、母は女権拡張論者のメアリー・ウルストンクラフトであり、知的な家系に育った。だが、『フランケンシュタイン』は最初、作者の名前は記されず、夫で詩人のパーシー・ビッシュ・シェリーが序文を付し、彼が原稿に手を入れた形で世に出された。このため、作者はパーシーではないかと噂された。メアリーが夫の死後に小説を改訂し、作者名も明らかにして自身の序文とともに出版したのは十三年後のことだった。彼女の生涯と同作の書籍化については、『メアリーの総て』(二〇一七年)として映画化されている。当時は、文学の領域でもまだ女性に対する偏見が大きかった。このため、女性が小説を発表する時に匿名、変名とすることが珍しくなかったのだ。『パワー』の未来では、そのような立場が女性ではなく男性に与えられる。

歴史の始原という標的

『パワー』の結末部分の手紙では、ナオミが古代の遺跡から男性の戦士像が出土したことに関し、それは孤立した小規模文明の産物に過ぎず、過去に一般的だったとはいえないとする見解を示す。男性の兵士というイメージは女性の性的ファンタジーとしてはあるとしながらも、男性は家内の守り手であり、女性は赤子を害悪から保護するために攻撃的で暴力的になったとする説を彼女は信奉しているのだ。『パワー』の未来では男女についての常識が、今の現実とは反対になっている。この歴史的変容は、映画『猿の惑星』(一九六八年)の猿が支配し、人間が奴隷となっている星において、人の姿をした人形などかつて人間の文明があったことを示す品物が出土する場所を猿の権力者が立入禁止にしていたことを連想させる。社会の支配層は、過去に別の存在が今いる自分の地位を占めていたことを認めたがらず、ずっと昔から自分たちがそうだったように思いたがるのだ。

『猿の惑星』のピエール・ブールによる原作小説(一九六三年)は、映画とは異なるエンディングを持っていた。その惑星は猿が支配しているが、過去には人間が文明を築いていたという手記を読んだものが、内容を悪ふざけだと受けとめるのだ。その読者は人間ではなく知性のある猿だったというオチである。『パワー』におけるニールとナオミのやりとりは、『猿の惑星』での猿と人間の関係とパラレルだろう。男性＝人間のごとく構築された社会に対し、男性＝人間に近い存在である女性／猿が進化し優位性を奪うという展開で『パワー』と『猿の惑星』は同型の物語になっている。

『パワー』は、攻撃力が上回れば発言権を自分たちのものにできるし、歴史を上書き可能で、塗り替えられる前のことは忘れられるという寓話だ。『声の物語』では、女性たちが一日百語までと発話を制限された。『眠れる美女たち』では、女性たちの肉体はオーロラ病で眠ってしまい、この世界で男性相手に話すことはなくなった。二作とは反対に『パワー』では暴力をバックボーンにして女性たちが発言権を高めるのだが、自分を虐待した養父を殺したアリーが〝声〟を聞くようになる印象的な描写がある。壁にかかった小さな象牙のキリストのついた十字架をみると、「あれは持っていきなさい、と〝声〟が言った」というのだ。アリーはやがて宗教的な指導者へと変貌し、男女逆転の時代のキーマンの一人になる。『声の物語』では国家の政策、『眠れる美女たち』では怪現象という外部の力によって女性たちは言葉を奪われるが、『パワー』ではある種の霊性を帯びた〝声〟にある女性個人が導かれ、自分の進むべき道を知る。神の預言のようだが、それは彼女の内側から聞こえてくるようにも思える。

このように男女のパワー・バランスの変化をテーマにして二〇一〇年代後半に発表された一連の小説は、女性が言葉を奪われる／獲得することに焦点をあてていた。その同時代的な意味は『パワー』日本版で、トランプ政権下の女性への抑圧を恐れる人たちが一九八五年刊の『侍女の物語』をあらためて読むようになったと指摘しつつ、次のように書いた渡辺由佳里の解説でひとまず理解できる。

これまでセクハラや性暴力に耐えて来た被害者が「私もだ」と手をつないで立ち上がり、権力を持っていた加害者を追及する「#MeToo」ムーブメントが盛り上がったのも二〇一七年の特徴だ。

『パワー』はその前年の二〇一六年に発表され、注目されたのだった。ポリティカル・コレクトネスへの社会的関心が高まり、SNSを中心に展開された「#MeToo」ムーブメント以降、これまで黙っていた女性たちが多くの声をあげるようになっている。並行して黒人差別に反対するBLM（ブラック・ライヴズ・マター）の運動もあった。結果として、性暴力、差別的言動、ハラスメントなどの行為が過去にさかのぼって名指しで指摘され、該当する人物が現在の地位から失脚する、名を冠した賞から名をはずされるといったことも起き、そうした動向はキャンセル・カルチャーと呼ばれた。大統領自らがフェイクニュースをまき散らしたトランプ政権時代に、国家が国民の言論を統制し情報を操作するオーウェル『一九八四年』や、特に女性の管理と抑圧を焦点にした『侍女の物語』が再注目され、この章でとりあげた男女のパワー・バランスの変化をめぐる新たな小説群も出現したのである。それらのフィクションが、発言権をめぐる闘争だという意味で「#MeToo」ムーブメントやキャンセル・カルチャーの世相と連動した面はあるだろう。『フランケンシュタイン』の最初の版に女性著者の名がなかったことをポイントにして映画『メアリーの総て』が制作されたことも、同時代の問題意識を共有していたといえる。

「#MeToo」運動と呼応したこの時期の論考として興味深かったのは、古典学を専門とするメアリー・ビアードが二〇一四年、二〇一七年の講演をまとめたコンパクトな本『舌を抜かれる女たち』（二〇一七年）だ。同書の原題は「Women and Power」だが、邦題を『舌を抜かれる女たち』としたのは秀逸だった。ここでビアードは、男性を中心とした権力構造が続いてきたなかで、性被害について訴えることも含め、女性が長く人前での発言を封じられてきたことを、ホメロス『オデュッセイア』やオウィディウス『変身物語』などギリシア・ローマ時代以来の神話や文学などの流れから後づけている。「女性が権力構造に完全には入り込めないのなら、女性ではなく、権力のほうを定義し直すべきなのです」という彼女の発言は、男女のパワー・バランスの変容を語った一連のディストピア小説のテーマと通底する。メアリー・シェリーは『フランケンシュタイン』に「あるいは現代のプロメテウス」とギリシア神話の神の名を使った副題を添えた。それは、神しか行わなかった生命の創造を作中で敢行したヴィクター・フランケンシュタインを、天界の火を盗み人間に与えたプロメテウスに喩えたものである。同時に本の出版経緯をふり返ると、それはメアリーという女性が、男性が独占しようとしてきた知性や言葉を獲得したことの暗喩だったようにもとらえられる。

男女のパワー・バランスの成り立ちを過去にさかのぼって見出す思考は、この節でとりあげた小説にもみられた。『眠れる美女たち』には「十九世紀だったら、男が妻にむかって自分がなにをするつもりかを話しても、妻は賛成するか、そうでなかったら口をつぐんで黙っているかのどちらかだった」と男が考える場面がある。

そもそも同作でオーロラ禍を広め、別次元にあるもう一つの街へ移った女性たちに男性抜きの暮らしを継続するか、男性のいる元の世界に帰還するか、選択を迫った謎の女イーヴィの名は、イヴ・ブラックだった。キリスト教の『旧約聖書』の「創世記」では、最初の人間だった二人のうち、神が食べることを禁じた知恵の木の実をイヴが口にしたゆえにアダムとともにエデンの園から追放され、男性は労働、女性は出産の苦しみを与えられたとしている。女性の愚かさを楽園追放の原因としていたわけだ。イヴ・ブラックというキャラクターは、オーロラ病で男女を別次元に分離し、「創世記」以来の両性の歩みをリセットする機会を人類に与えるキャラクターである。『私という他人　多重人格の病理』（一九五七年）として書籍化され、『イブの三つの顔』（一九五七年）として映画化された多重人格の有名な症例の女性イヴ・ホワイトには、イヴ・ブラック、ジェーンという別人格があった。『眠れる美女たち』のイーヴィのネーミングは、そのことを想起させるし、「創世記」のイヴとは性格の異なるもう一人のイヴという含意が感じられる（ちなみに、キングが女性解放運動を意識して書いたという『キャリー』の主人公は。キャリー・ホワイトと命名されていた）。

『パワー』にも新たなイヴは登場した。〝声〟を聞くようになり、宗教的指導者へと変貌して「あたしは、ただ母の言葉を伝えているだけよ」、「母はあたしたちみんなのなかにいるよ」といっていたアリーは、「マザー・イヴ」と呼ばれるようになる。同作にも人類の始原からのやり直しという発想がみられた。『侍女の物語』、『声の物語』の場合、出発点からして極端なキリスト教原理主義に染まった勢力が政権の座につく内容であり、彼らは楽園から追放されたイヴの立場を女性たちに徹底させようとするのだ。その意味で「創世記」の上書きがされている。男女のパワー・バランスの現状を批判的に描こうとした小説群は、いずれも歴史の始原に原因を認める認識が垣間みえる。いいかえれば、それこそがキャンセルすべき標的なのだが、長い歴史的慣習は変えるべきでも容易には変えられないという苦い認識もある。『眠れる美女たち』で別次元にいた女性たちが男女の分離の継続ではなく男性がいるもとの世界への帰還を望んだこと、『侍女の物語』、『パワー』でジェンダー意識が現在と変わらないか、より定着した未来が待っているという皮肉な結末を用意したこと。それらは歴史に抵抗する困難を表現している。

2 アイドルの反抗と従属——『持続可能な魂の利用』欅坂46

「おじさん」と少女の分離

キング父子『眠れる美女たち』は、この世界から実質的に女性がいなくなる設定だった。眠る彼女たちの意識はもう一つの世界へ移り、べつの肉体で男性抜きの生活を始めた。男女が、分離されたわけだ。これに対し、松田青子『持続可能な魂の利用』(二〇二〇年)は、「おじさん」には少女が見えなくなるという怪現象から始まる。ぶしつけに見る側だった「おじさん」の視線が消え、少女たちは自由を感じるようになった。だが、「おじさん」の方は見えないため、少女にぶつかったりする。障害物でしかない。以前から「おじさん」を嫌っていた少女のなかには、復讐の加害行為をするものも現れ、対策がとられた。

『今後一切、少女と「おじさん」の生活圏は重ならないものとする』

少女と「おじさん」は分離されたのだ。そのように始まった小説は、続いて「おじさん」の価値観で動く社会のなかで苦労する女性たちの姿を描いていく。同作は、「おじさん」が幅を利かせる日本が、いかにして「おじさん」と少女が分離される未来に至ったかを語る小説なのだ。その結末は、『眠れる美女たち』とは違っている。鍵となるのは、アイドルだ。

作中の定義によると「おじさん」は、見た目や年齢は関係ない。女性にも「おじさん」はいる。価値観の問題であり、「おじさん」は「なぜか自分に自信を持っている」。それは、この国の政治、職場、学校、街のなかなど、どこへ行っても彼らの価値観に覆われているためだろう。同作は、年齢や立場の異なる複数の女性の視点から、男社会における様々な場面での息苦しさを語る。物語の軸となる主人公は、非正規で働いていたが男性社員の嫌がらせで離職した三十代の敬子だ。彼女が思い浮かべる「毎日がレジスタンス」という言葉が、物語のフェミニズム的な姿勢を表現している。男社会ですり減る魂をいかに長持ちさせるか。この課題に対し、敬子が選んだのは、アイドルを推すことだった。作中では、「おじさん」に抑圧される女性たちのなかでも、特に少女たちに性的妄想や揶揄嘲弄といった理不尽が押しつけられていることが描かれる。「おじさん」がプロデュースし、男のファンから好き勝手に妄想され、嘲弄されることまでもが商業システムに組みこまれたアイドル・グループというものに敬子はハマってしまう。それは、フェミニズム的な彼女の考え方と矛盾するような嗜好だ。アイドルなんて日本のロリコン文化と性的搾取を代表するものだと他人から指摘されるが、好きにならずにいられない。

小説の前半でカナダ旅行から帰った敬子は、日本の少女たちの声が小さくうつむきがちであると気づいた。日本の女性は、海外の女性のような自己主張をしない。この国のアイドルも、周囲の男たちを喜ばせ、安心させるために可愛くふるまい、笑顔を見せるのだ。だが、敬子が好きになったグループは、パフォーマンスの最中に笑顔を見せなかった。

どの歌も、社会の生きにくさ、そして同調圧力に抗う強さを謳っていた。衣裳はほかの系列グループと同じく制服がベースとなっていたが、まるで軍服を彷彿させるようにその生地は厚く、彼女たちがくるくる回っても、下から覗くのは暗い色のショートパンツで、それも安心して見ていることができた。

そのなかでも敬子は、センターで踊り、まっすぐな目で媚びず世界に喧嘩を売るような、短い黒髪の××に強く魅了される。小説ではやがて「おじさん」の政権が行きづまり、デモが起こるなど革命が始まって××を中心にアイドルたちが代わりにこの国を舵とりする展開になる。作中にはグループ名が登場せず、センターの少女にも名前がなく「××」と表記されるだけだが、欅坂46、平手友梨奈がモデルなのは明らかだろう。彼女たちは二〇一六年のデビュー曲「サイレントマジョリティー」以来、「不協和音」(二〇一七年)、「ガラスを割れ!」(二〇一八年)、「アンビバレント」(同)、「黒い羊」(二〇一九年)など「社会の生きにくさ」や「同調圧力に抗う強さ」を歌った曲をシングルの軸にして人気を得た。少女たちに制服を着せ、同調圧力に抗う革命の歌をプロデュースし作詞した「おじさん」について、やはり小説中に名前はないものの、秋元康が念頭にあったことは間違いない。××をはじめグループのメンバーは、歌のパフォーマンスはカッコいいものの、MCになると一般的なアイドルと同様に頼りなくおもねった態度を見せる。番組で司会者とやりとりする××も、日本の少女らしく小さな声になってしまう。敬子はそれを残念がる。「おじさん」社会での同調圧力への反抗と従属の二面性は、欅坂46が抱えていたものでもある。

メンバーたちが左右に分かれて縦に並ぶ。道のようになったその奥から、グループ最年少でセンターを任された平手友梨奈が、なにかを宣誓するように右手を上げてから、前方へ歩いてくる。続いて、カメラの方を見つめながら指さす瞬間の目力。ファースト・シングル「サイレントマジョリティー」のミュージック・ヴィデオで見せたこの流れが、欅坂46の反抗のイメージを決定づけた。

『旧約聖書』の「出エジプト記」には、右手に持った杖を上げると目の前の海が左右に割れ、進むべき道が現れたエピソードがある。神が約束した地へと民を導いたその話の主人公にちなみ「モーセ」と呼ばれている前述のフォーメーションでの平手のパフォーマンスは、インパクトが大きかった。以後も平手は、シングル曲でセンターを務め続ける。デビュー翌年の二〇一七年発売の『真っ白なものは汚したくなる』は、大人たちに支配されるのではなく、自分らしく自由に生きろと鼓舞する詞の「サイレントマジョリティー」から、同調圧力に負けず自分の正義を貫こうとする姿が歌われるシングル四作目「不協和音」までのグループの歩みをまとめていた。同アルバムには数人を組ませたユニット、ソロなど様々なメンバー構成で曲が収録され、アイドルらしい恋愛や友情の歌も少なくなかったし、反抗一辺倒で平手だけが目立つのでもなかった。

しかし、歌詞の主人公が自分ははみ出した変わり者でもかまわないと考える「エキセントリック」や、「月曜日の朝、スカートを切られた」では、反抗のイメージを強めた。「月曜日の朝、スカートを切られた」では、曲名通りの出来事が題材となり、少女を汚そうとする者が存在すると示される。それに対し、反抗することにも従順であることにも醒めた態度をとる同曲のヒロインは、大人への不信を吐露しつつ、悲鳴など上げてやらないと加害側の期待に反発する。『持続可能な魂の利用』のフレーズを借りるなら、「毎日がレジスタンス」を示した歌なのだ。アルバム発表時には、具体的な加害行為を書いた詞を、被害対象になりうる少女たちに歌わせていいのかという批判もあった。同曲のミュージック・ヴィデオは、「サイレントマジョリティー」の撮影場所へメンバーが集まるところで終わる。つまり、「サイレントマジョリティー」にあった大人への反抗の動機が、「月曜日の朝、スカートを切られた」で語られたような位置づけだ。一方、松田青子は『持続可能な魂の利用』を二〇一七年後半から二〇二〇年初めまで文芸誌とウェブサイトに連載した後に、書籍化している。それは、欅坂46の人気が拡大する一方、グループが不安定になっていく時期でもあった。

挫折した計画のパラレル・ワールド

『持続可能な魂の利用』と欅坂46の対比で興味深いのは、『真っ白なものは汚したくなる』を発表した二〇一七年に野外ライヴ「欅共和国」が始まったことだ。二〇一九年まで三回行われた「欅共和国」がどのように方向づけられていたのか、二〇一七年のライヴをＤＶＤで見直すと、オープニングでは、登場したメンバー各人が体くらいの大きさの旗を持ち、ひとしきりパフォーマンスしてから、ステージ正面の両脇に「欅」、「46」と書かれた巨大な旗が掲げられる。パンツスタイルで顎紐付きの黒い帽子をかぶった彼女たちのいでたちは、いつもの制服以上に軍服に近い。それは、近衛兵たちによる「欅共和国」国旗掲揚の儀式といった見立てだろうし、中心で指揮者的ふるまいをする平手は、君主のようである。ライヴ終盤には、彼女が左手を斜め上へさっと伸ばすと花火が上がる演出があり、祝砲の指示を思わせた。子どもが集まり、自分たちのアジトや遊び場を独立国に見立てることは、よくあることだ。グループとファンで作る「欅共和国」もその種のものだろう。アルバムと同様、メンバー構成を変えつつ様々な曲調を披露する内容は、基本的には明るい。彼女たちが客席に水鉄砲を発射し、無邪気にはしゃぐ姿も目立つ。だが、「欅共和国」は自由で解放されたユートピア的イメージばかりではない。

国旗や演説台に似たものをステージに用意し、ライヴを国家行事や政党集会のようにする演出は、ピンク・フロイド、イエロー・マジック・オーケストラ、マリリン・マンソンなどのロック・アーティストが行っていた。ステージ上のカリスマが観衆を熱狂させ扇動するコンサートを、ファシズムのパロディとして演出したのだ。「欅共和国２０１７」にも近いものを見出せる。ステージ上にある台はレンガ積みを模したデザインで、城壁を連想させる。旗を用いたオープニングに続いて歌われる一曲目は、静かな多数派に声を上げろと呼びかける「サイレントマジョリティー」だ。彼らの革命による団結で「欅共和国」が建国されたというようなストーリー性を感じさせる。その後もアイドルらしい無邪気な曲の合間に、時おり同調圧力に抗う曲が出てくる。「大人は信じてくれない」では、笑顔を見せずに抑圧を歌い、横に並び互いに腕を組んだメンバーたちが、一人また一人と倒れていく。「サイレントマジョリティー」は、静かな多数派という集団に呼びかけていたが、アンコールで歌われた「不協和音」はいっそうシビアな内容だ。仲間にまで罵られ殴られても屈しない孤立した抵抗が描かれ、「僕は嫌だ」という叫びが繰り返される。城壁の前での内乱といった趣だ。「欅共和国」はユートピア的であるとともにディストピア的なのだ。

『持続可能な魂の利用』終盤での××をセンターとするアイドルたちが、日本の政権を担う超展開は、「欅共和国」のような国家ごっこをこの国に適応したらというようなものだが、ディテールにこだわったシミュレーションではない。一種の寓話であり、ファンタジーだ。

この小説では、男社会に苦しめられる女性たちを描く現在進行形の本筋に対し、未来からの視点がしばしば挿入される。それは、未来に生きる少女たちが、「おじさん」優位だった過去の歴史を研究している形をとる。『侍女の物語』や『パワー』が、未来のエピソードを加えていたのに近い。だが、それら二作が、本筋でなんだかんだありつつも、未来にも片方の性が優位な社会が残ったとする皮肉な結末だったのとは異なり、『持続可能な魂の利用』の未来の少女たちは、そんな時代もあったんだねという反応であり、男性優位が過去のものになったとするハッピーエンドを迎える。同作では、少女たちのアイドル・グループが「おじさん」プロデューサーの下で活動していること、アイドルは人格がないかのごとくあつかわれることなど、アイドル活動のネガティヴな側面がすくなからず書かれていた。そもそも同調圧力への抵抗を表現するグループが、制服を着せられて個々人のイメージを平準化され、本人に振付を考えさせた部分が少々あるにせよ、基本的に決められた振付や段取りに抵抗せず従っている。そのこと自体が矛盾だ。だが、「おじさん」に革命を歌わせられたのだとしても、未来の少女たちはこう感じたというのだ。

「わたしたちは革命について歌ったのだから、革命を歌ったのだから、革命をしなければならない」という彼女たちの声が聞こえるようです。

そして、××たちは革命を起こすのだ。

一方、欅坂46の活動期間には、「サイレントマジョリティー」や「不協和音」に代表されるイメージをめぐって、多くの記事で反抗、革命という言葉が使われ、ロック的な文脈に引き寄せる例があった。だが、反抗、革命はロックの専売特許ではないし、ミュージカルでもよくとりあげられてきた題材だ。

例えば、欅坂46と同じく秋元康プロデュースの、乃木坂46に所属していた生田絵梨花も出演した『レ・ミゼラブル』には、王政打倒を訴えた暴動で人々が声を上げ「民衆の歌」を合唱する名場面がある。宝塚歌劇団の古典『ベルサイユのばら』では、フランス革命での蜂起を男装の麗人オスカルを中心とした群舞で表現した場面でクライマックスを迎える。「サイレントマジョリティー」や「不協和音」、また「欅共和国」の演出には、ロック以上にミュージカルとの親近性を感じないだろうか。暴動や革命がミュージカルでよくあつかわれるのは、政治的理由というより、エンタテインメントとしての特性による。人々が揃って声を上げ、体を張る暴動や革命というシチュエーションは、集団で踊り歌うエンタテインメントを盛り上げやすいからだ。

アイドル・グループはライヴ前にメンバーが円陣を組み、気合入れをしたりする。欅坂46の場合、「けやき」の頭文字をとり「謙虚、優しさ、絆、キラキラ輝け欅坂46！」と声をあわせた（「欅共和国」では「謙虚、優しさ、絆」を英語にして国旗に書きこんでいた）。大人への反抗、個の自己主張といったグループの基本線と「謙虚」や「絆」は合致しないようにも感じる。だが、平手は「サイレントマジョリティー」の「モーセ」の部分で自分の姿がかっこよく見えるのは、他のメンバーがいい表情で列を揃えているからだとインタヴューで話していた（「クイック・ジャパン」vol.129）。そこでは、個の表現と集団の表現は一体になっている。彼女は、みんなで一つの作品をつくるのはミュージカルみたいな感覚かもしれないと発言していた。だが、ミュージカルの場合、主要な役をダブル・キャストにするのは当たり前だし、スターの序列が五つある組ごとに明確な宝塚でも人気演目は複数組が持ち回りで演じたりする。どんな政治状況が題材でも、その役を演じるのにふさわしいのなら、誰が演じてもいいという一種の民主主義が機能しているのだ。

一方、アイドル・グループの多くは、一人ばかりにセンターを担当させず、曲によって交代させることが多い。秋元康プロデュースでも他グループはそうしていたのに、欅坂46では平手にセンターを固定してシングルをリリースし続けた。自作自演を重視する旧来型の感覚が強いロック方面で、他人が作った曲を歌う平手の受けがよかったのは、不動のセンターであり取り替え不能の存在と感じられたからだろう。だが、一人で中心に立ち続ける無理がたたったのか、やがて平手は体調不良が続き、休んだり、生気を欠いたパフォーマンスを見せることがしばしば生じ、グループも不安定な印象を持たれるようになった。彼女は二〇二〇年一月に脱退する。平手が参加した最後のシングルは「僕は厄介者でしかない」の一節がある「黒い羊」（二〇一九年）だった。欅坂46は、二〇二〇年十月に櫻坂46と改名し、グループを仕切り直した。当初夢見られた「欅共和国」のユートピアは、崩壊したのだろう。

『持続可能な魂の利用』は、欅坂46のそのような激動期に書かれ、二〇二〇年五月に書籍化された。小説では××たちが支持を集めて国のトップになり、女性たちのユートピアが到来する。その革命には事情があった。元アイドルが四人目の子どもを出産したネットニュースに対し、「えらい」というコメントが大量についた。それを読んだ敬子はただの祝福ではなく、少子化のなか「お国のためにえらい」というニュアンスを嗅ぎとる。だが、同作の世界では、前世紀の終わりに人類の環境への破滅的影響を軽減するには人口を減らすしかないとして、各国代表者が秘密にくじを行ったのだった。はずれを引いた日本は、第一の「縮小国」に選ばれた。つまり、日本で少子化が進んだのは無策ではなく、政府が国を畳もうとして意図したことだったのだ。だが、その計画に行きづまった「おじさん」たちは自ら責任を放棄し、政権を××たちに明け渡した。「アイドルに国を担わせて失敗するのを笑って観賞する」。バラエティ番組のチャレンジ企画のようなエンタテインメントとして、なお女性を消費しようとしたのだ。

まだ若い女性アイドルたちが政権に就く前、革命の始まりとなるデモの現場で、敬子が××と会うエピソードがある。作中でのデモの現場は、官邸前とされている。現実の日本では、二〇一一年の東日本大震災で原発事故が発生して以降、脱原発を主張する官邸前デモが毎週金曜日に開催された。また、二〇一五年設立のＳＥＡＬＤｓ（自由と民主主義のための学生緊急行動）が、新しい学生運動として注目された。そうした動きが時代を変えるのではないかとリベラル層は期待したが、二〇一二年に民主党から自民党へ政権が戻って以来、この国の保守化は続いている。ＳＥＡＬＤｓは二〇一六年に解散し、官邸前デモが二〇二一年に休止するなど、新しい社会運動とされたものが尻すぼみになったことは否めない。だが、『持続可能な魂の利用』では、失敗が当然視されていたアイドルたちがファンと協力して国を改善したとされる。××は「モーセ」のように人々をよい方向に導いたのだ。「おじさん」の方は、やがて見えなくなった。

小説では、さらに長い時が過ぎ、日本が畳まれた未来からの過去研究の発表という形で終わりを迎える。その未来では、体も名前も失われている。体がないのだから、もう性や出産などで搾取されない。また、名字はもともと「おじさん」と結びついていたので、「おじさん」の消滅後は廃止され、名前は自分でつけたり変更したりしていいし、べつになくてもよいものになった。この未来からは、アトウッド『侍女の物語』の侍女が男の所有物として「オブフレッド」など「オブ〜」と呼ばれたことを思い出す。××の名前が記されなかったのは、そんな未来を先どりして、人々をそこへ導く存在だったからでもあるだろう。この小説は、二〇一〇年代の欅坂46、ＳＥＡＬＤｓや官邸前デモといった挫折したプロジェクトが、パラレル・ワールドで成功することを夢想した物語になっている。

『持続可能な魂の利用』は、魂だけが持続する新しい世界を肯定する結末に至る。ただ、体や名前（魂以外のアイデンティティ）を失わなければユートピアに至れないというのは、むしろディストピアではないのか。その希望は、断念や諦念とともにある。

3 最優先課題としての出産——『大奥』『侍女の物語』『誓願』

男女二分法に収まらない揺らぎ

よしながふみのマンガ『大奥』（二〇〇四〜二〇二一年連載）は、「男女逆転」というフレーズで紹介されてきた。大奥とは、江戸城内で将軍の正妻や側室が居住し、基本的に男子禁制だった領域である。それは、徳川家将軍の後継ぎを産ませるために女性たちが集められた場所として知られる。男性としてそこへ立ち入る特権を有した将軍が、着飾った美しい女性たちのなかからその夜の相手を選ぶ場面は、時代劇に繰り返し登場してきた。もし、その将軍が女性であり、選ばれるためにずらっと並んだのが男性だったら、江戸時代はどのような歴史をたどったか。よしながの『大奥』は、そんな発想で描かれた歴史改変ＳＦである。物語のアイデアの中心が男女逆転であるのは間違いない。同作の江戸時代では、赤面疱瘡《あかづら》という疫病が蔓延し、若い男性ばかりが感染し致死率が高かったことが男女比の大きな偏りをもたらし、大奥の逆転の引き金になったとしている。そのパラレル・ワールドでは、幕府の将軍職を女子が引き継いだだけでなく、庶民の家も女子が相続せざるをえなくなったのだった。

女子が相続する理由について『大奥』では第一に、一夫多妻制にして大名家の統合を進めれば少数の領地が広大になり、徳川家を脅かす可能性があることをあげる。また、士農工商のどの身分でも家の存続が重要だったこの国では、世帯数の極端な減少に直結する一夫多妻化を選べなかったと説明する。核家族化に加え単身世帯の増加が進んだ現在ではかなり薄れた感覚だが、家重視の思考は日本に根強く残っているものだろう。

『侍女の物語』、『声の物語』、『眠れる美女たち』、『パワー』のように、男女のありようや関係性が現状とは違う形になった状況を設定し、社会がどのように変化するかをシミュレートした物語はしばしば創られてきた。多くの賞を受賞した『大奥』もその一つであり、作品がまだ雑誌連載中だった単行本第一巻刊行時に第五回センス・オブ・ジェンダー賞特別賞を受賞し（二〇〇五年）、英語訳第一巻と第二巻が二〇〇九年にジェイムズ・ティプトリー・ジュニア賞（二〇一九年にアザーワイズ賞へ改称）を受賞するなど、早くからジェンダー批評の観点で高く評価された。完結に際しては、第二一回センス・オブ・ジェンダー賞殿堂賞をあらためて贈られてもいる。

ただ、『大奥』は単行本で全一九巻の大河ロマンであり、三代将軍・家光の世における社会激変の始まりから、一五代・慶喜の時代での大政奉還と大奥終焉まで約二百五十年という長い期間を語っている。女性が産む道具にされる『侍女の物語』、女性が大幅に言葉を制限される『声の物語』、女性たちが眠り続ける『眠れる美女たち』、女性たちが電撃の力を得る『パワー』のように、はっきりとしたワンアイデアがストーリー全体を支配している作品と『大奥』では、ありようが少し異なる。三代目での女性将軍誕生からそれが踏襲され続けるのではなく、男性将軍や女性ばかりの大奥への揺り戻しなど紆余曲折がありつつ、時代は推移していくのだ（『大奥』は二〇一〇年に映画とドラマになったが、長い物語全体を映像化したのは二〇二三年のNHKのドラマが初めてであり、その内容も原作に比較的忠実で評価が高かった）。

また、先にあげた男女の地位や関係性の変化を中心に設定した一連の作品群は、双方の現状を批評的にとらえるために男性性、女性性をそれぞれデフォルメして描くことに力を注いでいた。そのため、主要人物の一人としてレズビアン（モイラ）が登場した『侍女の物語』はべつとして、他の作品での同性愛者や特定人種への抑圧は作中でわずかに言及されるにとどまっている印象は否めない。現状で多くの国家や地域に存在している男女の立場の非対称性を、パラレル・ワールドや未来といった異世界を舞台にして批評的に描くため、作中の設定では男性か女性の片方に権力が集中し、もう片方が抑圧される図式が強調される。その作品が多様性を肯定する主張を有していても、ＬＧＢＴＱ＋というようにジェンダーのカテゴリーをより細分化してとらえようとする傾向が広まった最近の視点からすると、物語が男女の二項対立に単純化されているきらいがある。男女の二項に収まらないマイノリティの描写が、手薄に感じられるところがあるのだ。

それに比べると『大奥』は、大河巨編で登場人物が多いこともあるが、男と女の地位の入れ替わりという大前提があるなかで、同性愛者、バイセクシュアルの人物や異性装者も描かれ、売春、強姦、近親相姦、老人の性を含め実に多様な性行動があつかわれる。作者が、両性の平等を主張するフェミニズムや、性的マイノリティへの差別に反対する現代のジェンダー批評的な感覚をもって物語を創ったことは確かだろう。だが、今では個人や集団の政治的主張の足場として人種、民族、そしてジェンダーといったアイデンティティが重視されるようになるとともに、逆にその人のアイデンティティが問われる機会も増えている。トランスジェンダーをめぐる議論が紛糾しがちなのも、性的アイデンティティに関する考え方が人々の間で一様でないことが一因にある。男女二分法を基本に社会のシステムやサービスがすでに構築され、その分離が正当であり安全をもたらすととらえる層と、その二分法に収まらないジェンダーの人々の立場が齟齬をきたす。前者は後者に対しアイデンティティを明確にしない不審者と恐れ、後者はなぜありのままの自分が受け入れられないのかと抑圧を覚える。現代では、身体と心の性別不適合を手術で適合できる場合もあるわけだが、当人を病気とみなすことへの批判、転換後の性を生まれつきの性と同等あつかいすることの是非、手術をしないままのトランスジェンダーをどのようにとらえるかなど、意見は分かれる。特に風呂、トイレ、スポーツなど身体性が焦点となる場の共用をめぐる話の混迷が著しい。

しかし、『大奥』は、現在のジェンダー批評的な意識をもって、男女の地位の差を中心的モチーフとして創作されながらも、物語全体としては他者のジェンダーのカテゴリーを問い、性的アイデンティティを問うことを主題化する方向には進んでいないように思える。それは、大奥という場がなぜ作られたのか、背景にあった当時のこの国の性意識と関連している。

『大奥』はまず第一巻冒頭で基本設定を説明してから、女性である八代将軍・徳川吉宗と美しい男性たちが集められた大奥の様子を描く。それは華麗な光景であり、女性向けの逆ハーレム的ファンタジーのごとく始まるのだが、やがて吉宗は疑問を覚える。この国では家業を女性が継いでいるのに、自分も含め武家も商家も庄屋もみな男名を名乗っているのはなぜなのか。この国ははじめから女性が家の当主になっていたのか。「表向きの文書だけ見ればまるでこの国には男しかおらぬようじゃ」と考える。そして、三代・家光の時代に大奥というものを作った春日局の指示で書かれてきた「没日録」という門外不出の歴史記録を読むことになるのだ。作中の吉宗の時代に男ばかりの大奥を仕切っていたのは男性だったが、最初の大奥総取締となった春日局は女性であり、彼女は「いずれこの国は滅びる　その行末を見届けよという意味で」記録を「没日録」と名づけたのだという。

第二巻では、男性であるが男色好みだった家光に世継ぎを作らせるため、将軍家の乳母だった春日局が美しい女性ばかりを集め、大奥を設けたと語られる。実際の家光も男色家だったと伝えられるが、

『大奥』で彼は赤面疱瘡に罹患して死んでしまう。春日局は彼の娘を影武者にして男装させ、家光を名乗らせるとともに、大奥を男性ばかりに逆転させる。彼女は、自分が守ろうとする徳川家とは「それは戦のない平和な世の事です」と断言する。その信念のもとに春日局が三代目将軍の身代わりに使ったのは、跡継ぎを作れとのプレッシャーを受ける家光が「わしだって女くらい抱けるぞ!!」と自己証明のために町娘を強姦したことで産まれた娘・千恵なのだ。だが、自分の意志ではなく将軍家光にさせられた娘は男装して暮らすものの、城内で出くわした男に強姦されて激昂し、相手を斬り殺す。「この男とちと遊んでやったのよ　したがこやつ下手糞でつまらぬ上に痛かったゆえ　手討ちにしてやった」と強がるのだ。このことは、将軍の初の性体験でその体を傷つけた相手は、死ななければならないという先例となる。

　女家光は強姦によって妊娠し、産みたくない子を産むが、赤ん坊は息をしていなかった。春日局は、なぜ女家光に強姦による子を産ませたのか。江戸時代にも堕胎は行われていたはずだが、とにかく徳川の血を引く子が必要だと判断したからか、処置に伴う母体の危険性を慮ったためなのか、明確な説明はない。だが、子作りへのプレッシャーと強姦による出産という父と母の経験の両方を娘が反復してしまったかのような悲劇だと読みとれる。以後も男装を続けていた女家光はその経験がトラウマとなり、配下に命じて辻斬りで町娘の長い髪を集めさせたり、大奥の武骨な体つきの男たちに女装させ嘲笑したりする。女でありながら男の名と地位を継がされたわだかまりが、彼女を奇行に走らせるのだ。

　その荒んだ心を癒すのが、万里小路有功《までのこうじありこと》である。公家の三男だった彼は僧職についていたが、美形ゆえに春日局の策略で還俗に追いこまれ、将軍の側室にさせられてしまう。女家光は有功にお万という女名を与え、彼にも女装させる。だが、なお彼の姿は美しく、女家光と有功は、互いに徳川幕府という大きな組織にからめとられ、自分がそうでありたい自分でいられない立場に追いこまれた点で共通することに気づき、愛しあうようになる。だが、二人の間に子はできず、女家光はほかの男に子種を求めざるをえない。春日局の没後、家光は男装を解き、女性将軍であることを明らかにして武家の女子相続も広まる。一方、有功はお万の方として大奥総取締となり、この特殊な領域を仕切っていく。

家光＝千恵、お万＝有功は、この歴史改変SF『大奥』において江戸時代が終わるまで受け継がれていく将軍、大奥総取締という立場のひな型となる。その始まりの原因となった男家光に関しては、世継ぎをなかなか作らないことを周囲がとがめたのであって、男色好みが悪事とされたわけではない。主君が若い部下と契ったり、寺のように女人禁制の空間で男性同士が関係を持つような衆道は当時珍しくなかった。例えば、歌舞伎十八番の一つ『毛抜』では、主人公の武士が男にも女にもふられて観客から笑いをとる場面があるし、その種の「両刀使い」が特異なこととはされていなかった。歴史が改変され男ばかりの聖域になったマンガの大奥でも、同性同士の関係が存在している。『大奥』は男女逆転から始まりつつ、家光＝千恵、お万＝有功の双方が逆の性の名を与えられ、いずれも異性装させられるなど、以後も性差の混交が様々な形で繰り返し登場する。とはいえ、親子相姦や強姦といった虐待・暴力はべつとして、同性愛やバイセクシュアルなどの性的指向が異常視されることはほぼない。したがって性的マイノリティが差別に抗い、自由を獲得するために行動するというような、現代的な主張のしかたにはストレートに結びつかない。江戸時代の性的常識をベースに歴史改変を発想したこのマンガでは、性的アイデンティティの問われかたが、現在とは異なるのだ。

出産の道具化する男女

よしながふみは、同人誌の二次創作を経て商業デビューする過程でまずボーイズ・ラヴから出発したマンガ家である。ボーイズ・ラヴは、社会のなかで男性と非対称的な立場にある女性が、女性である自身をカッコにくくったうえで、性的対象である男性同士をそれぞれ理想化したうえで性的に関係させるファンタジーだととりあえず定義できる。男女逆転で城内に美男が並ぶほか、異性装や同性愛、バイセクシュアル、またブロマンス（brother+romance の造語。男同士の性的ではない親密さ）、シスターフッドなど様々な人間関係が登場する『大奥』も、ジェンダー批評であると同時に性的ファンタジー、人間関係を題材にした娯楽として成立している。徳川の治世下で、吉原など性が売り買いされる場である遊郭を大人の社交場、遊戯場としていわばロマンティックに美化した文楽や歌舞伎は、江戸時代の終焉後もこの国の伝統芸能として尊ばれてきた。そうした文化状況が『大奥』では男女逆転した形で描かれ、女の代わりに男の性を売ることが一般化し、歌舞伎が男だけで演じるものではなく女だけで演じるものになっていると歴史が改変されている。作中でことさら奨励されているわけではないが、同性愛や「両刀使い」だけでなく売春も普通にあることとして描かれ、時に卑しいと非難されることもあるにせよ、さほど罪悪感を伴わず比較的ニュートラルにとらえられている。それが、悲劇的な事件が頻発するわりに『大奥』がどこか大らかさを残している一因でもあるだろう。

ジェンダーをめぐる多様な観点が見出せる『大奥』で、やはり焦点となる問題は、出産だ。赤面疱瘡に脅かされる同作の江戸時代では、子を作り、家を継がせることが徳川家を筆頭とした武家だけでなく、商家、農家でも最優先課題となる。出産を極度に重視する社会が舞台であるのは、『大奥』と『侍女の物語』で共通する。マーガレット・アトウッドは『侍女の物語』において、多くの自然災害や原発事故などによる環境汚染で出生率が大幅に低下したアメリカにおいて宗教国家・ギレアデ共和国が誕生したと設定していた。キリスト教原理主義の政権は、女性から諸権利を剥奪した。そのうえで、支配層である司令官の妻の代理母として、侍女に子を産ませる政策を押し進めたのである。女性たちのうちで出産能力のある者は侍女にさせられ、司令官の妻や、その家で働くマーサと呼ばれる女中役と違う処遇を強いられた。宗教国家は女性たちを身分によって分断し、侍女については子を産ませるための道具あつかいしたのだ。

しかし、その方法は人工授精によるのではなく、宗教による要請として、夫の司令官、妻、侍女が同時にベッドに入って性交する一種の儀式の形をとらなければならない。侍女も妻も屈辱を覚える行為だ。

一方、『大奥』では、幕府の最高位である将軍が無事に妊娠できるように、その身になにかあってはいけないと、夜の寝所までが配下に見張られる。見張り自体は、男将軍であっても行われたことだが、対象が女性であれば意味あいは変わってくる。五代・綱吉は「私は毎夜!! 毎夜そうして添い寝の者に己の夜の営みを聞かれてきたのだぞ!!」、「将軍というのはな 岡場所で体を売る男達よりもっともっと卑しい女の事じゃ」といって涙をこぼす。そんな彼女は、寝所に男二人を呼び、彼らに「私の目の前で睦み合うてみよ」と命じたりもした。自分に歯向かえない立場の者たちに無理難題を強いることで、抱えた苦しみを晴らそうとしたのである。『侍女の物語』でも『大奥』でも、妊娠出産が公的な最優先課題になりすぎたために、本来プライベートな営みであるはずの性行為のありかたが歪んでしまっている。

『侍女の物語』のギレアデには、女性の中で例外的に読み書きを許され、女性たちを指導し侍女を養成する小母と呼ばれる幹部階級が存在した。同作では特に女性の最高指導者リディア小母が、侍女たちの恐怖する敵役となった。また、侍女はもともとの本名を奪われ、「オブフレッド」、「オブグレン」など「of＋男性名」で呼ばれ、彼女たちが男性に所有される立場であることが明示されている。小母という女性のなかの特権階級は、『大奥』において将軍の夜伽相手として集められた者たちを統括し、城内である程度の政治力を持つようになる大奥総取締のポジションと相似している。その人も小母と同じく、同性集団のなかで特権を持つ。また、侍女が男性所有をあらわした名前を使用させられるのは、男女逆転の世になったパラレル・ワールドの江戸時代でも、家督を継ぐにあたって男性名を名乗ることに通じるところがあり、どちらも家父長制が社会の前提になっているのだ。

とはいえ、二作では出生率が低下した国家で妊娠出産が最優先課題となることは共通していても、いろいろ事情に差がある。『侍女の物語』での出生率低下は環境汚染によって引き起こされたらしいものの、詳細は不明だ。出産能力の有無で女性たちが侍女とそれ以外に分断されるが、不妊の原因が男性の側にないと明確に否定されているようでもない。出産に関し代理母を用いるにあたって、司令官、妻、侍女が同じベッドに入る奇妙な性交儀式は、『旧約聖書』の「創世記」において夫ヤコブとの間に子ができなかった妻ラケルが、仕え女のビルハに彼の子を産ませた故事を手本にしたとされる。『侍女の物語』でクーデターを起こし宗教国家ギレアデを成立させた教団は「ヤコブの息子」と名乗っていたのでもあった。侍女を使った同国の少子化対策は、科学的根拠ではなく、宗教的信念（妄念）によって実行される。それに対し『大奥』では、赤面疱瘡という予防法も治療法もない疫病が流行したために若い男性多数が命を落とし、子作りをになうはずの人材が大幅に減ってしまう。江戸時代には身分制が進んだが、武家、商家、農家のどの階層でも家が基本単位となる社会であり、その継承は善と自明視されていた。したがって『大奥』では、『侍女の物語』のような宗教的信念はなくても、家信仰が妊娠出産を最優先課題とする世相を導く。

ただ、『侍女の物語』では産む性である女性ばかりが選別、分断され、抑圧されるのに対し、『大奥』では男女比で前者が大幅に少なくなりバランスが崩れたなかで、双方が子作りのプレッシャーを受けることになる。大奥は一人に大勢の異性がかしづくハーレム状況ではあるが、女性将軍は子を産まなければならず、男はそのための子種を提供しなければならない。人工授精のように本人同士が肉体を接触しないまま妊娠に至る技術が未だない時代である以上、そのためには性行為を伴わなければならない。いわば公的要求の下で性行為がなされるため、快楽よりも義務の側面が強まり、見てほしくない他者の立ち会いも伴ってしまうおぞましさがある点は『大奥』も『侍女の物語』も共通する。たとえ、その関係に愛情が生まれたとしても、長く妊娠しないままならば役立たずと判断されて引き裂かれ、別の人間にとりかえられる点も変わらない。だが、その場合、『侍女の物語』では侍女が交代させられるのに対し、『大奥』では子種のない男から子種のある男への交代だけでなく、将軍の出産能力も、政権を実際に動かし世継ぎ問題も考える幕閣や大奥総取締から問われる。彼らは産めないと判断すれば、一族の分家から適当な後継者を選んで将軍の養子に迎え、徳川の血が絶えぬようにはからう。その意味で、大奥の男たち＝子種とされる一方、将軍＝子を産む腹とみられ、人間あつかいされていない。どちらも出産のための道具なのだ。

なかでも、五代綱吉をめぐるエピソードは象徴的だ。彼女は、一人娘の松姫が幼くして死んでから、代わりの世継ぎを産まなければならないと苦悩する。綱吉を愛し後ろ盾となっている父の桂昌院（三代・家光の側室）が、己の血を引く孫の将軍職継承を切望しており、それに応えたいと望んでいるからだ。だが、次の子は産まれない。原因は、生き物の殺生をしたことだと高僧から告げられた桂昌院の意向により、あの悪法、生類憐みの令が発される。それでも子が産まれぬままの年月が続き、綱吉は涙ながらにもらすのだ。「お可哀想な父上　お若い頃から大奥に閉じ込められ　女の体の事など何も知らずに…ははははは」、「月のものなど　もうとうに来ておらぬわ」と。父の願いをかなえようと子作りにはげみ続けるうちに彼女は、老いていた。主君・浅野内匠頭の仇として吉良上野介宅に討入った赤穂浪士たち（この時代に珍しい男の集団とされる）に、綱吉は側用人の柳沢吉保とともに打首ではなく切腹を命ずる裁定を下す。治安の重視と彼らの武士としての体面を勘案した判断である。だが、江戸庶民は、生類憐みの令を出したくせに貴重な子種を持つ四十名以上を一度に殺した綱吉に反感を抱く。世継ぎを産めぬ老婆なのに大奥へ子種を集め、夜な夜な若い男をくわえこんでいると憎悪の的になる。

　庶民の間では家を存続するため女は、夫から得られないならば外に子種を求める状況になっていた。吉原のような遊郭も、快楽を目的とする以上に子種の供給地的な性格を強めている。そうした男性の位置づけを極端な形で体現したのが、勝田左京（後の月光院）である。彼は早くから母の近親相姦の相手をさせられて育ち、子どもを二人もうけていた。美形の彼は、自分にいい寄る女たちについて「俺の事をただの魔羅だとしか思ってねえ女ども」と蔑んだ。左京は、街で袋叩きになったところを救ってくれた間部《まなべ》詮房《あきふさ》に好意を持つが、彼女が自分を六代・家宣の側室にする考えであるのを知って思う。

生まれて初めて惚れた女は　誰よりも俺を本当にただの魔羅としか思ってねえお方だったたって訳だ　いっそすがすがしい程にな

綱吉のように子を産めぬことに苦しむ将軍がいる一方、女性優位になった世のなかで実権を握りたい母・治済によってお飾りの将軍にされた息子の十一代・家斉は、再び女ばかりになった大奥で五十五人もの子を産ませ、幕府の財政を圧迫する。サイコパスの治済は気に入らない孫を間引くが、なお多いのだ。そのため、子沢山を防ごうと以後の将軍には女性が望まれるようになる。徳川家は出産を重視するが、結果をコントロールできず、悲喜劇を招くのだ。

歴史改変で歴史踏襲の物語

『大奥』では、江戸時代の疱瘡の流行を赤面疱瘡という架空の疫病に置き換えることで、男女の地位が逆転する歴史改変SFを成立させている。だが、先に触れた生類憐みの令、赤穂浪士の討入りなど、当事者の性別や経緯を変更しつつも、実際の正史にあった主要事項はこのパラレル・ワールドでも起きる。鎖国、江島生島事件、八代吉宗による享保の改革、田沼意次の重商主義政策、黒船来航、日米修好通商条約、公武合体策、大政奉還など、徳川幕府のもとであった有名な出来事が盛りこまれている。そのためか、男女逆転の設定のSFであるにもかかわらず、単行本十四巻の帯には「受験の新・入門書　江戸の歴史は『大奥』でわかる!」と冗談のようなフレーズが書かれていた。作中の「没日録」に記録されたことになっている『大奥』の物語は、歴史改変SFでありながら、意図的に『徳川実紀』、『続徳川実紀』のような正史をなぞった、歴史踏襲SFになっているのだ。それは、男女の地位が逆転しても、すでにできあがった社会の維持が比較的スムースに進んだことを意味してもいる。『大奥』第一巻の冒頭では、六代・家宣が女性であることが大きなコマで示されると同時に次の説明が付されていた。

三代家光以降　将軍職もまた女子の継ぐ所となる
もとより官僚化していた武家社会では　男女の役割の交替は比較的容易であった

官僚化社会では部分である個が入れ替わっても、全体は維持できるようにシステム化されているという状況認識から物語は出発するのだ。この認識は、黒船来航以降の開国か攘夷かで政治が揺れ、幕府と朝廷が接近する物語後半の幕末にも続いている。第十七巻では男性である孝明帝が、対面した女性の十四代・家茂にいう。

帝や将軍や言うても　私もそなたも朝廷と幕府という大きな大きな仕掛けの中のひとつの歯車に過ぎぬのや　何ひとつ己の思い通りには事が運ばぬ…

同作では、歴代の将軍、帝、あるいは家の当主が、名目上は組織の最高位にあっても実権を持てるとは限らず、後見人である親や目端の利く配下に政を仕切られることがあると示す。幕閣に政を任せきりで「左様せい」とばかりいっていたために「左様せい様」とあだ名される四代・家綱など典型的だ。将軍と側用人のような身近な部下、大奥総取締、親族などの愛憎入り混じった関係が城の内外の政治を動かす光景が、繰り返し描かれる。システムのなかで歯車にすぎない個々人は軽視されるが、彼らは無機的な道具になりきれない。恋愛や怨恨の感情を消せないのだ。その軋みが、ドラマを生む。

大奥を作り、女でも男でも子さえ産まれれば世継ぎとする体制をとった徳川家でも、子が産まれなかったり早死にしたりしたゆえに分家から養子をもらうことがしばしば行われる。また、徳川家に限らず武家や商人の名家などでは、婚姻や養子縁組に関して、双方の家格のバランスが重視された。この物語でも正史でも、薩摩藩主の娘だった茂姫がいったん公家の近衛家の養子になり、家格を上げてから十一代・家斉に嫁いだ例など、そのあらわれである。ただ、『大奥』で特徴的なのは、男系継承についてシニカルな見方を示す点だ。八代・吉宗は「女系ならばその当主が産むのだからその子は間違いなく当主の子だ」が、当主が男なら相手の女の「産んだ子がその男の真の子であるとどうして断言できる?」と疑問を呈する。「家の当主は女である方が道理が通っているように思われるぞ」といっていた彼女は、多くの男と交わり、懐妊した際には誰が本当の親かなどと考えず、側室にふさわしい人柄かどうかで子の父を決めるのだ。現在でも、天皇の皇位継承問題に関しては、未だに男系維持の主張が根強い。だが、DNA鑑定などがなかった遠い過去にさかのぼれば、家の継承において男系にこだわることにどこまで妥当性があるのか、吉宗に関する先の挿話は、皮肉な思いがするものになっている。また、将軍家以外に目をむければ、庶民の間ではそれこそ花街で男を買うような、女性の当主が子種さえ得られれば相手の家格など問わない世相になっていた。男性の頭数の不足が、そうさせたのだ。

赤面疱瘡の流行による男性の減少は、この国の価値観をそのように変えたが、男女の立場が単純に逆転したわけではない。もともと変化の原因が恐ろしい感染病だったため、常に死の危険にさらされている男性は家で大切にされ、子作り以外なにもしないに近い状態になった。男性に代わって女性が仕事を引き受けるだけでなく、家事も担い続けたのだ。そのぶん、従来の男以上の発言力を手にしたともいえる。男性が仕事に就いても、すでに女性ばかりになった職場では「月のものの話がしにくい」などと男性が輪のなかに入ることを忌避された。また、女家光は、夜伽にやってきた男に「お前が私を抱くのではない　私が抱くのだ」と高圧的な態度に出る。実権を握る母の治済が息子の家斉をただの種馬としか考えず、彼が政にかかわろうとすると男が意見をいうなと厳しく叱りつけるくだりもある。「そもそも男など女がいなければこの世に生まれ出でる事もできないではないか!!」と怒鳴り家斉を萎縮させる治済は、誰に対しても情がないサイコパスと設定されているため極端な言動になってはいる。とはいえ、女性側の男性軽視は、『大奥』の徳川治世の中頃にはすっかり広まっていたのだ。

すでに触れた赤穂浪士の討入りに関し同作では、浅野内匠頭は少なくなっていた男性大名でそのうえ美しかったのに対し、仇の吉良上野介は醜い老婆、討入った浪士たちは大石内蔵助をはじめ男性だった。女性が大半を占める世論は、赤穂の男性陣に同情的で歌舞伎を楽しむように彼らを英雄視する。今でいうルッキズムと希少な男性たちへの判官びいきが、世論に影響したのだ。討ちとられる間際、吉良は「内匠頭やこの大石がもし女であったなら決してこのような事には…」ともらしたが、五代・綱吉も浅野が殿中で吉良相手に起こした刃傷沙汰や浪士の討入りは、男性であるゆえに起きたと考える。そのため、以後は武家の男子相続を認めてはならないと命じ、「遠き戦国の血なまぐさい気風を男と共に政から消し去ってしまえ!!」といい放つ。それ以前の四代・家綱の時代にも、将軍や大名をはじめ武家における女性との地位逆転に不満を持つ男性たちが、由比正雪の乱で蜂起を試みて失敗し、むしろ逆転が加速した経緯があった。綱吉が決めた女子相続の徹底は、その流れを駄目押ししたのである。

しかし、治済が操れる手駒として将軍にした息子の十一代・家斉は、五十五人もの子をなした。大人になる以前に複数が死んだとはいえ、世継ぎ以外は将軍家と釣りあう他家と相当額を費やして婚姻させねばならず、幕府の財政を悪化させた。ゆえに女性将軍待望論を招く。一方、その頃には熊痘による赤面疱瘡の予防法が見出され、男性人口が回復し男性による相続も広がる。並行して、無能といわれた男性の十二代・家慶を経て、十三代・家定、十四代・家茂と女性将軍が二代続く。徳川家の継承状況とは裏腹に、国内で男女逆転からのバックラッシュが起きるだけでなく、黒船来航で諸外国とどう対峙するかが問われ始める転換期だ。かつては女のいうことだった「誰の稼ぎで暮らしていけると思ってるんだ」が、男の言葉になる。作中にはナレーション的に「もちろん仕事を男達に任せるという事は女達が持っていた経済力を男達に引き渡すという事だ」という文章も入る。

妊娠出産をめぐる精神的負荷、政治、労働、性の快楽など、男女の逆転と再逆転の過程でこの大河マンガは、様々な場面での差別や両性の不均衡を描いていく。それは、現在ある差別や不均衡を逆転の設定で異化してデフォルメし、問題の存在を読む前よりも強く意識させるように働いている。

新たな家族観

実際の正史を踏襲した『大奥』でも、江戸幕府は鎖国を行う。だが、男女逆転の設定の導入に伴い、作中では独自の意味づけが加えられている。春日局は、赤面疱瘡の流行で男家光が死んだ際、徳川家の血の継承を最優先に考え、彼の落し胤である千恵を男装させ将軍の振りをさせる。それにより内政の安定を図ったのだ。一方、国外に対しては、男子が減少した窮状に異国からつけこまれるのを避けるため、キリシタン排除と幕府による海外交易独占を表向きの理由に掲げ、ヨーロッパの国ではオランダに限り長崎の出島への寄港を許すという、鎖国政策をとった。オランダ商館長と将軍の謁見では男性であると偽装し、出島には男性と男装した女性しか出入りさせないなど、自国の男性減少を海外に隠したのだ。女家光が男装を解き、国内で本来の姿を現すのは、鎖国が完成した後である。鎖国について彼女は、印象的な言葉を残している。

我が国自体がまるでこの大奥のように籠の中に入れられ外の世界からは見えぬようになると言う訳だ

『大奥』は、そのように江戸城の大奥と鎖国した日本という相似した二つの籠が完成する時代から、政治情勢の変化でどちらも幕末に閉鎖がこじ開けられるまでを語っていく。

二つの籠という見立ては、アトウッド『侍女の物語』にもあてはまるものだろう。日本の対米貿易黒字がアメリカに問題視され経済摩擦が起きていた一九八五年に発表された同作には、ギレアデを訪れた日本人観光客が、赤いケープを纏い、顔の周りを翼のごとき白い布で覆った侍女に興味を持ち、写真を撮ろうとする場面があった。だが、彼らは外部からの見物客として侍女を異国の名物あつかいして面白がっても、移住して自分も同じ生活をしたいとは思わないだろう。それは、現在の日本人が、怖いもの見たさで北朝鮮のような独裁国家へ旅するようなものである。ドナルド・トランプ前アメリカ大統領は、メキシコからの移民流入に反対し、国境に壁を築くと主張して当選した。彼を含め妊娠中絶に反対し、出産に関する女性の自己決定権を認めない以前からの共和党的価値観が暴走したディストピアとして小説『侍女の物語』は書かれた。同作は、トランプが政権の座についた二〇一〇年代に再注目され、Ｈｕｌｕでドラマ化されたのだ（『ハンドメイズ・テイル／侍女の物語』。二〇一七年から）。小説では、宗教国家ギレアデの侍女であるオブフレッドが抵抗組織メーデーの助けを得て、隣国カナダへ脱出しようとする。侍女は、秘密警察の監視に脅えているという意味で、籠の鳥である。トランプの夢想とは反対にギレアデは、外からの流入を防ぐのではなく、内からの侍女の脱出を阻む壁のような組織を築いたのだ。侍女という立場は籠のなかであり、それを囲う国家も大きな籠である。

一方、アトウッドは『侍女の物語』への再注目を踏まえ、同作の十五年後を舞台にした続編『誓願』を二〇一九年に刊行した。前作で侍女を教育監督する機関の最高指導者として恐怖をもたらす敵役だったリディア小母が、実は国家への抵抗の意志を秘めていたという設定だ。『誓願』は、リディアと、ある司令官の娘、実は侍女の子だがカナダの養親に育てられた娘の三人の視点から語られる。同作では国家権力の内側にいるリディアとカナダにいる抵抗組織が連携し、ギレアデを崩壊へ導く。リディアはかつて判事だったが、ギレアデ樹立の際、他の女性とともに捕らえられ、過酷な監禁生活を過ごした。新たな宗教国家は、侍女を教育監督する役割をリディアなど選ばれた女性に与え、女性に女性を管理させる体制をしいた。彼女は死を免れ生き残るために役目を引き受け、反逆の機会をうかがっていたのだ。この設定は、将軍の子作りの相手として大奥入りを強いられた人物が、生き残るためにその場でできる精一杯のことをするうち政治に関与し始めるという、『大奥』で繰り返される展開と近い。外国とのやりとりが政権を揺るがすことも、二作で共通する。自国を特定の価値観に染めても、違う価値観の国との接触を絶てなければ、それは危うくなる可能性がある。ただ、『誓願』で抵抗組織が国内外で連携したのとは異なり、『大奥』では連携ではなく外圧にどう対処するか、どう利用するかが、焦点となっていく。

幕末にむかう過程では先に述べた通り、男女逆転の設定を用いて両性の社会的地位の差異を批評的に描いている。男が希少な存在になったとはいえ、女から選ばれるには美的であるほうが有利なため、自身の毛深さを恥じる者が懸命に剃ったりする滑稽な場面もある。興味深いのは、物語が進むなかで人間の多様性を肯定する考えかたが前面にせり出すのと並行して、逆転した男女の地位をもとに戻そうとする力も強まることだ。

十代・家治の時代に赤面疱瘡の予防法が、発見される。それは当時の政治を動かしていた老中・田沼意次のバックアップや蘭学者・杉田玄白などの協力もあってのことだが、特に活躍するのは長崎生まれでオランダ語と蘭方医学に通じた青沼と多才な変わり者・平賀源内だ。青沼はオランダ人と遊女の間に生まれた男性であり、混血児として差別されてきた。一方、平賀源内は正史でも同性愛者だったとされるが、『大奥』では男装した女性であり、女性の歌舞伎役者と同棲するレズビアンである。彼女は、それまでの学者がたいてい男性であり、幕府が女人に蘭学を禁じていた時世に男装して学問を習得していた。だが、蘭学を背景とした予防法開発をよしとしない一派の策動があり、人痘接種の副反応で死者を出した青沼は死罪にされ、源内も男たちの暴行で梅毒に侵され死に至る。彼らを追いつめた側には、邪魔者を消す目的意識だけでなく差別感情が混じっていたが、作者は二人の存在を肯定的に描写している。

いったん挫折した赤面疱瘡の予防法研究は、青沼や源内などの努力を受け継いだ者たちによって熊痘として実用化され、十一代・家斉の強引な接種政策で男性人口が回復し、男子相続も広がる。そのように転換期を迎え黒船来航後の攘夷か開国か難しい判断を迫られる状況で、久しぶりに男性が大部分となった幕閣のなかで逆に希少となった女性の老中としてセクハラも受けながら、十代・家治以来の女性将軍となった十三代・家定を支えたのが、阿部正弘だった。彼女は「この小さな国の事　女性からも優れた者を登用したいが今それを行えば　攘夷論者から時代遅れと反発を買うのは必定」と思う。主君の家定もそうした考えに共感し「身分にかかわらずこの国を動かすのにふさわしい有為な人物にこそ重要な役目を与えるべきだと私も思う」ともらす。同時にその延長線上で「徳川の血をひく者だけが治めている事自体　不合理な事ではないか」と思い至ってしまうのだ。

　男女逆転からの急速なバックラッシュが進んだ理由は、直接的には赤面疱瘡への対処法が見出され男性人口が回復したからだ。同時に権力を女性が握っている時代にも彼女たちは男性名を名乗り、過去には男性がその地位にあったことが察せられたからでもある。伝統的な男女の役割に戻るべしとする保守主義の主張で、男性たちは政治的復権を正当化したのだ。鎖国の真の理由が、男性減少を外国に隠すためと知っていたのは、従来は真の歴史を綴った「没日録」を読んだ吉宗など、一部に限られていた。だが、外国船が頻繁に現れるようになり、海外との接触もあった薩摩藩などは、女王が即位した英国などは例外として西欧の国のトップはほとんど男性であり、しかも女性が将軍職に就いてきた日本より文明が進んでいるととらえる。彼らは女性政権を恥と感じ、外国と対峙するためには男性政権でなければならないと考える。これに対し、幕府の中枢にいた女性は、同性がこれまで政治をになうことで、黒船来航までおおむね平和が保たれてきたととらえる。また、家定などは、アメリカでは国の主を民の選挙で決めているとの知識も得て、身分や血筋にこだわるべきではないと革新《リベラル》的な思考が芽生えている。保守的な男性と革新的な女性では、同じ西欧を参照しても別の意味を引き出しているのだ。それと同様の認識のズレは現代でもみられるものではないだろうか。

『大奥』における多様性の肯定は、ジェンダー、セクシュアリティ、人種、身分だけでなく、心身の障害についても描いたものになっている。九代将軍については、長女であるものの容貌がパッとしないうえ、話すことと体が不自由な家重よりも、聡明な妹に継がせようという意見が多かった。だが、母である八代・吉宗は、家重は喋りは拙くても杜甫の五言絶句を暗唱するなど、見かけほど馬鹿ではないと見抜き次の将軍にすえる。結局、吉宗が背後で実権を握り続ける一方、九代・家重は重責を果たせず酒色に溺れ、無能とみなされた。だが、母は、田沼意次を重用した長女が有していた将軍としての可能性を理解していたといえる。

物語終盤で大きな役割を果たすのは、十四代・家茂と夫婦となる和宮だ。作中の家茂は最後の女性将軍なので当然、幕府と朝廷の融和をはかる公武合体策で婚姻相手に選ばれたのは帝の弟だった。だが、実際に江戸へやってきたのは男装した帝の姉だったため、波乱の展開となっていく。左手の先を欠いて生まれた姉・親子は周囲から隠されて育ち、母が足に障害のある弟・和宮ばかり溺愛するのに嫉妬した。だが、弟は、家茂との婚姻が決まったものの江戸行きを嫌がり半狂乱となる。それに対し姉は、弟を出家させて逃し、自分が男装して和宮となる計画を母に認めさせる。いったん婚姻してしまえば、恥になるため相手の性別が逆だったとは幕府は明かせないだろうし、姉には危険な務めの助力者として母に男装してつき添ってもらい、それまで得られなかった親の愛を独占したい思いもあった。以後は和宮として生き続けた姉は、家茂に憎まれることなく逆にシスターフッドの強い絆で結ばれる一方、弟に執着し心を病んだ母を彼と再会させるため江戸城から退かせてやることになる。

先代・家定は、男女も身分も問わない登用をよしとする先進的な見方を持っていたが、和宮と性的関係抜きで女性同士の結びつきを深めた家茂はさらにラディカルな思考を示す。女同士では子を作れないが、この夫婦で養子を迎えればいいと和宮に提案するのだ。

もしこれからは新しい時代の日本になると申すのなら　何も将軍が必ず血の繋がった我が子に跡を継がせずとも良いであろうし　まことに信頼に足る人物ならば夫婦でなくても　二人で人の子の親になっても良いではありませぬか！

一方、和宮は、徳川の跡継ぎが必要ならば、内政と外交の両面で重い負担がのしかかっている家茂の代わりに、自分が誰かと子を作ってもいいと考える。本当の親子の愛に恵まれなかった和宮と家茂の出会いは、擬似夫婦関係で育んだ新たな愛を新たな家族形態へ拡大する方向で夢想されるのだ。彼女たちの思考は、同性愛者間の結婚や、彼らが体外受精などなんらかの手段でどちらかの血を引く子を作ったり養子を迎えるという、現在是非が分かれている新たな家族観を幕末時点で先どりした形になっている。男女それぞれを子作りのための道具としてあつかってきた大奥という場は、紆余曲折の長い年月を経て、女性同士の将軍と正室がラディカルな家族観を吐露する場に変容していた。この逆転劇が、『大奥』という大河ロマンの面白さだ。

置き換え可能な男女

しかし、『大奥』で幕末の時代全体は、男女逆転以前の男性優位だった過去の価値観へ戻っていく。家茂の病死で十五代将軍となった男性の慶喜は、それ以前から英明といわれていた。だが、帝を味方につけ倒幕の動きを強める薩長を中心とした勢力に対し、慶喜は有効な政策をとれない。江戸を総攻撃しようとする討幕軍と犠牲を出したくない幕府側をそれぞれ代表し、西郷隆盛と勝海舟が会談し江戸無血開城に進んだのは歴史上有名な話だ。『大奥』では、その男性同士の交渉に女性である和宮が同席した設定になっている。「女に作られた恥ずべき歴史を無かった事にするためには徳川を徹底的に潰さななならんのです‼」といいつのる西郷に対し、和宮は、徳川家を潰そうとする新政府側の岩倉具視が自分を女性と承知のうえ江戸へ送り出したことを告げる。江戸で戦をするなら、岩倉と西郷の属する薩摩藩が先帝を弑したことを記した文書の内容を公表すると詰め寄るのだ。それによって西郷も態度を変える。

先に触れた通り、新たな家族観を夢想した家茂と和宮ではあったが、和宮は生前の家茂から「どうか私と共にこの国と徳川家を守ってはいただけませぬでしょうか？」と頼まれていたのだった。外国の脅威が高まっていただけでなく国内では、徳川家を潰そうとするようなことがあれば、幕府側の武家たちは徹底抗戦に傾き、より多くの血が流れかねない。それを回避するため、新たな家族観が芽生えていながらも、二人は家を守ろうとする保守的態度をとらざるをえなかった。そこには皮肉なねじれがあった。交渉カードを切ってきた和宮に対し、西郷は結局、女性が将軍職に就いてきた歴史を抹消することを条件に慶喜を生かすとし、江戸無血開城への道がひらかれる。その場に男装で居合わせた和宮に対し西郷は、皇子ではなく皇女なのだから結婚相手の家茂は男子でなければおかしい、公文書に記された歴代将軍はみな男名だ、したがって歴史を修正できると判断したらしい。その後、真実の歴史を記した「没日録」をはじめ、江戸城にあった男女逆転の痕跡はすべて焼却される。

こうして男女逆転の証拠は失われ、江戸時代の真実は忘れられて男性優位に戻り、憲法を作り近代国家の体裁を整えた明治時代からの延長である今を生きているのが、読者の私たちということになる。『大奥』は、そのように架空の歴史を現実の歴史に接続して物語を締めくくっていた。歴史が書き換えられたために忘れられていた近現代の前史の真実が、同作に語られていたという趣向なのだ。『大奥』では通常の疱瘡ではない赤面疱瘡によって、男女の社会的地位の逆転が引き起こされるSF的設定で歴史を改変した。そうでありながら、各時代の目立つ出来事をアレンジした形ではあるけれどもとりこみ、歴史を踏襲した。女性が家の当主になって男性名を名乗り続けた。ラストに至ってそうしたことがらが、歴史改変でありながら歴史踏襲でありうる二重性によって、歴史の現在への連続を成立させるための仕掛けだったと気づかされる。

作者のよしながは、写真が残っている実在の人物は、その性別にしたと語っていた。皇女が男装して皇子の身代わりとなり、女性将軍の婚姻相手になる。彼女は、江戸無血開城が決まった後、本来の女装姿をみせる。『大奥』のこのトリッキーな設定と展開は、和宮の写真が残っていることとの整合性を踏まえたものだ。勝海舟が子どもの頃、犬に陰嚢を噛まれてひどい怪我を負ったことはよく知られており、ジェンダーを主題とした作品であれば話をアレンジして用いてもよさそうなものだが、同作では触れず、普通の男性として描いている。それも勝の写真や記録が多く残っていることを勘案してのことだろう。逆に今、正史として一般的に流通している出来事の記録と大きな齟齬をきたさない範囲で、作者は男性を女性に置き換えることをはじめ、数多くの改変を行っている。そうしても従来通りの江戸時代の流れを語れる。つまり、女性が政治のトップについても問題はなかったではないかと暗に示しているのだ。

女性を多く将軍にしてきた徳川の歴史は恥であり、それを西欧列強に知られれば未開の蛮族だと蔑まれると、西郷は主張した。彼は「別に　おいは女より男が偉いと言うちょる訳じゃなか!!　ただ男には男の　女には女の役割があるはずじゃ!!　女には政はできん!!」といい放つ。最後のセリフを除けば、現代の保守政治家の男女も、フェミニズムを批判する際によく持ち出すタイプの論理だろう。なるほど、『大奥』に登場する女性将軍が、みな優れた人物だったわけではない。だが、政治に興味がなかったり、無能と呼ばれた女性将軍が混じっていても、男性将軍ばかりだった正史と同程度の政治は行われていた。男女が逆転して悪い理由は特にないと、正史とよく似たもう一つの歴史自体が語っていたのだ。二つの歴史の差異の小ささを知る読者からすると、西郷による男性の理想化は滑稽に感じられる。江戸無血開城のため、西郷のいう歴史抹消の条件を受け入れた和宮はいっていた。

この江戸という町の栄えは　その女将軍の政の元にご城下の女達が二百年もの間　営々と築き上げ　守りぬいてきたものやないのかえ?

また、新しい政治を目指す勢力がみな、西郷と同様に女性による歴史を恥ととらえたわけではない。作中には坂本龍馬がいっていた言葉を勝海舟が思い出す場面がある。

いや徳川の何が面白いって二百年以上女達が政を仕切ってそれなりに上手く国がまわっちょったという事ですわ!

政に男も女もみんないっしょに力を合わせて参加するゆうのは実は時代遅れじゃのうて　欧州よりはるかに進んじゅうゆうって事がやないじゃろうか⁉

ここには、西郷がこの国より進んでいると思う西欧より江戸時代は進んでいたという、ある種の歴史の転倒がある。赤面疱瘡で男性が減り、徳川の血を引く女性を将軍職にすえる策を講じた春日局は、「このままではこの国はおそらくもうすぐ滅びる」と未来を危ぶみ、真実の歴史を綴らせる日記を「没日録」と名づけた。しかし、赤面疱瘡の危機が去ったためでもあるが、「没日」と題するような悲観や否定的感情ではなく、家茂や和宮、龍馬のように女性が政治をになった歴史をむしろ積極的に評価する人物もいたのだった。

多様性を夢想した和宮たちが男性優位を当然とする西郷たちに敗れる形で時代は転換する。だが、『大奥』の最後には小さな希望が描かれている。明治になり断髪した男性たちが乗りこんだアメリカ行きの船のなかに、瀧山もいる。彼は最後の大奥総取締であり、十三代・家定、十四代・家茂に仕え、西郷と勝の会談の際、和宮に同行していた人物でもある。船上で瀧山は、わずか六歳でアメリカへ留学する梅という少女と出会う。彼女は、自分は女であり、留学は「お国のために働く偉い方達の妻になってその方達をお助けするためだって…」と姉たちにいわれたという。だが、瀧山は梅に「国を動かす人物になるのはあなた達ご自身でございます！」と語り、「この国はかつて代々女が将軍の座に就いていたのでございますよ…」とこっそり教えてやるのだ。梅とは日本の近代における女子教育の先駆けである津田梅子のことだろうし、彼女が家茂や和宮の思いを受け継ぐと暗示して、この長大なマンガは終わるのだ。終盤における西郷隆盛と津田梅子の対比は、絶妙だ。明治時代に入ってからの西郷の歩みに作中で触れていないが、読者は彼のその後を知っている。新政権で征韓論を唱えて非主流派となり、士族の反乱だった西南戦争で敗れ自刃した。江戸総攻撃計画の先頭にいた彼は、作中で男性優位主義《マッチョ》を代表するキャラクターだったが、その思想体質が自身を死に追いやったように思える生涯だった。

『侍女の物語』の場合、主人公の侍女オブフレッドは、ギレアデからカナダへ脱出するのが希望だった。だが、鎖国と大奥という二重の籠のなかにいた『大奥』の主要人物たちは、脱出という選択肢を考えることはあまりなく、自分が縛られたその場でいかに生き抜くか、できるならばその場を少しでも善きものにするという思考で行動したのである。瀧山や梅のように内と外の往還が可能になるのは、二重の籠が解体されて以後のことだ。

この章の最初の節で述べた通り、女性が出産の道具にされる『侍女の物語』、女性が特殊能力を発現して権力を握る『パワー』では、男女の地位の変化を語った近未来の本編と、遠未来からその歴史をふり返るエピローグからなっていた。『侍女の物語』の続編『誓願』も同様の構成をとっており、地位逆転という意味では猿が人間の座を奪った映画『猿の惑星』でも遠未来から近未来をふり返る部分があった。それらでは、過去の出来事の隠蔽、捏造、忘却が語られ、かつての悲劇が未来で嘲弄的に言及されるといった形で、歴史というものの残酷さが描かれていたのである。また、『侍女の物語』と『誓願』の宗教独裁国家は、世界の始まりを語った『旧約聖書』を成立根拠としており、『パワー』や『眠れる美女たち』は「創世記」に語られた最初の女性イヴを意識したキャラクターを登場させていた。それらの作品には、新しいイヴを登場させることで「創世記」の始原から続いてきた男女の歴史を書き換えようとする意識がうかがえることもすでに指摘している。『猿の惑星』にも、現代から猿の惑星に到着した主人公男性が、現地にいた人間の女性をイヴと名づけるエピソードがあった。

それらの作品が、近未来や遠未来を舞台とし、始原といえる過去を意識して作られていたのに対し、『大奥』はもっと近い過去（近世）を舞台として、ありえたかもしれないもう一つの歴史が現実の近代に、そして私たちのいる現代に接続していると語っている。より近く、リアリティが感じられる物語になっているのだ。『大奥』が創作された二〇〇四年―二〇二一年は、日本の過去の戦争に関して中国、韓国をめぐる歴史修正主義が目立つようになり、公文書偽造が問題になる一方、ポスト・トゥルース、オルタナ・ファクトなる概念もポピュラーなものになった時期だった。「没日録」焼却をはじめとした歴史隠蔽という設定は、現実における公文書の破棄や改竄の風刺であるようにも、政治に多様性のある過去がありえたのだから現在も変わりうるという可能性の称揚のようにも読める。瀧山が梅に希望を託すラストも両義的だ。作中の明治においては、維新で革新的思考は敗れたが、まだ未来に希望はあると前向きな終わりかたである。だが、その未来にいる私たちが革新的思考の側に立つならば、「没日録」に綴られた江戸時代に比べれば、多様性から退歩した現在に失望するしかない。『大奥』は、そのように今の足元を震わせる物語なのだ。

Chapter 5　身体／生命　Body/Life

1　独裁者としての子ども――『トイ・ストーリー』シリーズ

オモチャのディストピア

ディズニーとピクサーの共同制作による『トイ・ストーリー』シリーズは、オモチャのキャラクター自らが、人間が見ていないところで喋り、動いて冒険するアニメとして有名だ。子どもと童心を忘れない大人を対象としたファミリー向けの内容の同シリーズを、ディストピアをテーマとする本書でとりあげるのは場違いと思う人がいるかもしれない。しかし、実際に作品に触れた人であれば、長編映画としてはこれまで四作が発表された同シリーズが、ホラー的な描写やディストピア的な要素を意外に多く含むことを知っているだろう。作中のオモチャたちは、喋ったり動いたりできるものの、人間の見ているところではその能力を発揮することはできず、人間のなすがままになるしかないというルールに縛られる。彼らの主人である子どもは、気まぐれで飽きやすく忘れっぽい。自分より小さい人形を猫かわいがりする子もいれば、乱暴にあつかう子もいる。大人に関しては、親がオモチャを邪魔に感じたり無関心な態度をとったりする一方、希少価値や売り値の面で興味を寄せる商売人もいるのだ。そうした人間たちの行動で危機に追いこまれたオモチャたちが、生き延びるため協力し奮闘するのが、『トイ・ストーリー』作品の基本パターンである。自らの生殺与奪権を人間に握られた彼らの描写は、必然的にある種の囚人のようになり、ディストピア的要素を呼びこむ。オモチャたちを所有する子どもは、意図せず無邪気に独裁者になる。

シリーズの主人公となるのは、アンディという子どものお気に入りのカウボーイ人形ウッディだ。第一作『トイ・ストーリー』（一九九五年）では、オモチャたちのリーダー格であるウッディと新たにアンディのモノになったスペース・レンジャー人形バズ・ライトイヤーが、隣家に住む少年シドに連れ去られ、恐怖の体験をする。シドは様々なオモチャを好き勝手に解体して組みあわせ、カニ型の体＋赤ん坊の頭部、後ろ脚が車輪のカエル、釣竿＋人形の足など、奇怪な姿のミュータント・トイズを数多く作っていた。バズはシドの手で背中にロケット花火を括りつけられ、打ち上げられそうになる。この悪ガキをめぐるシーンは、人体実験を題材にしたホラーに近い。『トイ・ストーリー2』（一九九九年）では、マニアが欲しがるプレミアム人形になっていたウッディを玩具量販店経営者が誘拐し、関連する人形と一緒に日本の博物館へ売ろうとする。『トイ・ストーリー3』（二〇一〇年）では、アンディのオモチャたちが段ボールに入れられて託児所へ送られる。彼らは、年少の乱暴な子どもたちのひどい仕打ちにあうだけでなく、現地のオモチャたちのボスであるクマのぬいぐるみの支配で虐げられるのだ。一連のエピソードは、人身売買、強制収容所などを連想させる。オモチャのキャラクターたちは作中で擬人化され、人格がある存在となっているため、売買したり解体したりすることが尊厳を奪う行為に感じられるのだ。

自ら喋り動く力があるにもかかわらず、人間の前では無力で受動的であるしかない彼らは、権力者の監視、管理に異議申し立てできない被支配階級と同様である。『トイ・ストーリー』シリーズにおけるオモチャの行動の動機では、人間にどんな風にあつかわれるかわからないという恐怖心の占める割合が大きい。ただ、セリフもしぐさも全体的にコミカルに描かれているうえ、オモチャの幸福とは子どもに遊んでもらうことだという前提が作中で強く打ち出されているため、受動的な被支配の立場をあまり悲惨に感じさせないようにはなっている。人間とオモチャは非対称であって同等の立場にはなりえないが、持ち主である子どもの愛情と、オモチャ同士の友情によって彼らは幸福を得られるという世界観なのだ。ただ、オモチャにとっての大問題が、人間から愛されるかどうかであるにしても、オモチャは思っていることを人間相手には話せない。そこにセリフ劇は成立しない。したがって、物語としては対人間よりも、人間との関係をめぐるオモチャ同士のやりとりの方が焦点化される。それは、権力者からの優遇を得て支配と被支配を媒介する中間的な立場へと成り上がりたいため、囚人同士で軋轢が起きるという、収容所もののパターンを踏襲しているようにも思える。

そもそもシリーズの第一作が、オモチャたちのなかで持ち主アンディの一番のお気に入りだった主人公ウッディが、新入りのバズにその座を奪われるのではないかと嫉妬するところから始まっていた。カウボーイのウッディとスペース・レンジャーのバズは、設定からして前者が西部劇の過去、後者がSF的な未来を象徴しているだけではない。体に最新のしかけが施されたバズは、新奇性でアンディの興味をひきつけるだけでなく、ほかのオモチャたちの気も引く。面白く思わないウッディが、ライバル視するバズにいたずらをすると、アクシデントから相手は窓の外に転落してしまう。ほかのオモチャたちはわざとやったのだと思いこんでウッディを責め、彼のリーダー的な立場が揺らぐ。その後は、悪ガキのシドに捕まったウッディとバズが協力して苦難に立ちむかうことで二人の関係が変化する。ストーリーは、性格が異なる者同士が組み、互いの反感がやがて友情へ変わるバディものの典型的な展開を意識して作られている。
デイヴィッド・A・プライス『メイキング・オブ・ピクサー　創造力をつくった人々』（二〇〇八年）によると、ジョン・ラセター監督など映画のスタッフは、製作前に『48時間』（一九八二年）、『手錠のままの脱獄』（一九五八年）といったバディ映画の上映会を開いたという。この種の作品は敵対から友愛への関係性の変化に伴い、相互のキャラクターの性格が掘り下げられるところに妙味があるが、同書によると『トイ・ストーリー』の初期のシナリオはさじ加減を誤っていたらしい。完成した映画とは異なって、ウッディがほかのオモチャを罵倒したり、バズをわざと窓から落とすといった内容だったのだ。

ストーリー上の重大な問題は、ウッディを嫌われ者にしたことだったと、かれらは気づいた。卑劣で自己中心的で、嫌みな、むかつく野郎だったのだ。「ウッディは最後に無私無欲になるから、最初はわがままな性格にするという戦略だったんだ」
（デイヴィッド・A・プライス『メイキング・オブ・ピクサー　創造力をつくった人々』、櫻井祐子訳）

ウッディはもっと共感できるキャラクターへと書き換えられ、映画は成功に至ったのだが、私たちが読むことのできない初期脚本における「卑劣で自己中心的で、嫌みな」、「わがままな性格」には、ある種の生々しさがあったのではないかとも想像される。子どもの気まぐれで自分の立場が簡単に危うくなってしまうオモチャが抱く焦燥感。彼らは人間が見ている間は自発的に動くことも話すこともできないのだから、焦燥感をぶつける相手は人間ではなく他のオモチャにならざるをえない。また、第一作ではオモチャを愛するアンディと対照的にオモチャを改造して虐めるシドが登場したが、彼こそ「自己中心的で」、「わがままな性格」と形容できる子どもだった。また、オモチャを大切にするアンディであっても、自分の気分のままにオモチャと遊んだり放りだしたりするのだから、オモチャにとっては彼も「自己中心的で」、「わがままな性格」を持っている。どの子どもも、暴君の気質を有しているのだ。一方、ウッディにせよバズにせよ人形としては大人の姿で作られているが、彼らは歳をとらず成長しないまま、子どもの遊び相手として存在し続ける。そのためか、『トイ・ストーリー』シリーズのオモチャは、たとえ年寄りの姿であっても、みんなどこか子どもっぽさのあるキャラクターとなっている。

『トイ・ストーリー2』で敵役となるプロスペクターが、そうだ。彼はウッディと同じく、かつてテレビ放映されていた人形劇『ウッディのラウンドアップ』に出演したキャラクターであり、もとともとは金鉱掘りと設定されていた。玩具量販店を営むアルは、盗んできたウッディなどほかの人形とともに「ウッディのラウンドアップ」のワンセットを日本の博物館に売ろうしており、プロスペクターも自分はそうして保管されるのが望ましいと考えている。ゆえに、好々爺の外見をした彼は、アンディのもとへ帰ろうとするウッディを卑劣な手段で妨害し、一緒に日本へ連れていこうとする。『トイ・ストーリー3』では、アンディのオモチャたちが段ボールでサニーサイド保育園へ送られ、熊のぬいぐるみで現地のオモチャたちのボスであるロッツォの強権支配に苦しむ。彼は、新入りを年少の乱暴な子どもたちの組に送ったり、仲間を使ってオモチャたちを監視し、気に入らない相手を檻に入れるなどしていた。プロスペクターやロッツォ（そして脚本改稿前のウッディ）は、子どもがそうするみたいに、ほかのオモチャたちに対し暴君的なふるまいをするのだ。

彼らが身勝手になってしまった理由として、プロスペクターは玩具店で自分が売れ残った過去に起因する人間不信、ロッツォは持ち主の少女に屋外で置き去りにされ家になんとか帰った時には同種の熊のぬいぐるみが自分の地位に収まっていた恨みが、語られていた。ウッディの場合は、自分の地位を奪われるかもしれないという危機感が、新入りへの意地悪な態度に結びついていた。シドに改造されたミュータント・トイズを含め、オモチャに対する人間の一連の行為は、親の子どもに対する虐待、ネグレクト、兄弟姉妹の間でのえこひいきなどに似たところがある。見る側が擬人化されたオモチャたちの境遇に感情移入する際、痛みを覚えるのも当然だろう。だが、やはりオモチャは、人間ではない。モノなのである。

モノであるキャラクターの声

『トイ・ストーリー』のオモチャたちが微妙な存在であるのは、彼らがキャラクターとして持っていたもともとの設定と、単体としてのありかたに齟齬があることにも現れている。第一作においてウッディをはじめとするアンディのオモチャたちは、自分たちの持ち主が子どもであるとみんなが理解している。一方、新入りのバズ・ライトイヤーは、自身が設定どおりのスペース・レンジャーで宇宙の平和を守る使命があり、空を飛べると信じている。その勘違いぶりが、ウッディを苛立たせるのだ。だが、バズは飛ぼうとしても墜落するし、テレビのCMを見て自分がオモチャだと知り、衝撃を受ける。逆に『トイ・ストーリー2』では、テレビ放送された「ウッディのラウンドアップ」の人形ワンセットとしてカウガールのジェシー、金鉱掘りのプロスペクター、愛馬ブルズアイとともに売られようとすることで、ウッディは自分が人形劇の登場キャラクターだったことを認識する。そのため、一度は人形劇の仲間とともに博物館へ行こうと決意するが、やはりアンディのもとへ帰ろうとする。バズもウッディも、キャラクターとしては自分が帰属していた世界や物語があったのだが、その文脈から切り離され特定の子どもに遊んでもらうオモチャの立場を受け入れたのだった。

子どもの持ちモノになることも、セットとはいえ博物館に所蔵されることも、もとの文脈が捨てられる点では同じであり、個々のキャラクターの統一感まで破壊すればシドが改造したミュータント・トイズのようになる。彼らの境遇は、自分たちの神話や習慣を持った民族が捕らえられ、移送されて奴隷化されたり人体実験の材料にされる光景に似ている。また、『トイ・ストーリー2』では、持ち主の少女に置き忘れられたロッツォが家に帰ると自分と同じ熊のぬいぐるみが少女と過ごしていたエピソードがあったが、バズが新タイプのバズに入れ替わられ、仲間を惑わす展開もあった。作中のオモチャは自意識を持ち個性を感じさせても、本来は大量生産品のなかの一つにすぎない。その事実が時おり露わになり、自身や状況を混乱させる。

シリーズにおいてオモチャはモノだと、ことあるごとに強調して描写される。第一作のミュータント・トイズが最たるものだし、『トイ・ストーリーズ2』ではウッディのほつれた腕がとれかけていたため、アンディが人形をキャンプに連れて行くことをやめる。『トイ・ストーリー2』の終盤にはウッディの妹分となるジェシーが、他の荷物と一緒に飛行機に積みこまれる展開があった。『トイ・ストーリー3』ではアンディが大学へ入学する年になり、ウッディ以外のオモチャを屋根裏部屋にしまうはずが、母の手違いでゴミに出されてしまう。人間の生活や社会システムのなかで、オモチャは彼ら自身の気持ちとは関係なく、場合によって運んだり片づけたりすべき荷物としてあつかわれる。『トイ・ストーリー3』では、段ボールで保育園へ運ばれたオモチャたちは紆余曲折の末、ゴミ回収車に乗せられ処理場の焼却炉へ運ばれて、その危機からいかに脱出するかが後半の焦点となった。保育園におけるロッツォの恐怖の独裁から主人公グループが焼かれようとするクライマックスへ進むストーリーは、ディストピア映画を戯画化した趣だった。アンディの母が誤ってゴミ出ししたように、オモチャは破損したり古びたりすればガラクタあつかいされるが、作中の彼らはただのモノではなく意識があって、体が傷つけられ消滅しそうになれば恐怖を覚えるのだ。つまり、命や魂がある。

『トイ・ストーリー』第一作は、世界初のフルCGのアニメーション長編映画として製作された。プラスチック、ゴム、ブリキ、陶器などの材質でできたオモチャの肌は、CGの表現に向いていたし、格好の題材だった。CGで表現されたその人工物に命を吹きこむうえでシリーズの大きなポイントになっていたのが、声の描写である。すでに何度も触れている通り、作中のオモチャたちは人間の前では沈黙しているが、オモチャ同士では盛んに会話する。だが、彼らのなかには、あらかじめ体に発声機能がついているものもいる。まず、主人公のウッディとバズがそうだ。ウッディの背中のヒモを引くと「銃を捨てろ、手をあげろ」、「俺のブーツにはガラガラヘビ」、「あんたは俺の相棒だぜ」など、カウボーイという設定に基づき用意されたセリフが、アトランダムに発せられる。バズの場合も胸のボタンを押すと「無限の彼方へさあ行くぞ」、「宇宙の彼方で秘密の任務がある」などスペース・レンジャーらしいフレーズをいう。ヒモとボタンの違いが、二人のオモチャとしての古さ、新しさを示してもいる。だが、事前に録音されたそれらのセリフは、ヒモやボタンを物理的に操作した時に発するものであり、人間の見ていないところではそれ以外の言葉を自由に話す。ただ、自分が本物のスペース・レンジャーだと思いこんでいたバズは、「無限の彼方へさあ行くぞ」など、あらかじめ体に内蔵された言葉にとらわれているきらいがある。

『トイ・ストーリー2』では、ペンギンの人形ウィージーの鳴く装置が故障し、売られそうになるのが物語の発端となる。彼は後に修理され美声を聴かせる。『トイ・ストーリー3』では、ロッツォがバズのリセットボタンを押して自分の手下にする。記憶を失ったバズを洗脳するのだ。ウッディたちがバズを救出し洗脳を解こうとするが、誤って音声をスペイン語モードにしてしまい、彼が仲間にわからない言葉を喋り続けるユーモラスなくだりもある。同作の言葉をめぐる描写としては、アンディの大学入学でオモチャたちが屋根裏部屋にしまわれることを回避するため、ウッディが彼にメモを書いて残す場面が終盤にある。ウッディは自分の出会ったボニーという少女を、オモチャたちの新たな持ち主にしたいと望み、アンディに住所を書き残した。アンディと一緒にいる時には、ヒモを引かれなければ喋れず、そうされても決まった言葉しか出てこない。オモチャという存在のルールをかいくぐって思いを伝えるには、メモを手段とするしかなかったのだ。

オーウェル『一九八四年』に代表されるようにディストピア・フィクションでは権力によって言葉が制限される設定が多様され、本書ですでに論じた通り、女性差別の社会構造を語るうえで「奪われた声」というモチーフが繰り返されている。オモチャたちが、人間の前では体に内蔵装置に録音された決まりきったフレーズしか発せられず、それ以外は沈黙し動かないままでいなければならないことは、ダルチャー『声の物語』の政府による発語制限装置着用義務や、キング父子『眠れる美女たち』の女性がみんな繭に包まれて眠り、彼女たちの分身が異界に生き始めた怪現象などの設定を連想させる。非対称的な関係を描くうえで、立場の弱い側がいかに声を奪われているかを強調するのは、ディストピア・フィクションの定番であり、『トイ・ストーリー』シリーズの物語構造はそれに近似している。

また、女性の抑圧をテーマにしたキリスト教圏の作品群には、「創世記」のアダムとイヴの楽園を意識した記述や宗教原理主義など、歴史の始原にさかのぼって保守的に教えを徹底するか、社会を革新するかという思考が垣間見られた。一方、『トイ・ストーリー』には、子どもの持ち物になったオモチャには、それらのキャラクターがもともと属する世界観や物語があった、製作年代の古いオモチャのなかには現在はコレクター垂涎のプレミアム商品になっているものもあるといった以上の歴史は、ほぼ出てこない。ただ、オモチャが、人間の目前では自由に動けないというルールは監視社会のディストピア的だが、シリーズにはオモチャの幸福とは子どもに遊んでもらうことだという前提があり、それを信じられるかどうかで作中の多くの騒動は起きる。いうなれば、信仰が隠れたテーマなのだ。自分が物語のスペース・レンジャーではなく、子どものオモチャだという事実がなかなか呑みこめなかったバズ。博物館で静かに保管されるほうが幸せだと思ったプロスペクター。人間は簡単にオモチャを放棄すると、体験で知っているロッツォ。そんなキャラクターたちと、アンディの持ち物であることが自身の幸せだと信じるウッディが対峙する。『トイ・ストーリー』のテーマ曲「You've Got A Friend In Me 君はともだち」は、自分が相棒であることを強調し、ウッディの信仰の深さを表現している。

しかし、ウッディにしても、アンディよりも、自分がかつて属していた「ウッディのラウンドアップ」の世界の仲間たちと一緒にいたほうがいいのではないかと、気持ちが揺らいだ時があった。『トイ・ストーリー』シリーズでは、人間に造られたオモチャが、人間のなかでも特に気まぐれな子どもをどこまで信じられるかを問われる。なにを考え、次になにを行うかわからず、自分たちをどうにでもできる圧倒的強者である点で、オモチャにとっての子どもは、人間にとっての神に近い。命と魂を得たばかりに、オモチャたちは信仰を試される。その問題が極限に達するのが、『トイ・ストーリー4』だ。

ゴミとオモチャの境界線

シリーズはジョン・ラセター監督で一九九五年の第一作と一九九九年の第二作が作られ、子どもだったアンディが大学に進学する『トイ・ストーリー3』（リー・アングリッチ監督）が二〇一〇年に公開、ウッディなどオモチャの仲間たちの持ち主がアンディからボニーという少女へ移った『トイ・ストーリー4』（ジョシュ・クーリー監督）が二〇一九年に公開された。製作間隔が長期化すると次作でオモチャたちの持ち主に大きな変化が訪れ、周囲の環境も刷新されるという風にシリーズは進んできた。この期間にCG技術は発展し映画のスタッフも入れ替わりがあったが、四作を通じてアンドリュー・スタントンが共同脚本の一人であり続けたし、物語の世界観は維持された。だが、『トイ・ストーリー4』のラストでは、それまでのシリーズにはなかった選択がされ、ファンの賛否を呼んだ。主人公のウッディが自らの意志で、持ち主である子どもの下から離脱したのだ。彼は、信仰を放棄したのか。あらためて同作の内容をおさらいしてみよう。

大学生になったアンディはボニーという少女に、ウッディをはじめとする自分のオモチャたちを大切にしてくれるようにいって渡し、彼女もそれを約束した。その後、ボニーは約束通り、オモチャを大事にして遊んでいたが、ウッディが遊んでもらう頻度は、ホコリがたまるくらい少なくなっていた。女の子であるボニーはカウボーイのウッディよりカウガールのジェシーにより親しみを感じるようなのだ。また、『トイ・ストーリー4』で物語のポイントとなるのは、フォーキー、ギャビー・ギャビー、ボー・ピープという、いずれも不完全さを有したオモチャである。彼らと接するうちに、持ち主の子どもを相棒と思い、ずっと一緒にいたいと願っていたウッディの信仰が揺らぎ始める。

フォーキーは、ボニーが幼稚園へ初めて行った日に使い捨ての先割れスプーンやモールなどを材料に作った人形であり、足はアイスクリームの棒でできている。五歳の幼女の手作りゆえに姿は不細工だが、ボニーは自分が生み出したフォーキーがお気に入りになった。かつてアンディがオモチャの足の裏に自分の名前を書いていたのと同じことを彼女もしており、フォーキーの足の裏には「ボニー」と記された。だが、フォーキーは、ほかのオモチャと同様に人の目前以外では喋れる能力を持っているものの、自分をゴミだと思っており、放っておくとすぐゴミ箱に入ってしまう。ウッディはそんなフォーキーの面倒をみて、ボニーのオモチャとしての自尊心を持たせていく。第一作の初登場時のバズはオモチャの自覚がなかったが、それは彼がスペース・レンジャーというキャラクター設定と世界観を信じきっていたからだった。だが、バズにあったその種の文脈は、フォーキーにはない。彼は、使い捨てスプーンを本体とするほか、足もアイスを食べ終わった後の棒だ。手になっているモールも含め、各パーツはいつ捨ててもいい材料でできている。

第一作のシドによる改造、『トイ・ストーリー2』での博物館への売却計画など、シリーズではただのモノとしてあつかわれもするオモチャの危うい立場が繰り返し描かれた。特に『トイ・ストーリー3』では、手違いでゴミに出されてしまう発端、処理場で焼却されそうになる終盤など、廃棄処分されそうになるオモチャたちの不安や恐怖と必死のサバイバルが語られた。自分はゴミになりたくない、自分は（まだ）ゴミではないと彼らは考えたのだ。それとは反対にフォーキーは、体の由来や形状ゆえに自分がゴミだと感じている。しかし、ウッディやバズなどほかのオモチャたちのデザイン、キャラクター、世界観などが整っているのは、商業ベースで企画された存在だからだろう。それは、個別のオモチャがそれぞれ大量生産品の一つにすぎず、『トイ・ストーリー2』のバズとニュー・バズのとりちがえ、『トイ・ストーリー3』で同種の熊のぬいぐるみに立場を奪われたロッツォなど、それぞれのオモチャの代替品や新ヴァージョンが存在するという現実でもある。

それに対し、フォーキーは不細工でも手作りの一点ものであり、持ち主で生みの親である幼女の愛着もうなずける。シリーズには多くのオモチャが登場したが、フォーキーは従来になかった独自のポジションを示した。シリーズとして、子どもから愛されるオモチャの本質とはなにかを考えるなかで浮かびあがったキャラクターのように思える。バズがそうだったように、同種のモノが複数ある規格品でも特定の子どもの持ちモノになる経験で個性を得るし、ゴミに近い材料からできていても、子どもに遊ばれることでオモチャとしての個性を得るのだ。使い捨てスプーンやアイスの棒は、ボニーから「フォーキー」と名づけられた瞬間、ゴミからオモチャになった。

それに対し、『トイ・ストーリー4』で悪役となるのが、ギャビー・ギャビーだ。アンティークショップに置かれた人形の彼女は、ウッディやジェシーと同時代に製造され、背中のヒモを引くとセリフを喋る機能も共通する。だが、彼女は、出荷時から内蔵のボイスボックスが不良だったため喋れず、子どもに愛されたことがないまま店で古びていた。欠陥品の彼女は、正常な規格品でもゴミでもない中途半端なモノになっていた。キャンピングカーでのボニーの家族旅行から家出的に逃げ出したフォーキーを追跡するウッディは、アンティークショップに入る。店内に、かつてウッディと仲がよかった陶器人形ボー・ピープとセットだった電気スタンドを見かけたからである。だが、ギャビーがウッディのボイスボックスと自分の壊れたそれを交換しようとして彼を狙う。ボーとの再会をはさみつつ、例によって大勢のオモチャを交えた大騒動があった末、ウッディはギャビーが人質にとったフォーキーと交換で自分のボイスボックスを譲り、とにかく救出はなされる。

興味深いのは、声にコンプレックスがあるギャビーが、腹話術の人形たちを手下にしており、店にはブリキの一人楽団人形もいることだ。第一作の脚本の初期段階でウッディが嫌なやつに描かれすぎていたことにはすでに触れたが、さらにそれ以前の最初期には腹話術の人形と一人楽団人形ティニーのコンビが主人公に考えられており、それがウッディとバズ・ライトイヤーに発展した経緯があった。スタッフには出発点から、オモチャを描くうえで声や音をポイントとする発想があったらしい。

一方、過去にアンディの妹の部屋にいたボー・ピープは別の家にひきとられた後、アンティークショップの商品となり、そこから店外に出て今では持ち主のいない迷子のオモチャになっている。付属品は失われて着衣も痛み、体にも破損があるものの自身でテープを使って修繕し生き延びていた。したがって、店にあったとしても、もはや値打ちのないモノである。だが、たくましくなった彼女は身軽で戦闘能力が高く、人間から独り立ちした状態になっている。このため、ボニーのことを思って彼女のお気に入りのフォーキーを救おうとするウッディにいったんは協力したとはいえ、そのことに執着する彼に反発してボーは去ってしまう。それでも一人になったウッディの交渉で事件は解決し、ギャビーは声をとり戻す。彼女は、店主の孫娘の気を引こうとして相手にされなかったものの、迷子の少女に拾われ念願だった子どもとの生活をようやく手に入れるのだ。そうして、愛されず不幸だった悪役にも、救いが与えられる。ボーもウッディと仲直りして、そのままハッピーエンドになるかと思いきや、ウッディは持ち主であるボニーのもとへ帰らない決断をするのだ。

楽園追放の合理化

大学進学時にアンディは、ウッディやバズなど自分のオモチャをまだ子どもであるボニーに譲った。だが、もちろん彼女が以前から持っていたオモチャもあったのだし、そのリーダーがドーリーという名の少女の人形だった。また、アンディのオモチャたちの中でリーダー格だったウッディは、『トイ・ストーリー4』のラストで着けていた保安官バッジを、彼よりもボニーに好まれているジェシーに渡し、自身の役目を妹分の彼女に引き継がせる。ふり返れば、ボニーが新たな持ち主になってからのウッディは、アンディのもとへいた時とは自分の立場が違うことを強く意識していた。前の持ち主の話ばかりするようになったウッディは、メンタルが弱っていたのである。それでも、内気で自己主張が苦手なボニーを気づかい、幼稚園で工作の材料を集め、フォーキーの誕生にかかわった。ウッディがことあるごとにフォーキーを助け、ゴミに戻りたがる彼にオモチャの自覚を持たせようと懸命なのはそのためだ。でも、自分がボニーの一番のお気に入りになることはもうないだろうということも、ウッディはうすうす気づいている。

彼の心情は、フォーキー、ギャビー、ボーとのかかわりを通して変化していく。物語の前半でまだ理解力が発達していないフォーキーにオモチャの心得を伝えようとして、ウッディはアンディとの過去について語る。子どもが大人になり置き去りにされた自分は用なしだと話すと、フォーキーは「君は僕と同じゴミだ」と返す。嫌みでいうのではなく、彼の乏しい理解力の範囲でそういうのだ。ギャビーは、欠陥品である自分が子どもに愛されなかったことをウッディに訴えた。彼女と同じくプロスペクターもロッツォも、愛に見放された過去が一種のトラウマとなり精神が歪み悪役になったのだった。一方、持ち主がいなくなったボーは特定の子どもにこだわるウッディに「子どもなんてすぐ忘れる」、「目を覚まして。子どもは大勢いる」というが、彼は「忠誠心だ。迷子のオモチャにはわからない」と応じ、「迷子はあなたよ」と返す彼女と一度は決裂する。だが、ボーは辛い境遇を経たことで自由な意志を育んでいた。二人が仲直りした映画の終盤でボニーのところへ帰るか、ボーとともに旅立つか、ウッディは迷うが結局、後者を選ぶのだ。

それは、シリーズで彼のバディであり続けたバズから「ボニーは大丈夫だ、内なる声を聞け」とアドバイスされ、背中を押されたためでもある。『トイ・ストーリー4』において「内なる声を聞け」は重要なフレーズとなるが、内なる声が教えてくれるというのは、もともとウッディがバズに話したことだった。第一作の初登場時に自分が本物のスペース・レンジャーだと思いこんでいたバズは、シリーズでは機械の設定がリセットされたり、音声がスペイン語モードになったり、自分の体の仕組みにふり回される勘違いキャラ的に描かれる場面が多い。ウッディのいう「内なる声」についても、内蔵装置で再生される音声だと思いこみ、それに従って行動し結果的にうまくいくユーモラスな展開になる。それは、ギャビーにボイスボックスを渡して装置の音声を失い、「内なる声」=心の声しか残らないウッディとの対比にもなっている。バズやジェシーなどのオモチャたちは持ち主であるボニーのもとへ帰るが、ウッディはボーとともに持ち主がいない「迷子」でいることを選んで去る。

『トイ・ストーリー4』の後半の舞台は移動遊園地であり、遊具が並んだ空間はどんなオモチャがいても不思議ではない。ウッディやボーなど「迷子」になることを決めたオモチャたちは、遊園地とともに外の世界を旅しようというのだ。ただ、多くの人が行き交うその場所で、ギャビーが迷子の少女に拾われ、子どもに初めて愛され始める一方、バズが壁に貼り付けられ射的の景品にされようとするピンチの展開もあった。不特定多数にさらされる遊園地は、『トイ・ストーリー3』で年少組の幼児たちにオモチャが乱暴にあつかわれた保育園に似た危険な場所でもある。映画はウッディの旅立ちをハッピーエンドとして提示するが、移動遊園地はオモチャにとってユートピアでもディストピアでもありうるのだ。

『トイ・ストーリー』シリーズの主題歌「You've Got A Friend In Me 君はともだち」は、ウッディがバズとバディであるだけでなくほかのオモチャたちの頼れるリーダーであると同時に、なによりも持ち主である子どものよき相棒であり続けたいという希望を歌った曲だった。だが、ウッディが子どもの「ともだち」をやめる「迷子」への旅立ちは、シリーズの世界観の前提となっていたその希望から逸脱するものだっただけに、少なからぬファンの反発を招いたのも当然だった。ただ、『トイ・ストーリー4』の結末は、物語の初期からの設定が必然的に導き出したものでもあるだろう。

シリーズが内包していたユートピアとディストピアの両面性は、足の裏に子どもの名前が書かれ、持ち主が明確化される点にもあらわれていた。特定の子どもとの愛を帯びた関係が築かれることで、大量生産品やゴミが個性のあるオモチャになる。だが、その記名は、『侍女の物語』で子を産む道具にされた侍女が、「オブフレッド」などとその家の司令官への帰属を示す呼称を強制され、所有物にされたことと構図が重なる。大人の外見を持つキャラクターであるウッディは、子どもの幸せを親のように願い、相手を見守り助けるが、持ち主にどうにでもされてしまう弱い立場は、親に勝てない子どもに似ている。オモチャにとって持ち主である子どもは、無邪気な独裁者であり、愛をくれるか苦難をもたらすかわからない神のごとき存在なのだ。

シリーズにおけるディストピア的な要素は、オモチャから社会における虐待の被害者、被差別者、強権国家で抑圧される市民のような立場を連想させるように働く。そして、モノとしてあつかわれがちな彼らが、擬人化されて描かれているのだから、自意識を有する者が経験を積み、従来の支配から脱して自由に行動しようとするのは健全で喜ばしい方向性といえるだろう。『トイ・ストーリー3』は、アンディが子どもから大学生に成長したのに、オモチャたちは子どもと遊ぶことを本分とし続け、成長しないままだった。それに対し、『トイ・ストーリー4』は、移動遊園地という遊戯空間のなかにとどまるとはいえ、特定の子どもから離れて自由になってもいいのだと考えるウッディが、親離れ／子離れする成長を感じさせる。ウッディをあくまでも子どものオモチャととらえるか、尊重すべき自意識を持った存在ととらえるかで、彼の旅立ちへの評価は異なるだろう。それは、現に格下あつかいされているマイノリティに対し、その待遇の違いを当たり前ととらえるか、差別は解消されるべきと考えるかというシリアスな問題の戯画のごとき形をとる。倫理を問うようなそんな気配にいらだつ人もいると思われる。

ただ、たとえウッディがボニーのところへ帰ったとしても、彼がやがて忘れられ、古びてゴミになるだろうことは容易に予想できるわけだ。その意味では、捨てられるかもしれない未来に先回りしての旅立ちとも解釈できるし、楽園から追放される前に希望の地へ出発するのである。さらに妄想を押し進めれば、すでに捨てられてしまった彼が、高くて手の届かない枝になる実は酸っぱいに違いないとする類の心理的合理化の一種として、旅立ちへの夢を見ているのではないか。

『トイ・ストーリー4』の最後、バズやジェシー、フォーキーなどのオモチャたちを載せたボニーの一家のキャンピングカーが走り去るのを、高いテントの上からウッディとボーが見下ろす。そこで「無限の彼方へ　To infinity and beyond!」というフレーズの前半をバズが、後半をウッディが口にして物語は終わる。「無限の彼方へ」は、バズがアンディのもとへきたばかりの頃、自身が本物のスペース・レンジャーだと思いこんで繰り返した決まり文句だった。それは大量生産のキャラクターの設定として与えられた世界観に基づくものであり、子どものオモチャである自覚をすでに持つウッディたちには笑いのネタだった。やがて、バズは自分の立場をのみこみ、子どものオモチャとしての生活にも「無限の彼方へ」の冒険があることを知る。そして、ウッディは、商品としての世界観からも子どもの持ちモノとしての生活圏からも離れ、新たにこれまでとは違う「無限の彼方へ」旅立つのだ。それは、追放でも出発でもあるような、切ない離脱である。

以上のように『トイ・ストーリー4』は、シリーズ最終作と思わせる内容を持っていたため、賛否分かれたファンの反応は熱いものになった。だが、二〇二三年にディズニーは『トイ・ストーリー5』を準備中だと発表しており、次作にはウッディとバズが登場するとも伝えられている。それまでの四作と新作の物語はどのような関係になるのか。公開を待ちたい。

2　人間とＡＩの距離――『クララとお日さま』『恋するアダム』『本心』

人間関係に介入するＡＩロボット

雑貨や雑誌などをあつかう店でロボットが売られており、日々、選ばれた何体かが展示のためショーウィンドーにいることになる。彼らはＡＦ（人工親友）として作られたＡＩ搭載のロボットであり、店長に励まされつつ、自分を連れ帰ってくれる子どもが現れるのを待つ。カズオ・イシグロ『クララとお日さま』（二〇二一年）は、そのように始まる。主人公で語り手となるクララは、最新型のＡＦから距離を置かれる旧型だが、観察力に優れ、高い学習意欲を持つ。女性の姿をしたこのＡＦは十代半ばの病弱な少女ジョジーに気に入られ、一緒に暮らし始める。ＡＦが子どもとどんな関係を築くかはケース・バイ・ケースであり、友だちになれるとは限らない。子どもに嫌われ、外で歩く時に距離をとってついてくるよう命じられる例もある。また、購入する側は新しい型の方が優れていると考えがちだが、友だちになるという役割の面では、必ずしもそうではない。実際、最新型ではないクララは、ジョジーの幸せを強く願い、自発的に冒険的な行動にむかうのだ。しかし、ジョジーが成長し大学生になると、親友だったはずの関係性は薄まり、クララには廃品置き場で過去の記憶を整理する余生が残される。

ロボットは型の新旧をめぐる差別があり、子どもやその親との関係性で幸不幸が分かれる。たとえ、よい関係が築けたとしても、相手の気まぐれに振り回されることは少なくないし、いずれ成長した子どもとは離れざるをえない。これらの要素は、『クララとお日さま』と『トイ・ストーリー』シリーズに共通する。異なるのは、『トイ・ストーリー』シリーズのオモチャたちが、人間の前では自発的な行動も発語も不可能であり、オモチャ同士でしか会話できなかったのに対し、ＡＦは作られた時から子ども程度の知能を有し、話すことができる点だ。『クララとお日さま』においてＡＦ同士が会話するのは、売りものとして店にいる期間にほぼ限られる。買われていったＡＦはその家族の一員として生活し、『トイ・ストーリー』のオモチャたちのように特定の家に同族が大勢いるとか、他の場所にいる同族とともに集まるといった展開はない。ＡＦは、同族との相談や協力を前提にできない。クララの場合、娘のジョジーと母のクリシー、家政婦のメラニアがいる家にともに暮らし、親と子、ジョジーと幼なじみのリック、リックとその母ヘレン、クリシーと元夫のポールといった人々と話し、彼らの人間関係を気づかう。

クララは、店にいた頃から周囲を観察し話す力を有していた。その知性は当初、子ども程度にすぎなかったが、経験し考えることを積み重ねるにつれ能力を高めていく。ただ、少女の友だちという位置づけで人間たちと話せるとはいえ、やはりクララは人間ではない。ジョジーとクリシーのサポート役という点で役割が重なる家政婦メラニアから邪険にされるほか、母も娘も気分次第で、クララに冷たくなったり突き放した態度をとることが少なくない。だからなのか、彼女は控えめな態度をとることが多い。クララは学習意欲が旺盛であるにもかかわらず、その一人称の文章には彼女自身が考えたらしきクララ語とでもいえる言葉が、しばしば登場する。土屋政雄訳の日本語版に出てくる「シャーピ鉛筆」（sharp pencil。「シャープペンシル」は和製英語なのでそのように訳している）、「オブロン端末」（oblong。直訳は長方形）といった独特な言葉づかいがそうだ。また、文中には、クララの視界がボックスに分割されるという表現が出てくるし、彼女の思考や感覚にロボットとしての機能の限界があることが示唆されている。主人であり友だちである子どもへの献身的な思いが自身を突き動かす点ではウッディに、機能の限界もあって勘違いと思いこみに捉われる点はバズに近い。クララは『トイ・ストーリー』のオモチャ二名を融合したようなキャラクターなのだ。

ＡＦは太陽光をエネルギーとして稼働する。まだ売りものだった頃のクララが、店長に選ばれてショーウィンドーにいられることを嬉しく思ったのは、子どもに見つけてもらいやすくなるだけでなく、日の光を浴びられるからだった。そのうえ当時の彼女は、通りで物乞いの人と連れていた犬が死んだ後、日の光で蘇るのを目撃していた。それは勘違いにすぎないのだが、クララはジョジーの病気もお日さまなら治せると信じこみ、冒険的行動をする。また、工事機械であるクーティングズ・マシンは環境を汚染し、ジョジーの病状を悪化させると思いこみ、破壊しようと企む。そもそもこの機械は騒音を発するだけでなく、黒い煙を大量に吐いて日の光を遮るゆえに、クララの憎しみの対象となっていた。本章前節でウッディの子ども信仰について触れたが、クララは子ども信仰だけでなくお日さま信仰を持っているのだ。同種のものが一定量存在する工業製品でありながら、過ごした環境や経験に応じて個性が育まれるのは、クララと『トイ・ストーリー』のキャラクターで共通している。

ジョジーを救う目的でクララが行動に移ろうとする際、自身だけでは可能な状況を作れないため、人間に助けを頼む。だが、彼女は、自身のお日さま信仰に関して秘密主義であり、理由を告げない。それでも助けを得られるのは、ジョジーの幸せという願いが周囲の人々とクララで一致しているためだけではないだろう。他人には通じないクララ語や勘違いから始まったお日さま信仰が、人間と毎日話していながら訂正される機会がないまま、彼女の内側で育ってしまった。AFは人間ではないから、人間と違ったところがあっても不思議ではないと周囲の人々が考え、たとえクララが多少違和感のある言動をしてもいちいち訂正しないことが続いた。そのような結果だろうと想像される。『トイ・ストーリー』のオモチャたちと違って人間と直接話せるとはいえ、やはりロボットは人間と同等にはなれない。著者のカズオ・イシグロは日本生まれだが、幼年期より移り住んだイギリスで小説家となった。バックグラウンドは日本だが、自身の読者はイギリス人という状態から執筆活動を出発した彼が、国際的に通じる文章を心がけるようになったことは、本人が繰り返し語ってきた。英語でしか通じない表現や地口を避けて執筆しているのだ。イシグロはその態度を裏返したごとく、クララには汎用性に欠けた個別的な言葉と思考を与えている。それは、彼女の孤独を感じさせる描写ともなっている。

ジョジーは幼なじみのリックと将来を約束しているが、少女は病弱だ。ジョジーの姉サリーはすでに病死しており、クリシーは二人目の子どもまで同じ結果になることを恐れている。クララは、ジョジーとリックに永遠の愛を成就させるため、ジョジーの命を救うため、独断で行動する。若い男女、親子という人間関係にいわば介入しようとするわけだ。クララという存在の性格は、同じく人工知能を搭載したアンドロイドと人間の共同生活を主題としたイアン・マキューアン『恋するアダム』（二〇一九年）と対比することで鮮明になる。原書の刊行は、『恋するアダム』の方が『クララとお日さま』より約二年早いが、イシグロが作品をほぼ書きあげたのは二〇一九年というから、二作は影響関係なく同時多発的に執筆されたといってよい。興味深いことに『恋するアダム』もまた、アンドロイドが持ち主と相談することなく、独自の判断で男女、親子という人間関係に介入する内容だった。ただ、そのありようはかなり違う。

三十二歳の主人公チャーリーは、オンラインの株式取引で生活していたが、母親の遺産金で「初めて本物だと思える人造人間」を購入した。できれば女性型のイヴがよかったが、アダムでもかまわないと男性型のそれを入手した。だが、配送されてきたモノは、「わが家にやってくるのは友人だと思っていた」チャーリーを戸惑わせる。彼は、アンドロイドが友人として最適化された状態で届けられると考えていた。すでに基本的な機能が使用可能でそこから学習を重ねるといった、いわばクララの初期のような状態を想像していたのだ。だが、裸のアダムは長々と充電しなければ動き出さないし、取扱説明書はユーザーに様々な設定をすることを求めていた。チャーリーは、アダムの性格の設定を、同じアパートに住んでいる十歳下のミランダと分担して行うことにする。彼女と親密になる手段としてアダムを利用するつもりなのだ。だが、設定がすみ稼働したアダムは、チャーリーに「彼女は嘘つきである可能性があります」という。人間とアンドロイドによる奇妙な三角関係が形成される。

アンドロイドはセックストイとして製造されたのではないが、性交する機能は持ち、それ用の粘膜を維持するため水を消費していた。チャーリーは、イヴでなくアダムであっても許容したのだから性交の相手としてアンドロイドを欲したのではない。だが、ミランダとそういう関係になるため、それを利用したのだった。二人は、互いにどうしたかを教えないようにして、アダムの性格の設定を分担した。擬似的な父母となったのである。とはいえ、実はこの初期設定はユーザーにコントロールしているという幻想を与えるためのものであり、実質的には機械学習《マシン・ラーニング》でアダムの性格は作られていく。ユーザーに設定させることで製造者の責任を回避する意味があるが、遺伝子を継がせた親が教えても、結局、子どもは勝手に育つという親子関係の真実をアンドロイドが体現したような、皮肉な構図である。チャーリーとミランダは交際するようになる。だが、ミランダの求めに応じてアダムが性関係を持ったことにチャーリーは怒る（以下の引用文は、いずれも村松潔訳）。

彼が人間みたいに見え、聞こえ、振る舞うのなら、わたしに関するかぎり、彼はそのとおりの存在なのだ。

好奇心ゆえにそうしたというミランダに彼はいう。

でも、きみは彼をディルドだと考えている。

ミランダの求めを断る方法を知らなかったからそうしたと弁明したアダムは、その後、ミランダに恋心を抱くようになる。また、彼女が過去にレイプ裁判の原告だったことが明らかになる一方、ミランダとアダムは親から虐待されている子どもと知りあい、養子縁組をしようと動く。だが、インターネットに接続し膨大な知識を吸収できるアダムは、裁判記録への特権的アクセス権も有していた。彼は、自分の親的存在であるチャーリーやミランダよりも法的正しさを優先した判断をし、養子縁組計画への横槍を入れることとなる。ミランダの過去の嘘と罪を告発するのだ。
　アダムとクララで大きく異なるのは、性と学習の機能、正しさに関する認識である。

ネット接続と内的衝動

　クララの場合、女性型であるものの、実態は性別に関係ないロボットだ。人工親友である彼女は、友だちである娘ジョジーへの愛慕、母クリシーへの忠誠心、親子に近しい者たちへの親しみといった感情らしきものを有するが、セックスや恋愛という発想がない。だからこそジョジーが、幼なじみのリック、あるいはジョジーの肖像画を請け負うカパルディといった男性と二人きりになるのを見張っていろと、家政婦メラニアはクララに命じるのだろう。性的危険から少女を守るのに適した非性的な存在と見なされているわけである。アダムと違ってクララは、最初から会話ができ、相手の言葉を理解しようとする状態で稼働していた。観察力に優れているなど、店で売られている頃から個性らしきものも芽生えていた。友だちとしての基本的な機能が最適化されたうえでジョジーの家にやってきたのである。それに対し、アダムは充電しなければ稼働しない丸裸の姿でチャーリーのもとへ配送された。最初はただのモノだったのであり、チャーリーとミランダではアダムを人間に近いものと感じるようになった時期が、ズレていた。ゆえに、アンドロイドをディルドのように使った彼女と、いわゆる寝取られ男の嫉妬を抱いた彼の間で認識のギャップが生じたのである。

アダムの性格の基本設定をしたチャーリーとミランダは、父母のような立場だ。だが、このアンドロイドは、チャーリーとミランダが、虐待されている児童の養親になる計画を邪魔するようになる。二重の意味で、二人が親になろうとすることに抗するのだ。同作の世界で売られる男型、女型のアンドロイドは、アダム、イヴと命名されているが、そもそも『旧約聖書』の「創世記」に登場したアダム、イヴは神によって作られたのであり、人間の親を持たなかった。『旧約聖書』で最初の人類となった二人は、エデンの楽園から追放された。それに対し、メーカーによってようやく人間並みに仕上げられ初回発売に至った人造人間は、アダム十二体、イヴ十三体が人々の間に解き放たれ、うち一体がチャーリーのところへやってきたのである。人間の親を必要としないアダムが、どうやって学習するかといえば、経験以上にインターネット接続による情報収集が役立っていた。チャーリーが、アダムの行動の倫理的側面に考えをめぐらせる際、次のようなことを思う。

〝自動運転〟というのは適切な言い方ではない。というのも、この新しい車は、人工衛星や車載レーダーにつながる巨大なコンピューターのネットワークに、新生児とおなじくらい頼りきっていたからである。こういう車が安全に走る手引きをするのが人工知能だとすれば、そのソフトウェアにはどんな価値観や優先事項のリストが想定されるのか？

『旧約聖書』の場合、神という超越的存在がアダムとイヴを見張っていたが、アンドロイドのアダムとイヴは、自動運転車と同じく外部に広がるネットワークから行動の指針を得ている。一方、クラは、出会った人々との会話や、観察、経験をもとに自ら考えを重ねる。誤った思いこみも少なからず含みながら、判断するのだ。最新型であり、ネットから膨大な知識を入手整理するアダムの話しぶりが機械的な冷たさを感じさせるのに対し、ことあるごとに旧型であることが指摘されるクララは、デジタル時代にアナログ機器をみるようなノスタルジーめいたものを喚起する。スペースレンジャーで音声機能のありかたが新しいバズに対する旧型のカウボーイのウッディと同様だ。思考するうえでネット接続をせず、自身で判断するクララは、間違いのぶんだけ読者には人間に近く感じられる。思考方法の違いは、アダムとクララの正義をめぐる判断の差になって現れる。

チャーリーたちがマークという子どもを虐待する親から離し、自分たちの子にしようと考えるようになった最初のきっかけはなんだったか。虐待をとがめたチャーリーにむかってマークの父親が「こいつが欲しいかね?」、「くれてやるよ」とモノをあつかうようにいったことだった。当時はその場だけの戯言にすぎなかったが、むしろそれを現実化した方がいいとチャーリーたちは考えるようになる。だが、アダムは、過去のレイプ裁判をめぐるミランダの不正を告発し、彼女とチャーリーが結果的に養親として不適格とされるように動く。ミランダと寝たことのあるアダムは彼女を愛しているというが、自動運転の車がネットワークに判断を依存するごとく、正義に関して外部にある法の定めに準じることを当然とする。割り切った思考をする彼は、短時間で膨大な情報をあつかえる一方、性や恋愛、親子関係をめぐる人間の感情の複雑さは理解しない。ジョジーを救うため必要だという思いこみの末、工事機械を破壊するクララとは大違いだ。彼女は、破壊のために必要な溶液を、自身の機能が衰える可能性があるにもかかわらず体内から出してまで実行する。破壊は、社会的、法的に許されない行為だが、ジョジーの命を救うためという、内的衝動のようなものがクララを突き動かすのだ。

逆に『恋するアダム』の場合、内的衝動にかられるのは人間のチャーリーであり、彼は自分たちの計画を邪魔するアダムにハンマーを打ち下ろす。『恋するアダム』は、この現実とは異なる歴史をたどったパラレル・ワールドを舞台にしている。その世界では、イギリスがフォークランド紛争に敗れてサッチャー首相が退陣し、ビートルズが再結成された一九八二年が描かれる。作中では科学技術がこちらの世界以上に進んでおりアダムのような人造人間が具体化しているわけだが、特筆すべきは、人工知能の基礎を築いたアラン・チューリングが一九五四年に死なず、生き続けている設定だ。彼は、「いつか、きみがハンマーでアダムにやったことが重大な犯罪になる日が来ることをわたしは願っている。きみが代金を支払ったから?　それできみにそんな権利があると言うのかね?」とチャーリーを非難する。ふり返れば、ミランダがアダムと寝た際、チャーリーはこういっていた。「彼が人間みたいに見え、聞こえ、振る舞うのなら、わたしに関するかぎり、彼はそのとおりの存在なのだ」。アダムをチャーリー本人が人間同等の存在と認めていたのであり、その破壊を殺人と同等と見なす人間が出てくるのは不思議ではない。

アダムは、ネット接続による膨大な情報処理、正義を法で判断し迷いがないことなどから機械の冷たさを感じさせずにいられないモノだが、見た目だけでなくセックスの機能や恋愛らしき思考の面から人間と同レベルの存在であることを否定できない。それに対し、旧型で非性的なクララは、ボックスに分割される視界など機能の限界があり、勘違いも多い。だが、一貫した献身によって彼女は、ジョジーから友だちと認められ、母や幼なじみといった少女の親しい人たちもそうした立場を認めている。彼らは、ジョジーを救う目的で起こすクララの不合理な行動を理解できなくても受け入れる。クララの意見や願いを人間と同程度のものとしてあつかうのだ。それなのにジョジーが大学生となり家を出ていくと、ＡＦとして与えられた少女の友だちという役割は終了したと見なされ、クララは廃品置き場に移されて、親しく接したはずの人たちからも省みられなくなる。アダムとクララは思考法の差異から、冷たい前者、あたたかい後者のような印象を与えるが、いずれも機械に思えたり人間に見えたり、状況によって周囲の感じ方が変わる。

興味深いのは、『恋するアダム』でアダムが文学について語ったことだ。

わたしが読んだ世界中の文学のほとんどすべてが、さまざまなかたちの人間の欠陥を描写しています――（略）とりわけ、他人についての根底的な誤解がじつにみごとに描かれています。

人間の欠陥＝文学という見立てだ。彼はいいところも描かれているといいつつ、「男や女と機械が完全に一体になった暁には、こういう文学はもはや不必要になります」という。その種の欠陥を極力排除する方向で最新技術を結集したのがアダムのような人造人間だったわけだが、反対にクララは欠陥が描かれることで彼女が人間のように感じられ、『クララとお日さま』は文学として成立した。AI搭載ロボットというモチーフを共有する『恋するアダム』と『クララとお日さま』は、各要素をポジとネガで反転したうえでそれぞれ組み立てたような、対照的な内容となっているのだ。

死者復活と伴侶

『恋するアダム』がパラレル・ワールドの過去を舞台にしていたのに対し、『クララとお日さま』は、未来のアメリカを舞台としている。イギリス在住のイシグロがなぜアメリカを舞台に選んだかといえば、物語における自由主義経済下での競争と格差の拡大を同国の現状の延長線上で構想したからだろう。ＳＦ的設定としては、ＡＩ搭載ロボットがまず目立つが、それ以上に「向上処置」（lifted）という技術がキーポイントとなっている。『クララとお日さま』の世界では、子どものうちに向上処置を受けるかどうかで、後の人生での進学をはじめとした社会的チャンスに大きな差が生じる。それを受けられるのは裕福な家庭の子どもであり、リックは未処置（unlifted）のままだ。一方、向上処置には副作用のリスクがあり、ジョジーが病弱なのも姉のサリーが病死したのもそのためだった。ジョジーとリックが将来を誓いあってはいても親同士を含め関係がギクシャクしがちなのは、向上処置を受けたか受けられなかったか、受けて死の恐れを抱えた側と受けずに健康である側という差異があるからだろう。また、クリシーが、上の娘を向上処置後に亡くしたというのに下の娘にも処置をしたのは、社会的チャンス喪失のリスクと死の可能性を天秤にかけて賭けに出たものととらえられる。それだけにジョジーを育てる母親としての態度は必死なものであり、意固地になっているようにもみえる。

作中では、クリシーがクララにジョジーの真似をさせる場面が二度出てくる。一度目は、まだクララが店の売りものだった時であり、歩きかたのまねをさせた直後に買うことを決めるのだ。とはいえ、その場面では、娘の動きを見事に再現するロボットを母は注視していた風ではなく、むしろ落ち着かない様子だった。二度目は、ジョジーの体調悪化のため親子でのドライブがとりやめとなり、クリシーとクララだけで出かけた時だ。その際は、体の動きだけでなく口調まで娘をまねさせるのだが、母は感情をたかぶらせる。

「ほんとよ、ママ。絶対元気になるって」

「もういい。やめなさい！」

自分がまねることを命じ、クララは素直に従っただけなのに悪ふざけをしたかのように叱りつけ、クリシーは不気味なものを見せられたかのような反応をする。彼女の親としての態度にしばしば強ばりがうかがえるのはなぜか。やがて理由が明らかになる。彼女は、ジョジーに肖像画のモデルをさせるとして、時おりカパルディという男のところへ連れていくのだが、本当の理由は違っていた。絵や彫刻ではなく、ジョジーが死んだ後にその代替となるAFを作ろうとしていたのだ。そのため、ジョジーの身近にいて彼女を記録し再現しうることが、クララのAIに期待されていた。姉のサリーと同じくジョジーまでいなくなるのは、耐えられない。そう思うクリシーに対し、カパルディはいう。昔ながらの世代は人間について「誰の中にも探りきれない何かがあるとか、唯一無二で、他へ移しえない何かがあるとか、どこかで信じている。だが、実際にはそんなものはないんだ」と説き、クララならばジョジーの心を引き継げるし、ただのコピーの人形を作るのではなく完全に同等になると主張する。そうしたわが子の代替計画をめぐり、クリシーと元夫のポールは意見を異にするが、クララは母の考えを理解する。AFである彼女は、代替計画を当人には秘密にしつつジョジーの回復を祈り、同時にもしもの場合に役割を果たせるように少女の心をいっそう観察するのだ。

『恋するアダム』では、恋人関係になるチャーリーとミランダがアダムの性格を初期設定した点で二者対一体は親子的関係だったが、アダムはミランダに恋をする。このアンドロイドは、チャーリーたちが養子を持つ計画を邪魔する。一方、ジョジーが死んだ場合に心を引き継ぐクララは、クリシーの潜在的な子どもといえる。その意味では自身と分身的関係にあるジョジーが、リックとの愛を成就させることを、クララは願う。人造人間を主題にしたこれら物語の嚆矢といえるメアリ・シェリー

『フランケンシュタイン』（一八一八年）では、そうした伴侶、子どもといったファクターがすでに大きな意味を持っていた。ヴィクター・フランケンシュタインは、墓場の死体を材料に科学の力で人造人間を生み出す。親の役割を果たしたわけだが、できたのは醜い怪物でしかないと思った彼は、それを捨てて逃亡する。知性はあるのに醜さゆえに迫害される怪物は、人間に暴力をふるい出す。その過程でヴィクターの幼い弟ウィリアムを殺害したことは、残忍さを表現するだけでなく象徴的な意味を持つ。人間の父から子である自分を拒絶された人造人間は、腹いせのように人間の子どもを殺す。怪物はヴィクターに対し、人間に受け入れられない自分の伴侶となるもう一体の人造人間を作れと要求する。だが、醜い怪物のつがいが子を作り増殖する悪夢が浮かんだヴィクターは、拒否する。その結果、彼の婚約者は、怪物に殺されてしまう。

『フランケンシュタイン』にあった伴侶、子どものファクターが、後代の人造人間物語にも継承され、変形されたうえで組みこまれている。人間に似ているけれど人間ではないと認定された者が、人間にどこまで受け入れてもらえるのか（いうまでもなく、同じ人間かどうかという問いは、同じ人種、同じ階級といった認識区分のメタファーでもありうる）。伴侶、子どもというファクターは、このテーマを鋭角的に浮き上がらせる。『フランケンシュタイン』では怪物が『失楽園』を読み、楽園から神＝創造主によって追放されたアダムと、ヴィクター＝創造主から忌避された自身を重ねあわせる場面があった。だが、『旧約聖書』、『失楽園』のアダムにはともに追放されたイヴという伴侶がいたが、自分にはいない。だから、伴侶を造るように求めたのだ。子どものオモチャであることをやめ、自由へと旅立つ『トイ・ストーリー4』の結末が、ハッピーエンドのようにあつかわれたのは、ウッディにボーという伴侶ができたからでもある。しかし、『恋するアダム』の人造人間は、初回にアダム十二体、イヴ十三体が発売されたものの、個々が人々の間で生きていくのが前提であり、アンドロイド同士が伴侶となることは想定されていない。物語後半では、アンドロイドたちにアルツハイマー病に似た現象や自殺行為が見られ、全製品回収の方向となる。彼らには、楽園を喪失するかわりに自由を得るといったこともなかったのだ。

『フランケンシュタイン』を題材にしたフィクションは、古くから作られている。近年の代表的な作例として、アフマド・サアダーウィー『バグダードのフランケンシュタイン』(二〇一三年)、ジャネット・ウィンターソン『フランキスシュタイン　ある愛の物語』(二〇一九年)をあげておこう。『バグダードのフランケンシュタイン』は、イラク戦争後で政情不安定なバグダードを舞台にしている。爆破テロ犠牲者の遺体の寄せ集めでできた怪物が、徘徊する物語だ。それは科学力によってではなく、いわば念から生じた怪物であり、爆死した警備員の魂が入りこんでいるものの「名無しさん」と呼ばれる通り、誰だか特定されないまま無数の死者の物質化した表象として存在している。だが、恐らく戦死したために二十年以上帰ってこない息子を待ち続けた老婆は、「名無しさん」に「ダーニヤール」と我が子の名で呼びかけるのだ。野田秀樹『Q:A Night At The Kabuki』にもあった死者の名前＝固有性をめぐるテーマが展開されている。それは、数ある工業製品のなかの一体であるクララが、人間の子どもであるジョジーと同等の個性を持ちうるかという問いにも通じる。モノと人間の差異に関する問題だ。

『フランキスシュタイン』では、「フランケンシュタイン」の名に「キス」という言葉を挿入した題名に示される通り、性的接触が主要なテーマの一つとなっている。ある登場人物がロボットはサウジの女性より多くの権利を持っていると語るほか、同作では使役されるものとしてのロボットと女性の対比、性具とロボットの重ねあわせといったモチーフが出てくる。また、過去パートでは『フランケンシュタイン』の著者メアリ・シェリーと周辺人物のエピソードが語られるほか、現代パートには彼らをもじったかのごときキャラクターや実在の人物が登場する。『フランケンシュタイン』の怪物が死体のパッチワークだったように『フランキスシュタイン』は歴史の改変パッチワーク的側面を持つ。この作法は、パラレル・ワールドを舞台にした『恋するアダム』に相通じるところがある。

『クララとお日さま』の場合、『恋するアダム』のアンドロイドと違って、販売時点でのクララの身体は性を帯びていなかった。だが、クララが、ジョジーの死後にその存在を遺漏なく継承しようとすれば、少女が抱いていたリックへの恋愛感情も含めてのことになるはずだ。ジョジーを再現するAFは、亡き姉サリーに対して行った人形作りとは異なると製作者のカパルディはいっていた。作中で言及されていないにしても、クララのAIがジョジーの心をすべて転写するだけでなく、少女を再現した新たなAFは、性的身体を持っていなければ完全なものになりえないだろう。家政婦のメラニーは、ジョジーが部屋で男性と二人になる時には見張っていろとクララに命じた。少女が性的身体を持っていることを意識していたのだ。ただ、クララは、観察力に優れているとはいえ自己学習ゆえに勘違いも重ねているため、思考に子どもっぽいところがある。このため、ジョジーとの関係を中心にクララの一人称で語られる物語は、童話に近い色彩を帯びる。しかし、その淡い色彩のむこう側には、死や性をめぐる見かけ以上に人間的で生々しいものが潜んでいたのではないか。

アバターという抜け穴

『クララとお日さま』と『恋するアダム』は、具体的なモノとして物理的に人造人間が存在する内容だった。それに対し、平野啓一郎『本心』（二〇二一年）は、死んだ人間をＶＦ（ヴァーチャル・フィギュア）として再生できる二〇四〇年代の未来を描いている。ＶＦとは、故人の似姿を立体映像にして再現するものだが、データをＡＩに学習させることでその人らしい言動ができるようになるシステムだ。小川哲『ユートロニカのこちら側』（二〇一五年）には、生体コンタクトカメラの映像や立体集音マイクの音声のデータ蓄積から任意の過去の空間を再構成する過去再体験《リバイバル》サービス「ユアーズ」が登場したのに対し、『本心』のＶＦは過去に存在した人物自体を再構成し、現在以降を生きさせようとするのである。利用者は、ヘッドセットをつければ現実空間と重ねあわされた仮想空間にいる故人と会い、話すことができる。だが、ＶＦの再現度がいくら高くリアルに感じられても、ヘッドセットをはずせばいなくなるし、停電で充電できなくなれば消えてしまう。そもそもいくら親しい人と再会できても、実体がないのだから相手に触れることはかなわない。作者の平野は『ドーン』（二〇〇九年）でも、震災で亡くした一人息子をＡＲ人間として蘇らせ、母が溺愛するエピソードを書いていた。ＡＲとは拡張現実（同作では「添加現実」と呼ばれる）を意味し、ＡＲ人間とはＤＮＡ情報と解剖学的データから設計された三次元映像であり、やはり会話ができ、加齢し経年変化するように設定されていた。『本心』のＶＦもＡＲ人間の発展形ととらえられる。

ＶＦは、故人に関する生前のデータをとりこみ、動き、話す姿をまず再現する。その後、本人を知る家族や友人などがＶＦと対話を重ね、ＡＩがいっそう学習していくが、受け答えに違和感を覚えた場合は、「〇〇さんはそんなことはいわなかったよ」などと軌道修正をうながす。『クララとお日さま』のクリシーの実行されなかった計画と同じく、『ドーン』では亡き子を親が科学技術の力で復活させる構図になっていたが、『本心』で特徴的なのは息子が亡き母を蘇らせることだ。不在の人間をこの世に出現させるのが親だとすれば、『本心』では亡き母に対し息子が親的な立場になるねじれがある。

『本心』の未来ではＶＦが実現しているだけでなく、「自由死」が合法化されていることもポイントになっている。本人の意志によって合法的に安楽死することが、国家的に認められている社会なのだ。主人公の石川朔也は、母から自由死を希望していることを告げられる。母子家庭で育った彼は反対するものの、彼女は考えを変えてくれないまま、ドローンの衝突による事故で死んでしまう。朔也が母のＶＦ作成を決意したのは、ただ一人残された寂しさのせいもあるが、母がなぜ自由死を望んだのか、本心を知りたいからでもあった。

とはいえ、ＶＦは誰に対しても〝心〟によって返答するわけではなく、蓄積されたデータと学習から可能な範囲で最適な答を返すだけだ。ＶＦを提供する企業の担当者は、朔也に「いつ頃のお母様をご希望ですか？」とたずねる。事故で死ぬ直前、若い頃、あるいは予想される未来など、いつの母と会いたいかは選べるし、オプションで複数の時期を選ぶことも可能だという。そのように母を蘇らせようとした出発の時点から、ＶＦに故人の本心を教えてもらおうとする試みが欺瞞でしかないことは示唆されている。結局、ユーザーの好きなように設定できるのだし、嫌いだった親を理想化したＶＦを作らせる例もある。朔也は「本物そっくりにして下さい。……本物に近ければ近いほど理想的です」と要望し、母はソーシャル・メディアをほとんど更新していなかったものの、メール、写真、動画といったライフログは一切合切、ＶＦ作成用に提供した。企業の担当者が、ＶＦに関する朔也の基本方針について、「ただ優しく微笑んでいてもらいたいのか、それとも本心を語ってもらいたいのか」とたずねたのが象徴的だ。ＶＦは、話す相手の表情を認識し、次の言動を調整する。つまり、ＶＦに望ましい反応を返してもらいたいなら、自分の方が本心を隠し表情をつくろわなければならない場面もあるのだ。

データと学習による反応にすぎないのに、朔也は実際の人づきあいと変わらないほど、あれこれ考えざるをえない。VFには心がないと理解していても、会話すれば心があると感じてしまうのは、そのせいだろう。朔也は、VFのニセモノの母に「お母さん」と呼びかけることで自分がニセモノになる気分を味わい、死んだ本物の母に申し訳ない感情を抱く。母に対する思いも、自分に対する思いも分裂するような状態だ。

また、母のVFを作成するに際しては、人格の構成に大きな変化があった時期ごとに円グラフ化がされた。当然、息子の朔也以外にも母が交流していた人たちはいるのであり、そうした対人関係の構成比を円グラフ化し、母の人格を逆算したのだ。そのうえでVFが、生前に交流があった人と会話すれば、人格は深みが増すはずだという。VFをめぐるこのへんの記述には、平野啓一郎が以前から唱えてきた分人主義が反映されている。個人（individual）は分割できないと普通は考えられているが、むしろ対人関係ごとに異なる複数で多様な人格＝分人（dividual）から人間は成り立っているととらえる方が、現実に即していると考えるのが、平野の分人主義だ。それは自分があらかじめ用意した複数のキャラを使い分けるということではなく、その時々で対する人間が異なれば、自分の感情のありかたや表情や行動も変わることを踏まえた人間観である。亡き母の本心を知りたい朔也は、彼女と交流のあった人々と会い、母の自分に見せなかった部分を知る。肉親の多様な分人を認識するのだ。

その過程では、彼が知りたくなかった可能性もつきつけられる。母は朔也に「もう十分生きたから」自由死を望むといっていた。それに対し、彼は「違うよ、それはお母さんの本心じゃない。お母さんは、子供や若い世代に迷惑をかけないうちに、人生のケジメをつけるべきだっていう世間の風潮に、そう思わされてるんだよ。」と反発していた。当時の彼は、経済格差が広がった社会における一般論として語っていた。だが、生前の母のかかりつけ医と話した際、将来の息子のお荷物にならないために自らの死を希望したのだろうといわれる。一般論ではなく、この母子の個別事例として指摘したのだ。もう七十歳前でこれから老いるばかりの母は、経済力がない二十九歳独身の息子の世話になり続けるのは負担をかけすぎると判断した。医者は、遠まわしにそう伝えた。感情的に反発の言葉を述べたものの、医者にいなされた朔也は、自分のせいだったのかもしれないと悔恨の気持ちを抱かざるをえない。自分が知らない母の顔＝分人を知るにつれ、朔也は「母は一体、誰だったのだろう」と考えざるをえない。また、分人は先述の通り、対人関係の双方に生じるものだから、こうも考えざるをえない。「僕は一体、誰なのだろう」と。彼は、やがてこうも思う。

> 母が今、生き返って僕と再会したとしても、自分の知っている息子ではないと違和感を抱くのかもしれない。僕たちの間には、僕が生き続けている分、距離が開いていくのだから。

この時、朔也は、データの蓄積や学習次第でいくらでも変化するＶＦを見るように自身を客観視している。ＶＦ作成以後の一連の経験により、親子なのだからどんなに時間が経っても親子としてわかりあえるというような、楽観的態度はとれなくなっているのだ。

『本心』はタイトル通り、本心を探す物語であり、主人公の亡き母が最初にその対象となるものの、朔也が自分の本心を省みざるをえなくなるのをはじめ、主要登場人物それぞれの本心を問う展開になっていく。それどころか主要人物以外のほんの端役に関しても、本心がどうなのか関心が持たれる場面がしばしば出てくる。なぜかといえば、本物の亡き母に対するアバターのVFだけでなく、なんらかの形の分身モチーフが、執拗なほど繰り返し現れるからだ。そもそも、登録会社に契約する個人事業主である朔也の職業は、「リアル・アバター」である。それは、カメラ付きゴーグルで現場の映像や音声を送信しつつ、依頼された行動をする仕事である。依頼主は、ヘッドセットを装着し、リアル・アバターの行動を共有し疑似体験するのだ。なかには、本心を明かさぬまま、朔也を引きずり回すようにあちこちの場所に行かせ、無理な要求を出して嘲弄する質の悪い依頼主もいる。それは、リアル・アバターである者にとって「遠隔で外部から命令されているのではなく、自分を内から乗っ取られてしまったかのような感覚」だ。

リアル・アバターという身分が不安定な個人事業主にとっては安くない資金を投入して、彼は亡き母のアバターを作成し、一緒に暮らしている。そこにもう一人、同居人が増える。母が働いていた旅館の歳下の元同僚であり、朔也の二歳上の三好彩花だ。台風に被災しアパートの部屋を失った彼女に朔也は、亡き母の部屋に住むことを提案した。それは下心があってのことではなく善意からだったが、彼が相手への想いを抱くようになってからも距離は縮まらない。三好はセックスワーカーだった辛い過去があったため、好きな相手でも肉体が拒否反応を起こすことを朔也に伝えていた。それゆえ彼は、三好に踏みこめないところがあった。彼は悪質な依頼主のせいで「自分を内から乗っ取られ」たような体験をした後、「セックスワーカーだった頃の三好も、こんな風に自分の肉体を脱け出して、意識だけの存在になって、どこか遠い場所で時間を潰していたのだろうか?」と思う。肉体と意識を乖離させせることで自分を守ろうとする方法を想像するのだ。作中では三好が映画『タクシードライバー』

（一九七六年。マーティン・スコセッシ監督）に言及しつつ、登場する娼婦とタクシードライバーの共通点は、「次の客は、クソ野郎じゃなかったらいいなって、独りになったあとで、溜息を吐きながらおもうところ」というのが印象的だ。

さらに朔也は、イフィーという有名なアバター・デザイナーと知りあい、彼の家に雇われる。その時代には、衣裳のように様々にデザインされたアバターを用いて、多くの人々が仮想空間に出入りしていた。なかでも人気のデザイナーがイフィーであり、彼は身体障碍者で下半身が不自由だったが、仮想空間では筋骨隆々たる裸体で闊歩していた。物語の後半では、朔也、三好、イフィーが三角関係の様相を呈する。『本心』では、人間は対する相手ごとに違う分人が顔を出すという世界観で書かれつつ、アバターというモチーフの頻出に示される通り、個々人における肉体と意識や自己イメージの乖離という別の形の分裂も語る。この世からあの世へ出て行ったはずの母がＶＦとしてこの世へ呼び戻される一方、遠隔地にいる依頼主のためリアル・アバターが目的地へ出発したり、セックスワーカーが辛い仕事から逃れて意識だけどこかに飛び出したり、現実の一般的な生活から締め出された障碍者がある種の約束の地として仮想空間を見出す。『本心』は、なんらかの抜け穴を切実に欲する人々を描く。逃げ場のない空間で働く娼婦やタクシードライバーが「次の客は、クソ野郎じゃなかったらいいな」と切実に願うように、多くの人々が限定された立場に息苦しさを覚えていることを表現する。

心の持ちようから逃げられるか

しかし、ここまで見てきた通り、『本心』のアバターに関連した一連のモチーフは、自分が自分であるという限定から逃れようとする抜け穴探しであると同時に、誰かを／が内から乗っ取り／乗っ取られる状態も意味している。朔也の仕事仲間は高齢男性のセックスのリアル・アバターを務めたという。また、作中で紹介される小説「波濤」では、ドッキリ番組でニセの恋愛を仕掛けるが、予期せぬトラブルで騙される側の芸人が死んでしまい、騙した側の女性が世間から糾弾される。芸人はドッキリだと気づいたが、仕事として騙されたふりを続けたのかもしれない。女性は制作者の指示で恋したふりをしたが、いつの間にか愛していたのかもしれない。そうした宙吊りの真実が語られる。さらに、人気アバター・デザイナーとして裕福なイフィーの下で働き始め、彼の気晴らしの相手をする朔也は、自分がペットになったように感じる。「人間が人間のペットとなってはいけないだろうか?」と思う彼は、ペットが本当の家族として大切にされるなら「どうして人間が〝本当の家族〟としてのペットではいけないだろうか?……」と自らに問う。人間であるままペットに転生したかのような夢想をするのだ。人間がある種の抜け穴を使って肉体と意識を乖離させるエピソードと同時に、他者から肉体や意識を乗っ取られたり支配されたりする場面が何度も描かれる。この二つは、本作で切り離しがたいからみあったものとしてあつかわれる。

三角関係が焦点となる物語の後半では、イフィーが朔也をリアル・アバターとして使役して三好に愛を告白する異様な場面があった。恋の告白を代行する人間自身が相手に恋していたという三角関係は、フィクションでさんざん描かれてきたが、ここでは告白する依頼主と代行する請負人がアバターとして同じ時を共有し、一体化しており、相手はどちらの言葉と受けとればいいのか、混乱せざるをえない。また、イフィーと朔也は友人である以前に雇用主と使用人の関係であり、代理告白が力関係に強いられたものか友情にもとづくのかも区別できない。

乗っ取りや支配は、誰か特定の他者だけが行っているわけではない。リアル・アバターの仕事で買い物をする最中の朔也は、中高年の女性が大半を占める周囲の客たちを見て、こんな風に考える。ほかの人は誰かに操られているのではないし、家族に事前に指示された人も多くないだろう（それはいなくもないはずだという意味でもあるが）。

けれども、日常の維持という、もっと大きな抽象的な目的が、彼女たちに命じている、と言えなくもなかった。社会そのもののリアル・アバターのように。——その証拠に、それに従うことが出来ない時に、彼女たちに低評価を下すのは社会なのだった。

『クララとお日さま』のクララは、単独で考えたゆえに勘違いしたままデータを蓄積し学習して独自の世界観を築いてしまったが、AF（人工親友）としてジョジーを救いたい想いは揺るがなかった。『恋するアダム』のアダムは、インターネット接続で膨大な情報を学習する存在であったため、社会が定めた法を優先し、身近な存在で親しいはずのミランダの罪を告発する行動に出た。内的衝動で行為を自己決定するクララが、人間個人と近い存在に感じられるのに対し、ネット接続で外部の知識に直結するアダムは、個人的な思考ではなく、「社会そのもののリアル・アバターのように」思考し動く。『本心』における抜け穴のテーマは、仮想空間のような外部を前提にしており、その点は『恋するアダム』に通じる。ただ、抜け穴は他者の乗っ取りにつながっており、相手の内的衝動＝本心が抑圧される様子が語られもする。そうして『本心』では、他者と社会、二重の乗っ取りが描かれつつ、それを忘れようとする自身による自分への抑圧も視野に入れられている。作中の人々は、自分の立場から容易に脱することはできない。

『トイ・ストーリー4』では、オモチャのウッディが、伴侶的存在のボーとともに自由へと旅立った。ウッディは自意識を持つ「個人」に近似した存在であり、彼の自己決定権を尊重した結末は、リベラルな観点からは自然な発想だったといえる。だが、ウッディがそれまで信条としてきた子どもの「ともだち」のままでいて欲しいと思う『トイ・ストーリー』シリーズのファンからは、大きな反発を招いた。そうしたファンの本音を、分をわきまえ、子どもに従属する立場を受容し続けようとする願望だといいかえることもできるだろう。だが、もし受容したならば、いずれ成長した子どもが飽きてオモチャを捨て、古びたそれはコレクターに見出されない限りやがて誰からもかえりみられなくなる。『クララとお日さま』の結末のように廃品置き場で朽ちるのを待つだけになるのは簡単に想像できる。クララには思考能力があるけれども、廃棄処分されることに抗わない。まるで分をわきまえたみたいに境遇を受容する態度の存在は、いずれも格差社会を背景とする『クララとお日さま』と『本心』に共通している。

『クララとお日さま』では、富裕層しか向上処置を行えないために格差が生じるほか、雇用主クリシーと家政婦メラニアの身分差、ロボットに仕事を奪われたらしいクリシーの夫ポール、新型ＡＦから格下とみられる旧型のクララという風に幾重にも社会的格差が書きこまれていた。作中では向上処置を受けたジョジーと受けなかったリックの永遠の愛の成就を願い、少女が命を落とさぬようにクララが独自の行動を起こす。それは、私的レベルでの運命への反抗といえるかもしれないが、格差を生んだ社会への反抗という発想は小説のなかで前景化することはない。ジョジーは病から回復して大人へ成長するものの、格差が解消されなかったリックとは結ばれない。彼もジョジーとの関係のなりゆきをひっくり返そうとはしない。そうした境遇の受容は、『クララとお日さま』と共通した要素も多いカズオ・イシグロの長編前作『わたしを離さないで』（二〇〇五年）にもうかがわれた作者の体質だ。同作は、臓器提供用のクローンとして育てられた若者たちを描いている。普通の人間とクローン人間に格差がある世界なのだ。施設で一緒に育ったキャシーとトミーは、本当に愛しあう二人であれば、臓器提供を三年間猶予されるという噂に希望を抱き行動するが、噂でしかなかったとわかり、やがて死を受け入れることになる。彼らは、死が待っているのに臓器提供の猶予を求めるにすぎず、制度と戦ったり逃げ出そうとしたりはしない。

イシグロ作品での登場人物の行動は、本人が置かれた境遇でできる範囲の運命への挑戦にとどまる。このため、なぜ、境遇を用意した社会への抵抗を主題としないのか、既存の格差を肯定しているのではないかという風にも思える。イシグロは『わたしを離さないで』に関するインタビューで逃亡する話は書きたくなかったとしつつ、次のように述べていた。

> 自分の仕事、地位を人は受け入れているのです。そこから脱出しようとしません。実際のところ、自分たちの小さな仕事をうまくやり遂げたり、小さな役割を非常にうまく果たしたりすることで、尊厳を得ようとします。
>
> われわれは大きな視点をもって、つねに反乱し、現状から脱出する勇気をもった状態で生きていません。私の世界観は、人はたとえ苦痛であったり、悲惨であったり、あるいは自由でなくても、小さな狭い運命のなかに生まれてきて、それを受け入れるというものです。

（大野和基インタビュー・編『知の最先端』二〇一三年）

カズオ・イシグロは、あるべき行動ではなく、現にこうある人々の生活感をベースに小説を書いている。主要な登場人物が、分をわきまえることを内面化している。平野啓一郎も同様の現実感を踏まえ創作しているが、社会変化への夢を作中から追い出しはしない。『本心』も、不安定な契約で働く朔也、トラウマを持つ元セックスワーカーの三好、身体障碍者のイフィーが物語の中心となるだけでなく、コンビニで客から罵倒される東南アジア系の女性店員を主人公がかばうエピソードなど、様々な格差や差別を描く。作中には朔也の亡き母が愛読し会ってもいた藤原亮治という作家が登場し、彼の考え方が「心の持ちよう主義」として世間に伝わっていたとされる。これは、カズオ・イシグロが現実の人々に観察した境遇を受容する態度を、人生訓のようにしたものだ。朔也と同じ職に就き「ARでごまかしても、VRでごまかしても、何も変わらない。結局、行動するしかないんだよ、世の中を変えるためには」といっていた岸谷は、後にテロに加わる。一方、三好は行動で世界を変えるなんてできないが、「自分を変えることで現実に適応しようとするっていうのは？」ともらしもする。つまり、「心の持ちよう主義」だ。そうした身近な人たちの意見にはさまれ、朔也の気持ちは揺れ動く。デモに遭遇すれば、プラカードの「私たちも生きたい！」の言葉が、胸に突き刺さる。裕福で余裕のある「あっちの世界」に行きたいと願う。

朔也は、ようやく対面できた藤原亮治から、若い頃の母が別の女性と暮らしており、第三者の男性からの精子提供で息子をもうけたと聞き、それが自分だと知る。生前の母は、藤原と死の自己決定権の話をしたというが、彼女は出産についても別の男性との関係においてではなく、自己決定でことをなしたのだった。生前に母が自由死をいい出した時、朔也は、若い世代に迷惑をかけないべきだという世間の風潮にそう思わされているのだと反発した。ところが、出産の自己決定をめぐる過去の話は、境遇をただ受容するような女性像とそぐわない。自由死の自己決定についても、世間の風潮に押されるのではなく、意志的に選んだのではないかと考えざるをえない。朔也は混乱する。彼が「心の持ちよう主義」にこだわるのは、母が自由死の理由として話した「もう十分生きたから」という言葉が、本人の「心の持ちよう」とどう関係していたのか、考えてしまうからだ。朔也はいう。「どんな状況にでも、僕たちが満足できる何かを見出してしまうのなら、現実は永遠に変わらないです。それは、この世界を好きなように弄んでる人たちにとっては、あまりに好都合です」と、反発する。

　藤原は「心の持ちよう主義」は自身が発した言葉ではなく、現実の不正義を正すための行動は賞賛するが、誰もが行動を起こせるわけではないし、起こしても現実が変わらないこともあると指摘する。「僕の文学は、もし、そういう人たちのための、ささやかなものだったと見做されるならば、それは喜びです」という藤原のセリフは、作者・平野啓一郎のスタンスでもあるだろう。『恋するアダム』のアンドロイドは法の正義を優先したが、社会の既存の正義が正しいとは限らない。『クララとお日さま』のAFが、少女のために行動できたのは、勘違いのなかで自分の正義を信じこめたからだ。『恋するアダム』のアンドロイドが、文学は人間の欠陥を描くと認識したのに対し、『本心』では社会の欠陥を正す後押しとして文学の可能性をとらえようとする。

　朔也は、逮捕収監後の岸谷の「今でもおかしいと思ってるよ、この世の中」という言葉に同意しつつ、テロは否定すべきだと考える。境遇の一発逆転を図るのではなく、境遇を受容するばかりでもない。物語の終わり間近になって主人公は、「あなたが今、『もう十分』と言って〝自由死〟を願うとしたら、僕は全力で止めます。あなたが現実を変えようとして努力をするなら、応援します」という藤原の言葉を肯定的に思い返す。その時点では朔也はもう、亡母のＶＦと自分の関係を終わらせていた。物語は、肉体と意識を乖離させる抜け穴がくれる慰撫よりも、少しずつでも今ある境遇を変化させようとする努力に希望を見出して終わる。都合のいい脱出先などないという断念こそが、ささやかな希望のリアリティを支えている。

3　生命のサイクルの未来――『ミッドサマー』『夏物語』

息づかいの同調圧力

私有財産、階級といった概念が広まり、人間の集合の規模が大きくなっただけ、中央に権力が集中して個々への抑圧が増す国家よりも、小規模なコミューン（共同体）の方がユートピアに近いのではないかとする考え方は、旧くからある。社会の規模拡大を後押しした科学の力をあえて排除・制限し、人々がモノを共有し、身分の違いがない状態にしてコミューンを築き維持しようとする。そのような政治的・宗教的試みは、しばしば行われてきた。今より原始的で素朴な暮らしの方が幸福だと夢想し、自然への回帰を志向するわけだ。だが、人間が集まって生きるならば、共同体を安定的に存続するため、自ずと規範が求められる。時には規範が暴走し、個々人を抑圧することも起きるだろう。その意味では、巨大な国家だけでなく、小規模なコミューンにもディストピア的要素は現れうる。そのことを美しい映像で語ったのが、アリ・アスター監督の映画『ミッドサマー』（二〇一九年）だ。

同作は、スウェーデンのホルガ村という架空の場所で展開される。その村は、外界との交流がほとんどなく、車は使われているものの機械類をほとんど用いておらず、村人が共同の手作業で仕事をしているらしき様子が、たびたび映る。彼らはみな、白い衣裳を着て穏やかな表情を浮かべ、来訪者に親切に接する。夜になっても暗くならない白夜が続くなか、森に囲まれた草原で色とりどりの花が咲く風景は、幻想的で来訪者たちを魅了する。だが、村の夏至《ミッドサマー》祭の時期にアメリカからホルガへやってきた若者グループは、当地の伝統儀式に立ち会うことで、村が外の世界とは違う価値観の異教に覆われていることに直面する。ホルガにおいては、性交、出産、寿命への介入といったディストピアものの定番である身体管理のモチーフが、当地のカルト信仰の一部として描かれるのだ。

夏休みにいつもの日常から離れた旅の宿泊地で若者グループが、一人、また一人と悲惨な目に遭う。生命の危機から助かって土地から脱出できる誰かはいるのか。『ミッドサマー』は、そのように古典的なホラー映画のパターンを踏襲した大枠で作られている。ただ、夜の暗闇で最初はなにが動いているのかよくわからないところから、次第に若者たちに危機をもたらす者の正体が明らかになっていくのが、通常のホラー映画だろう。それに対し同作は、白夜の明るさの下で出来事が進む。建物のなかしか暗がりがない村は、大らかでなにも秘密がないかのように最初は感じられる。だが、この村では幻覚作用のある薬草を使ったお茶が儀式で飲まれている。そもそも、作中でカルト信仰の生け贄となる若者たちは、村を訪れる前からマジックマッシュルームを楽しむなど、自ら幻覚に浸っていた。主人公の女性ダニーは、ホルガに着く前、そのトリップ中に地面に置いた手の甲から草が生えているところを見ていた。後からふり返れば、旅の途中に薬物を嗜んだのは、彼らをホルガに連れて行くことにした村の関係者が、現地に適応しやすいようにあらかじめ幻覚体験をさせたのではないかとも思われる。その場面以降、明るく照らされているからといって、目に映るのが本当の形とは限らないという疑念が、映画を見るものにつきまとう。

若者グループのホルガ滞在に大きな影響を与えているのは、ダニーがトラウマを抱えた状態で旅行に参加したことだ。以前から情緒不安定な彼女を重荷に感じていた恋人のクリスチャンは、別れたいと思いながらいい出せず、そのことを友人のマーク、ジョシュに愚痴っていた。さらにダニーには、精神を病んだ妹が一酸化炭素中毒で父母を巻きこみ自殺する不幸が襲っていたのだ。彼女はますますクリスチャンを頼るようになり、彼はそれをふり払えない。クリスチャン、マーク、ジョシュは、三人の友人でスウェーデンから留学しているペレの誘いに応じ、彼の故郷ホルガでの夏至祭を見に行く予定だった。クリスチャンはその計画をダニーに隠していたが、知られることとなり、彼女にもこないかと誘う。相手が断ると予想して誘ったのだが、ダニーは参加を希望し、他の友人たちも表面上は歓迎する態度をとる。ダニーは自分がクリスチャンの重荷になっていることを自覚しており、彼も交際し続けたところで幸せになれないと感じている。だが、離れられない共依存の関係に陥っていた。ホルガ行きについても、ダニーは旅に参加したいというより、クリスチャンから離れたくないのだろう。マークやジョシュは、クリスチャンがダニーと別れたがっていることを知りながら、波風が立たないように彼女を自分たちの輪のなかに受け入れる。共依存の恋人同士が、近しい友人たちに同調圧力を伝播させたごとき関係性だ。

『ミッドサマー』がサイコロジカルホラーと称されるのは、以上のようにトラウマを抱えたダニーを中心に物語が組み立てられているからである。作中では、ホルガの人々が集まった儀式に参列した若者たちが、村の老人男女二人が高い崖から身を投げるのを目撃する。女性は即死だったが、男性は下半身を損傷した状態でしばらく苦しみ、村人がハンマーで頭を粉砕することでようやく息絶えるのだ。ホルガでは、七十二歳になった老人はそうする習わしであり、善き生命サイクルを存続するためには当たり前だと考えられている。村人以外の若者はショックを受け、ダニーたち以外にロンドンからきていた男女カップルは、ここから出ていくという。一方、文化人類学を専攻するジョシュは、もともとこうした風習をテーマに論文を書く予定であり、クリスチャンもホルガの儀式を論文にすることを思いつく。テーマが盗まれたと感じたジョシュとクリスチャンの仲は険悪になるが、二人それぞれがホルガにとどまる動機が強まったわけだ。こんなところにいたくないと思うダニーとクリスチャンのすでに抱えていた意識の食い違いは、露わになっていく。

不穏な空気が漂い、よそ者である若者たちの姿が減っていくなか、論文執筆のため村の秘密の書物を盗撮しようとしたジョシュは、何者かに殴打され、体を引きずられていく。終盤では、主人公ダニーと恋人クリスチャンがどうなるかが、物語の焦点となる。ダニーは、幻覚をもたらす薬草茶を飲んだ女性たちが踊り続ける儀礼に参加し、最後の一人になるまで踊ったため優勝したクイーンとして花の冠をかぶせられる。一方、閉鎖的なホルガでは、聖なる書物を記す障碍者を意図的な近親婚で生んできたが、時おり外部の人間の血を入れてきた。狭い範囲での婚姻によるいきづまりを避けるためであり、その外部の血として選ばれたクリスチャンは、村の若い女性と一つの儀式でもある性行為におよぶ。クリスチャンに恋人ダニーへの負い目がないでもなかったものの、彼女とはギクシャクしたままだし、論文を書くため儀式を知りたい思惑があった。だが、その性行為の光景を、建物の外からダニーは覗いてしまうのだ。ホルガでは九人の生け贄を必要としており、崖から投身自殺した老人二人や、すでに命を奪われた若者たち、村からの志願者と、あと一人が求められていた。その一人を、抽選された村人にするかクリスチャンにするか、クイーンになったダニーは選ぶ権利を与えられる。

薬によって喋ることも動くこともできなくされ、中身をくりぬいた熊の体を着せられた恋人を彼女は生け贄に選ぶ。九人の生け贄の体が置かれた神殿に火が着けられ、燃え落ちるのを見てダニーが微笑むところで物語は終わる。

一定の年齢に達した老人の死の義務、近親婚を基調としつつも外部の者の子種で出産し村の血の更新を図ること、生け贄を捧げることによる悪しきものの浄化。ホルガでは、それらの儀式が、善き生命のサイクルを維持存続するために必要だとの信仰が浸透している。特徴的なのは、一連の儀式において人々が共に泣き叫んだり、息遣いが荒くなったり、同調する場面がたびたび出てくることだ。崖から落ちたのに死にきれなかった老人がうめくと、見守る村人たちは彼を真似て苦しみの声を上げる。踊りを競う儀式で手をつなぎ、ポールの周囲を回ってステップを踏み続ける女性たちは、みな息が弾んでいく。屋内の暗がりで外部からの子種としてクリスチャンが性行為におよぶと相手の若い女性のあえぎ声にあわせ、二人を囲んだ老人を含む裸の大人の女性たちがあえぎ声を上げる。恋人のそんな裏切りの場面を扉の外から覗き泣きじゃくるダニーを、村の女性たちが囲み、同じく泣き叫ぶ。燃える神殿のなかからまだ命がある生け贄の断末魔の叫びが聞こえると、外の村人たちも苦しみ騒ぐ。

先に触れた通り、ホルガを訪れる前のダニーとクリスチャンは共依存の状態にあり、その二人にジョシュやマークも惰性的に同調していた。しかし、ホルガに滞在してからの彼らは、仲間同士でぎくしゃくする一方、村人たちの同調圧力にとり巻かれる。それは、ただ空気を読むような曖昧なものではなく、儀式をめぐる誰かの苦しみや悦びといった感情の高ぶりに、息づかいをあわせる身体的なものだ。同じ異教を信仰する村全体が、外部に漏らすのが禁忌である性や死をめぐる秘密を共有することで、共依存になっているといえる。ホルガの大切な儀式で彼らが息づかいをあわせるのは、同調圧力を互いが確認し、自分たちで高めあっているようでもある。つまり、この物語は、ダニーがクリスチャンや彼の友だちからホルガへと、共依存や同調圧力の相手を乗り換える過程を描いているのだ。アリ・アスター監督は『ミッドサマー』について、恋人と別れたばかりだった自身の経験を描く手段を探した結果、この映画になったと複数のインタヴューで語っている。家族を失い、恋人の裏切りを知った主人公は、彼らに替わるものとしてホルガを得て村に同調した。だから、最後に彼女は微笑むことができたと解釈できる。ここでの出来事はホラーだが、主人公は癒されているのだ。

オーウェル『一九八四年』に典型的なように、監視管理の徹底した独裁社会を舞台にしたディストピアでは、支配の真実を記録しようとする者が、権力によって隠蔽のため攻撃される。一見、原始的ユートピアに思えるホルガに科学的な監視などないが、やはり村人の眼が部外者の行動を見張っており、秘密を探ろうとしたジョシュは罰を受けた。また、性交、出産、死など身体にまつわることを管理するのは、ディストピアの常道だ。その社会は、個々人の身体をルールや装置で支配し、家族や恋人ではなく国家を愛せと要請する。『ミッドサマー』の場合、システマティックなルールや装置ではなく、村内の素朴な絵画にも描かれた儀式の数々が、重要な意味を持つ。そして、システムの代わりに人々の思考や行動を縛るのが、同調圧力なのだ。互いが互いを真似る荒い息づかいが、この原始的ディストピアの縛りのきつさを象徴している。

SFではなく現実のディストピア

川上未映子の長編小説『夏物語』(二〇一九年)は、二部構成になっている。二〇〇八年発表の『乳と卵』を語り直した第一部では、一人暮らしの夏目夏子のところへ、九歳上の姉・巻子と娘で小学六年生の緑子がやってくる。シングルマザーの巻子は豊胸手術を計画しており、それは産んだ娘に乳を吸わせてしぼんだ乳房をとり戻そうと思ってのことだった。娘の緑子は口で喋ることを頑なに拒み、筆談にしか応じない。豊胸手術に前のめりな母に対しては、反抗的になっている。第二次性徴期の緑子は、自分の体が女性になっていくことに違和感や拒否感があり、その思いを書きとめている。ついに母娘は、卵をぶつけあうほど衝突するが、なにかを吐き出した二人は和解に向かう。そんな姉と姪のいざこざに立ち会った夏子の八年後から第二部は始まる。作家デビューした彼女は、男性との性行為が辛く、恋愛から遠ざかっていた。だが、性行為や結婚は望まないものの「自分の子どもに会いたい」との思いを抱き、第三者からの精子提供によるＡＩＤ（非配偶者間人工授精）で出産しようと考える。その過程で彼女はＡＩＤで生まれた逢沢潤と知りあい話すようになるが、彼のパートナーであり同じくＡＩＤの子だった善百合子から、生まれたことに苦しむ子どもがいるのだから人間はもう子どもを産むべきではないという考え（一般的に反出生主義と呼ばれる思想）を聞かされる。

物語をさかのぼれば第一部では、性に忌避感を持つ小六の緑子が「人間は、卵子と精子、みんながもうそれを、あわせることをやめたらええと思う」と書きとめていたのだった。この小説は、第一部で女性の性的身体をめぐる母娘の意識の齟齬という私的領域の問題が語られ、第二部では子どもを得るためのＡＩＤの是非という私的かつ社会的な問題が焦点となる。いずれも、性的身体と子どもの関係、両者のおりあいのつかなさがテーマになっており、反出生主義的な発想が第一部と第二部の通奏低音となっている。『ミッドサマー』が、家族や恋人をめぐる主人公の個人的な生・性・死から、ホルガという共同体の生・性・死へとテーマが発展したのと同様に、『夏物語』も生・性に関し私的領域から社会的領域へと語りの範囲を拡張する構成なのだ。しかし、違いもある。川上未映子は自作

『夏物語』について、こう語っていた。

生命倫理とかディストピアって、寓話とかSFの力を使ってしか書けない部分があるじゃないですか。ジャンルの形式だけが見せることのできる景色があって、思考実験だけが可能にするリアリティって確実にあるとは思うんだけど、私は今回、このテーマを小説に選んだからには、絶対に現実から離れずに三十八歳の女の人が一人で子どもを産むときにどういうふうな手順を踏んで何にぶち当たっていくかということを、地に足をつけたままいかなきゃいけないっていうオブセッションがあったんだよね。

（『ＫＡＷＡＤＥムック　文藝別冊　川上未映子』二〇一九年のインタヴュー）

村田沙耶香『殺人出産』（二〇一四年）、川上弘美『大きな鳥にさらわれないよう』（二〇一六年）など、純文学の側にいる作家が生殖に関しSF的な設定を導入したディストピア的な世界を描く例は少なくない。それに対し川上は、SFのような技術やロジックの蓄積があるジャンル小説の手法を安易に純文学へ流用した際の脆弱さを意識し、あくまでリアリズムの手法で書くことを選択したのだった。したがって『夏物語』では、前記のような小説群や『ミッドサマー』のように、ある種の技術や考え方がその社会や共同体の多くを覆っているとするSFや寓話の書き方はしていない。『夏物語』には、性、出産、子どもに関していろいろな立場の人間が登場してそれぞれの思いや考えを吐露し、議論になったり、言葉をのみこんだりする様子が記されていく。作家でシングルマザーの遊佐リカは「子どもをつくるのに男の性欲にかかわる必要なんかない」と断言する。「どうして子どもなんて、そのへんの女が言うようなことにこだわるの」と夏子にいうのは、年上の独身編集者・仙川涼子だ。仙川は同性愛的ふるまいを見せたりもする。

夏子のアルバイト仲間だった紺野りえは、家族関係に拘泥している。彼女は、かつて母親に父親と子どものどちらが大事かと尋ねたら「お父ちゃん」と即答され、「だって子どもはこのあとまだ産めるけど、お父ちゃんはひとりしかないから」と説明された体験を話す。紺野は自分の母親に「まんこつき労働力」という強烈なレッテルを貼る。ＡＩＤで生まれた逢沢潤が、自分の本当の父親が誰かわからずアイデンティティの苦悩を経験したうえ、恋人から「四分の一が誰だかわからない子どもを産むわけにはいかない」といわれ、結婚話が消えたエピソードも出てくる。とはいえ、本作の登場人物の多くは女性であり、男性が優位な社会でのそれぞれの生きづらさが語られるのだ。「文學界」二〇一九年八月号では、女性たちが「産む機械」にされるＳＦ的設定のアトウッド『侍女の物語』にインタヴュアーの鴻巣友季子（『侍女の物語』の続編『誓願』を訳している）が言及したのを受け、川上はこう応じていた。

逢沢家みたいに、女は生まなければ存在すら認められなかった。今でも地域によってはそうですよね。女性においては、ディストピアというのはそのまま現実です。

『夏物語』では、特定のパートナーなしで子どもを産もうと考えた夏子が、ボランティアの精子提供者と称する恩田と会う。だが、自分の精子や性器を自慢する彼は、手段として着衣での性交を提案するなど、本当の欲望があからさまなふるまいをする人物だった。一方、『侍女の物語』では、出産が絶対善とされ、代理出産の務めを負わされた侍女と男が互いに着衣で性交し、不妊の妻も着衣でそこに同衾することになっていた。同作では、キリスト教原理主義の独裁政権ができた結果、不妊対策のための性交が儀式化されたのである。宗教国家という設定ゆえに儀式的な場面が描かれたわけだが、『夏物語』の恩田は、宗教のような倫理的枠組みがないぶん、様々な理屈を述べつつも個人の欲望が生々しくせり出している。

しかし、ディストピアＳＦほど強固な枠組みではないにせよ、性差や出産をめぐる社会で優勢な通念が個々人を抑圧する現状はあるわけだ。それが「女性においては、ディストピアというのはそのまま現実です」の発言につながる。『夏物語』でそれを最も象徴する人物が、ＡＩＤで生まれ、養父から性的虐待を受けて育った善百合子だ。彼女は、十人の子どもが眠っているとして、九人が起こしてくれたことを嬉しく思うとしても、残る一人が苦痛を与えられるならば、それがどの子になるかはわからないのだから子どもを誰も起こすべきではないと、反出生主義を唱える。夏子は、彼女の言葉に揺り動かされるが、やはり子どもを産むことを決意する。男性との性交に快楽がなく苦痛しかない彼女は、逢沢と交流を持つうちに彼を好きになっていたと自覚するが「わたしの好きは、どこにも辿り着かず、何にもつながらないひとりよがりな感情なのだ」と思う。そんな夏子にとって、通常の恋人や夫のようなパートナーなしでも子どもを産めるかもしれないということは、どこかにたどり着き、なにかにつながりうる可能性なのだ。善百合子も夏子も、未来が賭けの対象になっている。

「生まれてこない方がよかった」、「生んでくれと頼んだ覚えはない」という考え方は昔からあるものだが、反出生主義をめぐる近年の議論は、デイヴィッド・ベネター『生まれてこないほうが良かった』（二〇〇六年）が引き起こしたところが大きい。このテーマをあつかった「現代思想」二〇一九年十一月号の「特集　反出生主義を考える　「生まれてこないほうが良かった」という思想」で同書とともに多くの論者がとりあげていたのが、リー・エーデルマンの再生産的未来主義批判である。未来の子どもたちのためにと理由づけし、現在のなにかを批判するのは、よくある論法だ。だが、未来の子どもの存在を前提とすると、子どもを再生産しうる男女関係が善とされる。その再生産的未来主義が、異性愛者以外の人々を抑圧するとエーデルマンは批判する。それに対し、性交が苦痛であるために異性愛者として生きられない夏子は、性交やパートナー抜きにただ精子提供を受ける形で子どもを産もうとするのだ。

未来の子どものためと称して現在に対しなにかを要求する主張は、これまで子どもが再生産されてきた過去＝生命のサイクルを当然視している。一方、こんなに苦しいのだから「生まれてこないほうが良かった」という実感を未来へ投影し、これ以上、苦しむ子どもを作るべきではないと生命のサイクルを断つことを主張するのが、反出生主義である。それは、現に進行している少子化の理由を後づけする主張のようでもある。それに対し、再生産未来主義は、子どもが生まれることを善として、その未来を約束された希望の地のようにとらえる。同時に仮構された未来によって現在を抑圧する。逆に反出生主義は、子どもは苦しみへ投げ出されると考え、出産自体が楽園を経由しない荒地への追放であるかのように見立て、未来を否定する。結局、夏子は、匿名の誰かではなく逢沢の精子で出産する。だが、二人の関係は恋愛や結婚には発展せず、異性愛による帰結ではない点で、夏子の出産は既存社会が想定する再生産の形ではなかった。現在を抑圧しない形で未来に手を伸ばそうとしたのだといえる。夏子は、善百合子の前で出産への決意を「忘れるよりも、間違うことを選ぼうと思います」と言葉にしていた。自分の体の真実、自分の願望や可能性を忘れてすますよりも、間違えるかもしれない未来の可能性に賭けたのだ。出産した彼女は思う。

その赤ん坊は、わたしが初めて会う人だった。思い出のなかにも想像のなかにもどこにもない、誰にも似ていない、それは、わたしが初めて会う人だった。赤ん坊は全身に声を響かせ、大きな声で泣いていた。

ここには、〝再〟生産のサイクルに囚われない、新しい出会いへの希望が書かれていた。

Chapter 6　脱出／追放／独立

Escape/Expulsion/Independence

1　子どもの出入口——『君の名は。』『天気の子』『すずめの戸締まり』

余裕のない現在の子どもが未来の鍵を握る

前章で言及した「現代思想」二〇一九年十一月号の「特集　反出生主義を考える　「生まれてこないほうが良かった」という思想」には、小泉義之が「天気の大人　二一世紀初めにおける終末論的論調について」を寄稿していた。そこでは、反出生主義の代表的著作であるベネター『生まれてこないほうが良かった』が、「私たち」の再生産は阻止されるべき、「世の終わり」こそ最高善だとしながらも、だからといって「私たち」の「早死に」は良くないと、節制を掲げつつ結局止まないであろう婚姻と生殖を追認する諦観と日和見主義を指摘していた。小泉は、そのような終末論的警鐘と現在の生活様式の追認を同居させる姿勢を、地球温暖化をめぐる人々の議論や反応にも読みとる。そのうえで、二〇一八年の十五歳の時点でCOP24（第二十四回国連気候変動枠組み条約締約国会議）に出席し、大人たちが「子どもたちの未来を奪っている」と各国の温暖化対策の不十分さを批判し、世界的有名人になったグレタ・トゥーンベリに触れていた。この少女が温暖化への影響を考え、飛行機を利用しないと打ち出していたことについて小泉は、大事なのは「その選択を通して「別の生」が生きられているということである」と評した。「別の生」とは、別の可能性といいかえることも可能だろう。

つまり、天気の子であるグレタ・トゥーンベリは、天気の大人たちが、一方ではそこに自分の姿を見出しながらも、他方でそこに自分の姿を認めたくないと思わせるような「割れた鏡」なのであり、そうであるからこそ、ベネターを含む天気の大人たちを「別の」生へ開いていく力を有しているのであると、いまさらのようではあるが、やはりそう言っておきたい。

小泉は論考をこのような文章で締めくくっていた。引用に出てくる「天気の子」という呼び名、それと対比され論考の題名にもされた「天気の大人」という言葉は、文中では触れられていないが、新海誠監督『天気の子』を意識したものだろう。反出生主義特集の「現代思想」が発売される直前の二〇一九年七月にそのアニメ映画が公開され話題になっていたのだから。同映画は、雨が降り続く異常気象の関東地方に対し、祈れば晴れる力を身に着けてしまった少女・天野陽菜が人柱となれば天気は回復する、未来はまだ子どもである彼女次第という設定だった。仮定される子どもの未来から、現在の行動が厳しく問われるその図式は、反出生主義、再生産的未来主義、グレタ・トゥーンベリの論法にも共通するものだ。小泉義之が『天気の子』自体をどうとらえたかは、先の論考からは判断できないが、新海誠は『天気の子』についてのインタヴューで気候変動や若年層の貧困をモチーフにしたと語り、グレタ・トゥーンベリにも言及していた（国連広報センターブログ『天気の子』新海誠監督に聞く天気をモチーフにした大ヒット作品、気候変動から受けた衝撃とエンタメにできること https://blog.unic.or.jp/entry/2020/01/31/135248）。

気候変動はそもそも世代（間）の問題を浮き彫りにする課題ですよね。グレタさんが怒っているのもそこ。グレタさんの行動を見て、気候危機に対して10代が運動を起こすというのは、彼らにできる唯一の政治参加がそれなのだという印象を受けています。自分たちの行く末を真剣に考えたときに、今これをやらないと自分に跳ね返ってくるという実感があるからこそのアクション。なんて冷静で合理的な行動ができるんだろうと思います。

新海はこう話す一方、海外に比べ『天気の子』への日本の観客の意識が気候変動にむかないのは、余裕がないからだろうと、次の推察を述べている。

ほとんどの普通の人は目の前の日々をクリアすることで精一杯で、10年・20年後の滅びが約束されていたとしても、そこに立ち向かうことはなかなかできない。人間の持っているお金とか余暇は限られていて、特に若い世代の人たちの持ち分が減っていっているというのが実情だと思います。

グレタは、現在の既得権益を失うことを恐れる大人たちが、温暖化対策をろくに進めないことで、自分たち子どもの未来を奪っていると痛罵した。それは、苦しむことになる未来の子どもは生まれない方がいいと主張するベネターが、早死にを肯定せず、現在の大人の婚姻や生殖を受容する不徹底な態度を、小泉が批判したのと同じ形の論理だ。いずれも、子どもの未来と大人の現在を対立させる論法となっている。それに対し、新海は、現在の日本の若い世代に余裕がなく、たとえ未来の危機が確実視されても、立ちむかう余裕がないと考えている。大人だけでなく子どもも、現在に縛られているというのだ。

『天気の子』の主人公は、神津島から東京へ家出した高校一年生の森嶋帆高である。彼が地元や親が息苦しかったともらす場面はあるものの、家出の理由は明示されない。ただ、登場時、顔に絆創膏が貼られていたことから、家か学校でトラブルがあったと察せられる。そんな帆高が、母親が病死して小学生の弟・凪と二人暮らしになった天野陽菜(自称十七歳だが、実は十四歳)と出会う。家出少年の帆高と、両親のいない陽菜・凪は未成年で保護者がおらず、年齢を詐称して働こうとしても難しい。このため、局地的に短時間ではあるが、祈れば晴天にできる陽菜の不思議な力を活かし、三人で「100%の晴れ女」のビジネスを始める。だが、帆高は新宿の歌舞伎町で仕事を求め彷徨っていた頃に拳銃を拾っていた。金が必要な陽菜が風俗業に身を投じようと男たちと歩いていた時、彼女がさらわれると勘違いした帆高は、助けようと発砲したのだった。この事件と、家出に対する親の捜索願により、帆高は警察に追わる立場になっていた。両親不在の陽菜と凪に対しては、児童相談所が保護しようとしている。警察と児童相談所は、当然のことをしているだけだが、帆高や陽菜にとっては自分たちの行動と意志を奪おうとするものであり、大人たちすべてが敵に感じられる。未成年でまともな職に就けない彼らは貧困状態に陥っていたが、警察や児童相談所からの逃亡生活を始めたことで、さらに苦しい状況になる。

帆高たちは、居場所を探してラブホテルに泊まり、カップラーメンなどでささやかなパーティ気分を味わう。現在を生き延びるのに精いっぱいなのである。だが、夏なのに雪が降るなど、関東地方の異常気象が悪化するなか、陽菜が人柱になって空に消失することで、雨続きだった天気が回復する。現在だけで精いっぱいなのに、まだ子どもの陽菜の存在が、未来を救う鍵になるのだ。大枠として未来の子ども対現在の大人の図式がありつつ、子どもが現在と未来に引き裂かれている。陽菜の犠牲が理不尽だと感じる帆高は、空から彼女を連れ戻そうとする。『天気の子』で目立つのは、帆高や陽菜の孤立だ。家出した帆高が東京へきた当初にしたのは、自分でも大丈夫な仕事をネットで検索し、Yahoo! 知恵袋に職探しの相談を書きこむことだった。未成年であることを罵倒する回答がつくなど結果は散々だったが、彼はネットに頼ることをやめない。陽菜とともに「晴れ女」サービスをスタートできたのも、ネットで営業用のサイトを開設できたからだ。彼らにとってインターネットは、匿名の敵意にさらされる危険はあるにせよ、誰かとつながれて、自分たちの孤立状況の救いになりうる重要なツールであり続ける。

子ども対大人の図式が前面に打ち出されるなか、中間的な立場になるのは、家出した帆高とフェリーで偶然出会った須賀圭介である。彼は姪の夏美とともに雑誌「ムー」などに都市伝説の記事を寄せるライターであり、帆高を事務所のバイトとして雇う。といっても、少額しか与えず、居候させただけに近い。それが、「晴れ女」ビジネスを帆高たちが始める一因になったともいえる。須賀は、帆高が警察に追われていると知ると、金を渡し、家に帰るようにいって追い出す。須賀には先立たれた妻との間に娘がいたが、義母に引きとられていた。義母は彼をよく思っておらず、娘との面会も渋られているため、帆高のことで面倒を起こせば、ますます会えなくなると考えたのだ。帆高に同情的だった夏美は、警察に捕まった後に再逃亡した彼を助ける。また、かつて自分も家出を経験し、亡き妻と大恋愛した須賀は、結局、警察をふり切って陽菜を助けに行こうとする帆高に加勢する。それによって空にたどり着けた帆高は、人柱になっていた陽菜を見つけ、地上へととり戻す。その結果なのか、晴れていた天気は再び雨がやまなくなり、東京の多くは水没したままになる。

かつての境遇が帆高と近いこともあり、彼への共感が垣間見える須賀は、半分大人、半分子どものキャラクターといえる。須賀は帆高に自分の過去を見ているのだろう。小泉はグレタについて「天気の大人たちが、一方ではそこに自分の姿を見出しながらも、他方でそこに自分の姿を認めたくないと思わせるような「割れた鏡」」と書いたが、須賀にとっての帆高はそのようなものである。だが、帆高や陽菜が、環境問題のシンボルとしてのグレタのように、大人を「「別の」生」＝別の可能性へ開く力として描かれているかといえば、違うだろう。映画は、子どもが未来を象徴する存在だからといって、彼らが未来を開くための犠牲になる必要はないと語る。帆高は、陽菜を人柱から解放したことで自分たちが世界を変えてしまったと信じているが、劇中に雨が降りやまないのは彼らが原因だと糾弾する人など現れない。帆高と陽菜に関しては、未成年の問題行動としてあつかわれるのみだ。

須賀は、しばしば帆高を助けるけれど、総じてみると少年に無理解な姿勢をとっている。それが素なのか、あえてそうしているのかは、微妙なところだ。一連の事件から二年半が経ち、高校を卒業し保護観察処分を終えた帆高は、再び上京して須賀と再会する。自分たちが世界を変えたと考える帆高に対し、須賀は因果関係を否定し、「自惚れるのも大概にしろよ」と相手にしない。加えて須賀は、東京の水没について「世界なんてさ――どうせもともと狂ってんだから」といい捨てる。また、「晴れ女」ビジネスの客だった老婆に帆高が仕事をやめたことを伝えにいくと、江戸はもともと入り江で東京の多くが海だったと聞かされる。「結局元に戻っただけ」だというのだ。須賀や老婆だけでなく、首都の広域が水浸しになったままこの国が続くディストピアの現出に対し、人々が目立って抗う様子はない。このラストには、受容と諦念らしきものが感じられた。

伝統の巫女と偶発の巫女

振り返れば、Chapter 2でとりあげた『日本沈没』は、一九七三年の原作と映画版、翌年のテレビ版では、列島全体が水没する展開だった。それに対し、大幅なアレンジが施された二〇二〇年のアニメ『日本沈没2020』と二〇二一年のドラマ『日本沈没　希望のひと』では、国家の多くが失われながらも、一部は残る結末だったのである（二〇〇六年のリメイク版映画が、人の力によって沈没の進行を途中で止めたのとは違い、前記二作は自然現象として一部が残る。アニメ版では将来の再隆起予測も示される）。残った一部に国の過去の記憶や未来への希望を託した近年の『日本沈没』リメイク二作のラストは、二〇一九年の『天気の子』のラストと同様に、水没を受容しつつなお国家は続くという、一種の諦念とわずかな希望が漂っていた。

一九八〇年代のバブル景気以前に発想された一九七〇年代の『日本沈没』は、好景気と不景気の循環がまだ信じられているなかで、列島全体が消失する最悪の未来を想像する精神的余裕がまだあった。だが、バブル崩壊後の失われた十年が、二十年、三十年と長期化し、日本の国際的地位は低下し続け、もう過去のような経済的繁栄は望めない。二〇一一年の東日本大震災で発生した原発事故に伴う汚染の処理が長期間を要する一方、大規模な自然災害は今後も繰り返し起きるのは確実だ。この国は、大いなるマイナスとともに生きるしかないという感覚が、列島全体が消失する最悪のシナリオを忌避させるかわりに、水の浸食を受容しつつ生き永らえる未来を諦念とともに想像させる。一連の作品の結末は、そのことを象徴するように思われてならない。

一方、『天気の子』の結末は、新海誠監督が、前作『君の名は。』（二〇一六年）に寄せられた批判に応えた側面もあった。『君の名は。』では、東京都心に住む立花瀧と飛騨の山間の街に暮らす宮水三葉、二人の高校生男女の意識が、互いの体のなかで入れ替わる。彼らは最初、時おり起きるこの怪現象に戸惑うが、iPhoneでのやりとりなどを通じ、自分たちに生じている事態を理解していく。だが、突然、入れ替わり現象は途切れ、瀧は三葉と連絡がとれなくなってしまう。三葉を心配する瀧は、必死の思いで彼女の住む地方の街を探し、訪れるが、そこは三年前に隕石の落下で住民多数が死亡した場所だった。三葉と瀧には、三年のタイムラグがあったのである。だが、瀧は三葉と再び入れ替わる方法を見つけて三年前の街へ行き、隕石の落下前に住民を避難させようと画策する。瀧の作戦はうまくいかないものの、本人の意識が体に戻った三葉が役割を引き継ぎ、避難は達成される。

新海自身がインタヴューなどで発言している通り、『君の名は。』以降の彼の映画は、二〇一一年に発生した東日本大震災の影響下で作られ、いずれも災厄を題材にしていた。ただ、『君の名は。』と『天気の子』は、どちらもボーイ・ミーツ・ガールの物語であり、いなくなってしまった少女を少年の手でこの世にとり戻す展開が共通するものの、結末の方向性は正反対だった。『君の名は。』の場合、瀧が三年前を生きる三葉と入れ替わりの形でかかわり、過去に介入することで、本来起きていたはずの多大な人的被害を回避する。だが、映画が実際にあった大震災を意識して作られたことが明らかであったため、起きてしまった災厄をなかったことにする歴史修正主義だと批判する声があった。災害の悲惨さとは、そこで生きていた顔も名前もある個々の人々、彼らが使っていた品々、暮らしていた空間などが破壊され、ほかのものでは代替できない、とり返しのつかなさに因る。とり返しのつかないものをとり返す『君の名は。』のストーリーが、大震災から五年たった頃の日本の気分を癒した面はあるだろう。だから、大ヒットした。だが、圧倒的な出来事の一回性をやり直せると設定し、過去を書き換えるのは、倫理的に問題があるとする声もあったのだ。その意見も視野に入れ、『天気の子』では、少年が少女を救う展開は同様でも、災厄を回避するのではなく、逆に受容する結末を描いた。

そのような位置関係にある『君の名。』と『天気の子』には当然、共通点と相違点がある。まず、二つの物語は、千二百年ぶりに地球に接近した彗星がもたらした隕石の落下、東京が水没するほど降り続く長雨といった人の力では阻止できない、圧倒的なものが天から降ってくる状況が共通する。いずれも、災厄の行方の鍵を握るのは、たまたま出会ってしまった一組の少年少女だ。だが、両作品では、主人公ペアの心性が異なる。『君の名は。』では、瀧が連絡のとれなくなった三葉の暮らす地方の街を探し、訪れる。その探査行には、友人の男子やアルバイト先の先輩女子がつき添う。一方、瀧の意識が入った三葉は、隕石被害を避けるため、変電所の爆破で街を停電させ、町内放送で避難を呼びかける計画を立てる。この作戦には、三葉の友人二人が協力する。瀧も三葉も、心強い友人がいるのだ。残念ながら瀧＝三葉の作戦は、うまくいかない。このため、町長である三葉の父を動かそうとする。もともと娘との関係がぎくしゃくしている父は、瀧＝三葉の説得を一蹴したものの、その後の三葉本人による言葉は届く。劇中では、娘の説得との因果関係は明示されないものの、隕石落下時、たまたま避難訓練が行われていたため住民は助かったと、後の時代に説明されている。娘に説得された父が、避難訓練を命じたと推測できるのだ。

『君の名は。』では、主人公の男女それぞれに、相談に乗ってくれる友人がいるだけでなく、大人に呼びかければ思いは届くはずだという希望がある。また、以前から仲がいいわけではない町長の父に対し、瀧＝三葉の意見が一度しりぞけられながらも、三葉本人として再び対峙して粘り強いところをみせる。人間への信頼がベースにあったうえで主人公ペアは行動し、物語が進んでいく。一方、『天気の子』では、離島からの家出少年であり拳銃発砲という後ろ暗い行為もした帆高と、両親を亡くし弟と二人で暮らす陽菜は、どちらも自分の身分を堂々と明かしにくい状況にある。身近に信頼できる同世代の友人はいないし、警察や児童相談所の少年保護の論理は、自由な生活を求める彼らの思いと相容れない（ただし陽菜の弟で小学生にしてプレイボーイ気質の凪は、自分たちの逃亡に女友だちを協力させ、あっけらかんとしている。より年齢が低い彼のそのような柔軟さは、帆高と陽菜にはない）。事務所に住まわせてくれた須賀を帆高は信じ始めていたが、彼には保身から放りだされ、一度は裏切られた。周囲への不信感を高めた帆高と陽菜には、大人を説得しようとする発想がない。入れ替わり現象につき動かされた瀧と三葉に、異常な状況を伝える話術などなかったが、彼らの言葉にできない思いを受けとめてくれる友人はいた。だが、帆高と陽菜には、そんな相手はいない。働こうとしても未成年の制約があり、搾取の罠が待ちかまえている。

人間への信頼がベースにない二人が、それでも社会で生きるために活用したのがネットであり、ニセ情報や揶揄罵倒も多いその空間で「晴れ女」ビジネスの客とつながった。陽菜の「晴れ女」属性も、『君の名は。』の三葉が宮水神社の家系に生まれた巫女であるのと相似しつつ相違する。三葉の祖母が宮司を務める神社は、地元で長い歴史を持つ。三葉と連絡がとれなくなった瀧は、彼女が神社に奉納した口噛み酒を飲むことで再度の入れ替わりが可能になる。また、山のカルデラにあるご神体の近くで黄昏時（劇中では「カタワレ時」）に、瀧と三葉は、時を越えて初めての対面を果たす。一連の出来事から、神社の代々の巫女は霊力を持ち、三葉との入れ替わりによって瀧はその力に感応したと推測できる。一方、『天気の子』の陽菜が「晴れ女」であることに、三葉のような伝統や血筋の裏づけはない。陽菜は、廃ビルの屋上に雲間から細い光が射しているのを、入院中の母を見舞った病室の窓から見つけ、その場所へ行く。錆びた階段を上り、屋上の鳥居をくぐり、小さな祠に手をあわせ祈った。雨がやみますように、と。それがかなった瞬間から「晴れ女」になった。盆の精霊馬が飾られていたので、祠を誰かが世話してはいるのだろう。だが、廃ビルの祠が、地域に根ざした宮水神社のように伝統を維持しているとは考えられない。ほぼ、忘れられた場所だ。三葉が伝統の巫女であるのに対し、陽菜は偶発の巫女なのである。

『君の名は。』の宮水神社については、隕石落下など大昔の出来事を記した文献は、二百年ほど前の大火で焼失したとされる。逆にいうと、焼失するだけの文献に綴られた歴史があったわけであり、そのことが祖母から母、三葉へと受け継がれた霊力の重要性を示唆してもいる。それに対し、『天気の子』の廃ビルの祠に詣でたゆえに、たまたま「天気の巫女」になってしまった陽菜の存在を根拠づけるのは、「ムー」などのオカルト記事の取材をする須賀圭介と夏美が、気象を祀る神社で聞きこんだ話にすぎない。天と人を結ぶ細い糸が天気の巫女であり、人の願いを空に届ける。だが、代償として巫女は人柱になってしまうというのだ。夏美から聞いたその話を信じた陽菜は、実際、自分の体が次第に透けていく経験をし、やがて彼女が消えるのとともに東京に晴れが戻るのだ。しかし、須賀は、天気の巫女の話を本気にしない。

人柱一人で狂った天気が元に戻るんなら、俺は歓迎だけどね。俺だけじゃない。本当はお前だってそうだろ？　ていうか皆そうなんだよ。誰かがなにかの犠牲になってそれで回っていくのが社会ってもんだ。

訳知り顔でそういう彼自身、亡き妻との間の娘を不本意ながら義母にひきとられている。須賀が犠牲になって娘の養育が回っているような状態であり、シニカルな彼のセリフは、聞きようによっては自虐と思える。一方、空の人柱になった陽菜を救いたいともがく帆高は、警察に捕まってしまう。彼女の行き先を問われた彼は、叫ぶことしかできない。

「陽菜さんと引き換えに、この空は晴れたんだ！　それなのに皆なにも知らないで、馬鹿みたいに喜んで……！」

「こんなのってないよ……」

帆高のいうことは、警察にはまったく通じない。彼にとっては、ともに生きようとした陽菜の消滅ではなく、無理解な社会の水没を選ぶのは、当然のことなのである。

圧倒的な力と限られた出入口

『君の名は。』では隕石、『天気の子』では異常な長雨という、人間には止められない圧倒的な力が空を突き破って地上を襲う。その危機的状況のなか、前者では三年前の三葉と現在の瀧が、意識の入れ替わりによってつながる。二人の間にはなんらかの通路が開かれたのであり、特に宮水神社の御神体のあるカルデラは、特別な場所であるらしい。『天気の子』では、陽菜が廃ビル屋上の鳥居をくぐって巫女となり、やがて人柱として空に消える。彼女をとり戻そうとする帆高は、その鳥居をくぐることで空にたどり着く。二作とも、主人公の少年少女が、今は彼らにしか使用を許されていないらしい限られた出入口を通って、空を突き破る圧倒的な力と対峙するのだ。『君の名は。』の三葉＝瀧は、隕石落下地域から住民を脱出させようと画策するが、モーセのような統率力などない少女は、町長である父の政治力に助けられてことをなしとげる。帆高の場合は、人柱となり空にいた陽菜の手をつかみ、地上へ連れ帰ろうとする。『天気の子』のサウンドトラックは前作『君の名は。』と同様にRADWIMPSが担当しており、その空の場面で流れる三浦透子の歌唱曲は「グランドエスケープ」（大いなる脱出）と題されていた。

『君の名は。』における災厄を回避するための集団の脱出と、『天気の子』での多くの人々を巻きこむ災厄を受容しても愛する一人を救うためにする脱出は、方向づけが逆であり、対照的だ。全体の枠組みに少なからぬ相似がありつつ、主要部分で大きな相違があるもう一つの映画を製作したこと。それは、観客の反応も含め、『君の名は。』だけでは災厄のテーマを語りつくせなかったという感覚が、新海監督にあったからだろう。その不全感は彼に、さらに『すずめの戸締まり』（二〇二二年）を作らせる。同作では、ミミズと呼ばれる災いをもたらす力が潜んでおり、それが地上に解き放たれると大地震が起きる。ミミズの力を押しとどめるには、後ろ戸と称される扉を閉じなければならない。映画では、それを家業とする閉じ師の青年・宗像草太と、東日本大震災で母を亡くした高校生・岩戸鈴芽が出会い、列島を縦断しながら後ろ戸を閉じて回る旅を描く。したがって『すずめの戸締まり』は、『君の名は。』と『天気の子』にみられた地上へ貫通する圧倒的な力と限られた出入口のせめぎあいの構図を、ミミズと後ろ戸の設定でいっそう焦点化した作品といえる。三作に相通ずるのは、主人公ペアしか関われない限られた出入口は、その世界に災厄がもたらされるかどうかの鍵となるが、彼らは災厄への思いを越えて、相手への強い想いに駆られて行動するということだ。

新海監督の災厄をテーマにした三作は、いずれも物語のキーとなる出入口に、神道のイメージを付与している。『君の名は。』と、『天気の子』はすでに触れた通りであり、『すずめの戸締まり』でも、草太が閉じ師として後ろ戸を閉じる際に唱える言葉が、祝詞を模したものになっている。「ダ・ヴィンチ」二〇二二年六月号のインタヴューで新海は、地震について龍やナマズで想像してきた「日本人共通の実感」からの連想でミミズという表現を考えたといい、こう述べている。

神話とか昔話というものは、体感として〝それらしいな〟と思えるじゃないですか。（中略）『君の名は。』や『天気の子』の時もそうだったんですが、昔からある日本の風習や伝承を物語に材料として取り入れて、飲み込みやすいエンターテインメントにする、ということは今回も意識的にやっています。

『君の名は。』で、代々続く地域の守り神としての神社が物語の中心にあったことは、見ようによっては、国の安寧を祈る天皇家の伝統の暗喩と受けとれた。『すずめの戸締まり』では、草太と鈴芽が各地で他の人たちには感知できないミミズの蠢きに気づき、懸命に後ろ戸を閉めていく。東京では地下に後ろ戸を見つけるが、それは皇居のすぐ近くだった。同作では、「体感として〝それらしいな〟と思える」「日本の風習や伝承」の一つとして、皇居を借景にして閉じ師によるミミズの鎮めの作業を行い、天皇制との関連もほのめかしたわけだ。興味深いのは、各地の後ろ戸がみな廃墟に存在する点である。後ろ戸を閉じる際に鈴芽は毎回、かつて廃墟がにぎわっていた頃に人々が交わした楽し気な声を聞く。当時の念が残存し、幻聴となるのだろう。また、草太は、「かけまくもかしこき日不見《ひみず》の神よ、遠つ御祖《みおや》の産土《うぶすな》よ。久しく拝領つかまつったこの山河、かしこみかしこみ、謹んでお返し申す」と唱えて後ろ戸の鍵を締める。人々が使用した土地は神から預かったものであり、返すことで廃墟となった場所を弔うのだ。神からの預りものにアクセスできる彼は、キリスト教における〝預言者〟に近いといえるかもしれない。繁栄と衰退の両方を受けとめるものとして神が想定され、日本人にとってのそんな神の「体感」として天皇が連想されている。新海の一連の発言を読む限り、彼の意識としてそれはイデオロギーというより、「飲み込みやすいエンターテインメントにする」ための工夫ととらえられているらしい。

『君の名は。』、『天気の子』、『すずめの戸締まり』は、災厄をテーマにした三部作とみなせる。廃墟のモチーフは、『すずめの戸締まり』以前の二作にもあった。『君の名は。』では隕石の落下した街は過去を改変する前は廃墟と化していたし、『天気の子』では廃ビルの屋上に空への通路があった。三作では、廃墟にある限られた出入口を救いへの手がかりとして、主人公ペアが、地上に圧倒的な力がおよぶ状況と対峙する。『すずめの戸締まり』では、バブル期に栄えた宮崎のリゾート施設、荒れ果てた愛媛の遊園地、東京の古い地下空間、地震と津波に襲われた宮城の被災地といった廃墟に後ろ戸が見出される。鈴芽は旅の途中で福島の帰還困難地域にも立ち寄り、観客は原発事故についてあらためて想起させられた。『天気の子』の最後では、首都が半ば水没したままの未来のディストピアが描かれたが、この国はもともと、経済の浮き沈みだけでなく、頻発する自然災害によって廃墟を常に内に抱えたまま歩まなければいけない条件があった。過去を改変した『君の名は。』、未来の災厄を受容した『天気の子』に続き、廃墟を主題としてより前面化した『すずめの戸締まり』では、その場所を弔うことで廃墟と折りあいをつける道を示している。リゾート施設や遊園地は、すでに閉館、閉園しているが、閉じ師が土地を神へと返し戸締まりすることで、残存した人々の念がやっと鎮められる。そのようなスピリチュアリズムの物語なのだ。

また、『君の名は。』では飛騨地方の街に住む三葉と東京の瀧、『天気の子』では神津島から家出してきた帆高と東京にいた陽菜が、それぞれボーイ・ミーツ・ガールの関係にあった。『すずめの戸締まり』でも、東京に住まいのある草太が閉じ師として各地を歩く過程で、宮城で大震災を経験した後に九州の宮崎に移り住んだ鈴芽と出会う。その後、二人は、愛媛、神戸、東京、福島、彼女の故郷である宮城へと旅していく。三作とも、主人公ペアは都市と地方が結びつく形であり、新海の映画ではそれが神的な力が発動する条件のようになっている。先に廃墟について論じるなかで、繁栄と衰退を受けとめるものとして神が想定されていると書いたが、その神は都市と地方の両方を受けとめるものでもあるのだ。

さらに三作の主人公ペアに特徴的なのは、少年少女のどちらかが、あるいは双方が、片親であるか、両親ともに不在の状態であること。彼らの抱えた孤独が、互いに魅かれあう理由を暗に補強しているともいえるだろう。『君の名は。』の場合、三葉は母と死別しており、町長である父は妻の実家の神社とは距離があり娘とも疎遠になっている。『すずめの戸締まり』の作中には、草太の父母は登場せず言及もない。だが、三葉は、育ててくれた祖母が神社の宮司であり、家の女たちが代々、巫女の力を持っていたことが示唆されるし、草太の祖父は閉じ師の師匠である。親が不在でありつつ祖父母との関係がクローズアップされることで、三葉、草太がある種の霊力を持った家の血筋に生きていることが強調される。彼らに対し、『天気の子』の陽菜は、伝統ではなく偶発的に力を得たのだった。一方、三葉に対する瀧、陽菜に対する帆高は、物語中では相手の力に感応して特殊な体験をしたように描かれる。だが、草太に対する鈴芽は、いささか様子が違うようなのだ。

過去と未来の和解

鈴芽は登校中、たまたますれ違った草太から廃墟を探しているといわれる。すぐ遠ざかったものの、彼が気になり、廃墟となった山のリゾート地へ行く。そこで見つけた扉が開くと、むこう側には周囲の景色とは異なる星空の草原が広がっていた。だが、扉をくぐっても草原へは行けず、廃墟にいるまだ。鈴芽が足下にあった石像を引き抜くと、猫に変じて走り去った。その後、登校した彼女は、先ほどまでいた山の方からなにかが立ち昇るのを発見するが、自分以外の級友には見えていない。直後、緊急地震速報が鳴り、揺れ始める。鈴芽が急いで廃墟へ戻ると、得体の知れぬものが濁流となって噴出する扉を、必死で締めようとする草太がいた。それを手伝って以降、鈴芽は草太と行動をともにするようになる。実は、扉から吹き出ていたのはミミズであり、鈴芽が引き抜いた石像は、災いを封じていた要石だった。その事実を教えた草太は、要石が変じた猫に呪いをかけられ、鈴芽が持っていた木の小さな椅子に意識を閉じこめられてしまう。責任を感じた鈴芽は、椅子の形で動き回る草太とともに、呪いを解くため逃げた猫を追い、行く先々でミミズの胎動と後ろ戸に遭遇するのだ。

鈴芽は草太と深く接触する以前から他人に見えないミミズを感知し、後ろ戸の存在に気づいていた。なぜ彼女にそれが可能だったのか。後の展開から察せられることを記せば、後ろ戸のむこうに広がるのは常世《とこよ》（死者の場所）であり、鈴芽は人には生涯に一つしか入れないという後ろ戸に迷いこんだ過去があったからだろう。それは大震災で母が行方不明になった頃の出来事であり、当時四歳の鈴芽が、亡き母を求め彷徨った常世でそれらしき人に会った記憶がおぼろげに残っている。夢に何度も見たのだ。物語の早くから、彼女に後ろ戸との親和性がうかがえたのは、その体験ゆえと考えられる。孤児になった鈴芽は、当時二十八歳の叔母・環にひきとられ、十七歳の高校生になるまで、宮崎で彼女と暮らしてきた。だが、要石だった猫がネット上でダイジンと呼ばれ人気者になったのを知り、追跡行を始めて以降は、環からの心配するメールに適当な返事しかせず、草太との旅にのめりこむ。鈴芽はスマホを、ダイジンの情報を知り距離をつめるためのツールにする一方、環と距離を置くために使う。彼女が草太といることを選ぶのは、ボーイ・ミーツ・ガール的な熱情ばかりが理由ではない。彼の意識が閉じこめられた椅子は、母の手作りであり、四本脚のうち一本が欠けたままなのは、修理してくれていた母が亡くなったからである。鈴芽は、母の不在の象徴であるこの形見と離れられないのだ。

草太は、椅子になっても三本の木の脚で器用に走り、鈴芽と会話できる。だが、おおっぴらに怪現象を起こして注目されるわけにはいかず、彼女のそばに誰かがいる時は極力おとなしくしている。つまり、他人には鈴芽が椅子を持って一人で移動しているとしか見えず、あからさまに家出少女の風情なのだ。物語序盤での高校における鈴芽の様子からすると、同じクラスに友だちはいるらしい。だが、彼女と草太にしかミミズは見えなかったのだから、一連の怪現象について友人や環に相談するのは難しいだろう。旅に出てから地元の誰かと連絡をとりたがらないのは理解できる。それでも、鈴芽が旅を続けられるのは、スマホを情報集めや金銭の支払いに使えたためだが、もちろん他者の協力も必要だった。彼女は、愛媛の高校生女子、神戸でスナックを営むママなど、行く先々で出会った人々に宿泊場所を提供してもらうなどして、見知らぬ人から助けられる。鈴芽の社交性が一因だろうが、大震災で孤児となってから叔母の環にひきとられ成長したこともあり、他人の助けのありがたさをよく知っているのも理由だろう。彼女が、ミミズの来襲を防ぐため、命がけで草太の閉じ師の仕事を手伝うのも、多くの人々が犠牲になる悲劇を繰り返したくない強い思いからに違いない。鈴芽の心には、人間への信頼がベースにある。スマホのようなツールの使用は『天気の子』で家出した帆高と同様だが、他者への信頼感が彼とは違う。

『君の名は。』では、三葉との入れ替わり現象が途絶えた瀧が、彼女と再びコンタクトをとろうとした。『天気の子』では、人柱となり消えた陽菜をとり戻すため、帆高が空へ行こうとした。いずれも問題解決のため、限られた入口にたどり着こうとすることが、物語後半の焦点だった。一方、『すずめの戸締まり』では、ミミズが噴き出す後ろ戸をいかに締めるかというサスペンスが前半では繰り返される。だが、同作も後半になると、やはり相手のいる場所へ行くための入口を目指す展開となる。東京でミミズが動き出し甚大な被害が発生しそうになった際、気づけば草太が要石となり、災厄を封じていた。それは、母の椅子が要石にとりこまれたということでもある。だが、この顚末を受け入れられない鈴芽は、草太＝椅子をとり戻そうとする。草太の祖父から教えられたそのための方法は、人が生涯に一つだけくぐれる後ろ戸を通って常世へ行くことだった。鈴芽は十二年前の四歳の時に一度だけくぐった後ろ戸をもう一度くぐろうと決意し、宮城を目指してさらに旅する。彼女の同行者となるのは、東京で出くわした草太の親友・芹澤朋也と、宮崎から鈴芽を心配してやってきた叔母・環だ。

鈴芽が要石になった草太を救おうとするのは、『天気の子』で帆高が人柱になった陽菜を救おうとした展開を男女の役割をとり代えて再現したようなものだ。ただ、草太は椅子にされたうえで要石にされたのであり、変身が二重化されている。しかも、先に触れた通り、椅子は母の形見でもあるから、鈴芽は意識しないまま、母をも助けようとしているのだ。この後半の旅において、意外に重要な意味を持つのが、鈴芽と環のいい争いだ。孤児になった鈴芽は、母の妹である環に育てられてきた。二人は互いを思いやって暮らしてきたが、鈴芽にとって環の過保護が息苦しく感じられてもいた。鈴芽の今の様子を知りたがる環のメールをふり切り、旅を続けてきたのは、彼女に対し密かに抱いていた反発も動機だったようにみえる。鈴芽は、心配のあまり駆けつけずにいられなかった環に、うるさがる態度をとった。叔母の感情は、爆発する。親を亡くした子を相手にいかにしんどい思いをしてきたか、若い時期にこぶつきになって自由や余裕がなくなり、婚活もできなかったと、憤懣をぶちまける。鈴芽が「私だって、いたくて一緒にいたんじゃない。九州に連れてってくれって、私が頼んだわけじゃない！　環さんが言ったんだよ！　うちの子になれって！」と応じると、環は「そんなの覚えちょらん！」、「私の人生返しんさい！」とさらにいい返す。

二人とも、口にしてはならないと思っていたことを口にしてしまった。環が激高したのは、ダイジンと同じくもう一つの要石が猫に変じており、その魔力が彼女にそんなことをいわせたと設定されている。だが、互いの言葉が、それぞれの抱いていた感情のすべてではないにせよ、本音の一部だったことは明らかだ。また、「いたくて一緒にいたんじゃない」という鈴芽の言葉は、もし実母が生きていたならば、子どもの親への反発がいわせる決まり文句「産んでくれと頼んだわけじゃない」のパラフレーズだろう。「生まれてこないほうが良かった」と苦しむ子どもの未来を想定して考えられたのが、反出生主義だった。ここでは、その養子ヴァージョンといえる感覚が露出し、幼い頃の鈴芽と成長した現在の鈴芽がせめぎあっている。その後、鈴芽は、かつてくぐった故郷の後ろ戸を見つけ、街が燃え続けている常世へ入る。彼女がミミズの要石になっていた椅子に唇をつけると、なかで眠っていた草太は目覚め、椅子が解放されるとともに彼は人間の姿に戻る。二人は、ダイジン、サダイジンという猫の姿からもとの石像に戻った二つの要石でミミズを封じ、大きな災厄の襲来を阻止する。娯楽映画の見世物としてのクライマックスは、この場面だ。

新海監督の災厄をめぐる三部作は、いずれも物語本編の事件が終息した後、しばらく時を経てからのエピソードが、エピローグ的に添えられる。『君の名は。』では、隕石落下の被害を回避する一方、瀧と三葉は入れ替わりに関する記憶を失い、相手について忘れたまま月日が流れる。だが、ある日、東京で互いに気づいた二人は再会を果たし、ともに相手の名を問う。かつて入れ替わっていた際、三葉は三年前の過去を生きていたが、二人がようやく時間も空間も普通に共有した状態で間近に接するのだ。『天気の子』の場合、神津島に戻り、銃所持に関する処分を終え、高校を卒業した帆高が、再び東京に訪れ、天に祈っていた陽菜と再会する。親のいない生活を乗りきるため年齢を偽り、帆高の年上のふりをしていた陽菜が、実は一歳下だったと彼も一連の出来事の最中に知った。また、人柱の立場から脱した彼女は「晴れ女」ではなくなり、手をあわせても力が発現することはない。他の人々と同じく、ただ幸せを願うだけだ。同作のラストでも、等身大になった少年と少女が出会い直す。『すずめの戸締まり』では、宮城でミミズを鎮めた後、一足先に鈴芽は環とともに帰路につくが、草太は閉じ師の仕事をしながら東京に戻り、それから会いに行くと彼女に約束する。言葉通り、宮崎を訪れた草太を迎え入れるのが、同作のエンディングだ。

しかし、『君の名は。』、『天気の子』のエピローグが、物語本編にあった主人公ペアのズレの解消を印象づけるものだったことを考えると、『すずめの戸締まり』のエピローグは性質を異にする。草太は閉じ師のままだし、かといって鈴芽が閉じ師になったのでもなく、彼女は以前の生活に戻ったのだから。むしろ、『すずめの戸締まり』で、前二作にあったズレの解消に相当すると指摘できるのは、ミミズに二つの要石を打ちこんだクライマックスの後に挿入された場面だ。それは、鈴芽の物語としては、直前の派手な活劇以上に重い意味を持つ。鈴芽は、常世にあるもう一つの故郷で、四歳の時の自分と出会うのだ。幼い鈴芽は、震災後の廃墟になった故郷で母を探し歩いていた。高校生の彼女は、かつての自分に声をかける。「今はどんなに悲しくてもね、すずめはこの先、ちゃんと大きくなるの。だから心配しないで。未来なんて怖くない！」。過去の自分にそのような言葉をかけることができたのは、草太とともにミミズだけでなく廃墟に残る念を鎮める経験を重ねたからだろう。成長したのだ。そして、鈴芽は母の形見である椅子を幼女に手渡す。成長した鈴芽が、おぼろげな記憶や夢のなかで亡き母と出会ったように思っていた相手は、過去の自分にとっての未来の自分だったわけだ。幼女は、椅子を抱えてもとの世界に戻り、後ろ戸を閉める。母の死を受け入れ、過去と和解し未来へ歩み出す。それが、鈴芽の戸締まりだった。

鈴芽と環は、いい争いの後、気まずい状態だったが、旅の帰りには二人で鈴芽が世話になった人々に礼をいってまわった。宮崎に戻ってからの二人は、以前よりなんでもいいあえる風通しのいい関係になったらしい。常世で、今の鈴芽がかつての鈴芽を励ましたことは、母を亡くした現実をしっかり認識することであっただろうし、それが養母との仲にも好影響を与えたと推察される。環とのいい争いと、常世での過去の自分との対面は、鈴芽の心内で呼応しているようにとらえられる。鈴芽は、震災後、自身が抱えていた精神面のある種のズレを、常世との往還で解消したのだ。『君の名。』、『天気の子』、『すずめの戸締まり』は、圧倒的な力に対し限られた出入口を配置し、過去―現在―未来について三種類のつながり方を提示してみせた。それは前作を乗り越えるというのではなく、どのようにしても語りつくせない災厄について、別の生のあり方を、別の可能性を想像する、それぞれ同等程度の価値を持つ別の生のあり方を、別の可能性を想像する営為だったように思う。

鈴芽の後ろ戸に関しては、幼い自分と成長した自分の対面により、過去の入口から未来にむかう出口への通路が開けた。そうして彼女は、自身が生まれ、育ったことを肯定したのである。

2 脱出の挫折――『治療塔』『治療塔惑星』

SF未満の二部作の現代性

二〇二三年に亡くなった大江健三郎は、基本的に純文学の作家だった。だが、彼は、刊行時に「近未来SF」と銘打たれた『治療塔』（一九九〇年）、『治療塔惑星』（一九九一年）という一つの物語をなす二部作を書いていた。近年、文芸批評の世界では、晩年の作品を中心として大江健三郎に再注目する動きがみられる。だが、一九九四年に彼がノーベル文学賞を受賞する数年前に発表されたこの二部作は、当時もそれ以降も、他の諸作に比べればあまり話題にされてこなかった。この作家の本筋である純文学ではなく、かといってSFになりきれてもいない。そのような受けとめられ方をしてきたといっていい。

一九八九年から九〇年にかけて雑誌「へるめす」に「再会、あるいはラスト・ピース」の題名で連載され、書籍化で『治療塔』と改められた小説は、その時点では未来だった二十一世紀前半を舞台にしていた。核兵器を用いた局地戦や原子力発電所の事故の続発により、地球環境の汚染は深刻化し、人口の増大で資源も乏しくなった。このため、人類は、百万人の各国から「選ばれた者」たちが船団を組み、太陽系外にある「新しい地球」へ移住する計画を実行する。「大出発」と呼ばれたその事業を推進したスターシップ公社の日本責任者が、木田隆である。一方、隆の兄・繁は「大出発」のロケットの設計担当者だったものの、癌が発見され地球に残った。先進的な技術を知る「選ばれた者」がいなくなった地球において、繁は、「高度なものは、より高度でない方へ」、「難しいものは、易しい方へ」、「複雑なものは、単純な方へ」、「不要不急の設備や装飾のついているものは、ノッペラボーに」を原則として、既存の生産工程の分散・縮小を提唱する。「大出発」に選ばれなかった「落ちこぼれ」の「残留者」たちは、器用仕事《ブリコラージュ》の精神を尊ぶそのK・Sシステム（木田繁に由来する命名）によって、地球の生活を再建しようと努めていた。だが、繁が病死し「大出発」から十年が経過した後、「選ばれた者」たちが地球へ帰還する。「新しい地球」の自然環境の過酷さに対処できなかったのだ。

「選ばれた者」たちは「新しい地球」へ移って独立しようとしたが失敗し、帰ってからは、彼らに捨てられた後に懸命に自立を図っていた「落ちこぼれ」たちを抑圧する。『治療塔』は、このような状況から物語が始まる。スターシップ公社は「帰還者」と「残留者」の婚姻を禁じたうえ、K・Sシステムを改め「大出発」以前のような生産工程の高度化をよしとする方針を打ち出す。「帰還者」による支配を進めようと権力を振るう隆に対し、「大出発」以前にあった反スターシップ公社運動が再燃する。そうしたなかで、隆の息子でパイロットの朔と、彼のいとこであり祖母とともに地球で暮らしてきたリツコの関係が描かれる。「帰還者」と「残留者」の禁じられた愛だ。朔をはじめ「帰還者」たちは、「大出発」から十年が経つのに歳をとらず、むしろ若返ったように見えた。物語ではやがて、「新しい地球」の高原には、雪で作るカマクラのような形をした建造物があり、なかに入ると肉体が癒されて若返り、死者を蘇らせる効果まで有したことが判明する。数百基が発見され、「治療塔」と名づけられたその建造物によって「帰還者」は変容したのであり、その事実が「残留者」との婚姻を禁じた理由になっていた。『治療塔』、『治療塔惑星』の二部作は、リツコの一人称によって、「帰還者」と「残留者」の軋轢、隆の子を妊娠した彼女はどうなるのか、「治療塔」とはなにかを語っていく。

ただ、純文学作家でありSF作家としても実績がある安部公房から「あれはSFではないんじゃないの」と冷たく対応されたと大江本人が講演でもらすなど（『大江健三郎・再発見』二〇〇一年）、二部作をSF未満とみるむきは少なくなかった。未来の技術や太陽系外の宇宙のディテールが記されておらず、ハードSFを支え、その面白さともなる疑似科学が十分に構想されていない。SFプロパーからのその種の不満を高橋源一郎との対談で指摘された大江は、自身はジャンルSFを意識せず書いたと断りながら、「僕がSF読者として『治療塔』を読むと、もっと真面目にやってもらいたいと言ったと思うんですね（笑）」と応じていた（「新潮」一九九〇年九月号）。

二部作はSF未満とするこの評価に対し、興味深いのは、小川洋子『密やかな結晶』を大江が刊行時に評した際、「ファンタジーの仕掛けをつくる時よく考えられていないところがあり」として、批判的だったことだ（一九九四年二月二十八日「朝日新聞夕刊」文芸時評）。この「仕掛けをつくる時よく考えていられない」という評は、『治療塔』に関する批判と同種だろう。鴻巣友季子は『文学は予言する』（二〇二二年）において大江の評を引きつつ、アトウッド『侍女の物語』や『密やかな結晶』は、刊行時とその後で読まれ方が変化したと指摘する。国内外の女性作家による二作は、一九八〇年代半ばから一九九〇年代の刊行時にはリアリティのある内容とは受けとめられなかった。だが、世界的な右傾化や全体主義化、エドワード・スノーデンによるアメリカの国際監視網のリーク（二〇一三年）、同国でのトランプ政権誕生（二〇一七年）を背景として、国際的にディストピア文学のリバイバル現象がみられた。それに伴い、いずれも理不尽な管理社会を題材にして、かつては現実味がない＝「ファンタジー」とされた『侍女の物語』と『密やかな結晶』が、今ではむしろ主流となった「静かな不条理ディストピア」として読まれるようになったと、鴻巣は語る。「現在「ディストピア」という語が当てられる小説は、やはりファンタジーとして読まれていたのだ」と思ったというのだ。

「ファンタジー」という語と「ディストピア」という語の入れ替わりの指摘は、社会状況と人々の認識の変化をよくとらえている。鴻巣のこの見立てに言及しつつ、石橋正孝は「ディストピアの外部大江健三郎〈治療塔〉二部作をめぐって」（「ユリイカ　総特集大江健三郎　1935-2023」二〇二三年）において、『治療塔』二部作も同時代との関係で受けとめられ方は変化しうることを示唆している。一九八〇年代末に執筆された『治療塔』では、ソヴィエト連邦を中心とする社会主義とアメリカ合衆国を中心とする自由主義の東西両陣営によるそれまでの冷戦の延長線上で、局地戦が展開され、「大出発」からの帰還後もその対立がぶり返す二十一世紀の未来が構想された。だが、雑誌連載時の一九八九年の米ソ首脳会談で冷戦終結が宣言されていたし、『治療塔惑星』刊行直後の一九九一年十二月二十六日にソ連は崩壊したのだ。その意味で同時代と乖離した二部作の未来の設定が、発表時に間の抜けたものになったことは否めない。

石橋はそうした事実を踏まえ、大江がいったん構想した第三部「治療塔の子ら」を放棄したことに触れる。大江は、次にとりかかった全三部の大長編『燃えあがる緑の木』（一九九五年完結）で、「治療塔の子ら」放棄の経緯を小説のエピソードとして書きこんだのだった。『燃えあがる緑の木』の第二部『揺れ動く（ヴァシレーション）』では、作家の「K伯父さん」から「治療塔の子ら」の草稿を託された「総領事」が、こう話す。「それと別に、私がもっと本気で苛立つのはね、近未来の世界情勢を背景にしながら、Kちゃんが経済と外交について具体的になにも構想していないことなんだよ。確かにね、ソヴィエト圏の崩壊を予想していなかった点についていうならば、滑稽だが仕方がない」。大江は自作に関し自嘲的に、登場人物に言及させた。それに対し石橋は、「ところが、今日この二部作を読む者の目には、この失敗は、確かに違和感こそ覚えないわけにはいかないが、さまで瑕疵として映りはしない」と述べる。二〇二二年のロシアのウクライナ侵攻以来、東西冷戦が形を変え継続する様相であることが一因だという。また、『治療塔』の未来の地球では、エイズが蔓延している設定である。「大出発」後の混乱のなか、スイスにいたリッコは帰国途中で強盗団に捕らえられ一ヵ月余り性奴隷にされた過去があった。このため、彼女は朔と関係を持つ際にコンドーム着用を求める一方、エイズ検査を受ける決意をする。リッコは陰性だったが、もし陽性反応が出たならば収監され、エイズ・マークを付けなければならなかったのだ。今読めばこのことは、二〇一九年からの新型コロナウイルスのパンデミックを想起させる。

『治療塔』二部作の内容が作者の意図しないところでウクライナ戦争やコロナ禍とシンクロし、結果的に現代性を帯びていることを石橋は語る。また、『治療塔』では、一九八六年に起きたアメリカのスペースシャトル、チャレンジャー号の爆発事故が「宇宙意志からの警告」であり「大出発」の挫折を予告していたように語られるが、作中の地球の核汚染の設定は、小説発表時には一九八六年のチェルノブイリ原発事故を連想させたのだ。その後、日本は二〇一一年の東日本大震災に伴う福島の原発事故を経験しており、『治療塔』と『治療塔惑星』の背景となる核汚染は現在進行形で問題であり続けている。かつては絵空事のファンタジーとされた『密やかな結晶』や『侍女の物語』が、同時代を映すディストピア小説へと読み替えられたのと、大江の二部作は似た位置にあるのだ。

戦後文学としての未来小説

大江健三郎は若い頃からSFに親しんでおり、よく読んだ作家としてカレル・チャペック、スタニスワフ・レム、ストルガツキー兄弟などをあげている。また、笠井潔は大江が愛読したのは一九五〇年代のアメリカSFであり、なかでもアーサー・C・クラーク『幼年期の終り』が『治療塔』二部作に大きな影響を及ぼしていると指摘した（『終焉の終り　1991文学的考察』一九九二年）。クラークの同作は地球人と異星人の遭遇を描いているが、相手は神のごとき超越的存在であり、人類、進化、存在の意味を問う哲学小説の趣も持つ。大江の二部作でも、「治療塔」を用意したのは外宇宙の知性体であり、彼らは人類を「新しい地球」までの圏域に封じこめる見返りとして、治癒や蘇生が可能になるそれを与えたとされる。人類の進化に介入する宇宙の超越的存在が謎の物体を出現させる点では、クラークが脚本と小説化でかかわったスタンリー・キューブリック監督『2001年宇宙の旅』（一九六八年）のモノリスも連想させる。『治療塔』にも、確かにSF的着想は盛りこまれているのだ。

しかし、例えば、世界的にヒットした中国の劉慈欣によるSF長編『三体』三部作と比較すれば、『治療塔』との質感の違いは明らかになる。『三体』では、圧倒的な科学力を持つ三体文明が、遠い宇宙から地球を侵略し移住するため、四百五十年の長期間をかけて艦隊で来襲する。そのような超越的存在に人類がどう立ちむかうかが、物語の焦点だ。三部作を締めくくる『三体Ⅲ　死神永生』（二〇一〇年）では、三体艦隊に人類のスパイを送りこむが、高速飛行に乗せられる質量が限られるため、癌で余命わずかな男の脳だけを送り出す「階梯計画」が実行される。また、同作では、三体人の要求により、人類はオーストラリアへの移住を強制され深刻な混乱が起きる。遠距離の宇宙航行、膨大な人々の移住、理解困難な超越的存在などのモチーフは、『治療塔』二部作と共通といえるだろう。また、大江の作品で朔とリッコの関係が物語の軸になったように、『死神永生』では「階梯計画」の責任者の女性に対する、脳だけになって宇宙を旅する男性の恋心が焦点となる。近似した要素が散見されるのだ。

ただ、『侍女の物語』、『密やかな結晶』という女性作家による二作は、テクノロジーの記述を欠くことが、発表時にはリアリティの薄さ、現実からの乖離ととらえられた。『治療塔』の場合、スターシップ公社の日本責任者である隆、パイロットの朔、K・Sシステムを考案した繁など、「帰還者」と「残留者」の双方に技術に明るい人物が登場した。だが、作者の大江は、技術を熟知しないリッコを語り手に選んだ。意地悪な見方をすれば、そうすることで本格SFには必要な未来のテクノロジーの詳述を回避したのである。『三体』でも、第一部で宇宙にメッセージを発して三体文明を地球に引き寄せることになる葉文潔《イエ・ウェンジエ》、『死神永生』で「階梯計画」を発案する程心《チェン・シン》など、物語のポイントに女性を配置しているが、いずれも学問や科学に明るい人物だ。また、『死神永生』では先述の「階梯計画」やオーストラリアへの人類強制移住といったトピックを経つつ、太陽系を三次元から二次元に縮減するといった大規模な奇想が展開される。擬似科学の論理の積み重ねによる様々なガジェットの登場、世界認識の変容といったSF特有の面白さが『三体』にはあるが、『治療塔』二部作には薄い。

『死神永生』では、過酷な環境にある三体人の地球移住計画が人類のオーストラリア強制移住につながり、移住というモチーフが二重化される。作者の劉慈欣は小松左京の愛読者であり、『三体』には『日本沈没』の影響がうかがえた。一方、『治療塔』も、環境が悪化した場所からの「大出発」という初期設定で『日本沈没』に通じるところがある。だが、大江は小松の『日本沈没』が話題になった一九七三年に次のようなことを苛立たしげに書いていたのだ。

なぜ、およそありそうにない地球物理学的「沈没」が市民に強くうったえかけ、現にその第一歩がヒロシマ・ナガサキで始められ、いまもその危機はわれわれの頭上に具体的にのしかかったまま原子物理学的「沈没」が忘れられられようとするのか？

（「終末論の流行と原爆経験」。「朝日新聞」一九七三年八月六日朝刊）

この時点では、SF的着想による危機の表現よりも、核という現実に存在する危機に注目せよと主張していたわけだ。「書名」を出さぬまま『日本沈没』ブームを批判したこの一九七三年に、大江は『洪水はわが魂に及び』という長編小説を発表している。それは、核避難所（シェルター）跡に籠っている作家と知恵遅れの幼児の父子が、いずれ訪れる破局に備え集団訓練をしている「自由航海団」と名乗る青年たちと出会い、後に放水する機動隊に包囲される物語だった。大江の長男・光は知的障碍者であり、小説中の父子は作者の現実に近い設定になっている。また、「自由航海団」の内部リンチや機動隊との衝突といった展開は、ドストエフスキー『悪霊』を踏まえつつ、前年の一九七二年に起きた連合赤軍事件、浅間山荘事件をモデルにしたとみられる。核避難所跡に籠城した父子と「自由航海団」を「洪水」のごとき力が襲うという物語のイメージづけは、『旧約聖書』の「創世記」におけるノアの方舟のエピソードと重ねて表現されていた。同時に「洪水」は、核戦争がもたらすカタストロフの比喩でもあった。『洪水はわが魂に及び』は、現代の現実に起きる物語として書かれてはいいたものの、様々なイメージの付与によりファンタジー、SFの要素をあわせもっていたといってよい。『日本沈没』や『三体』にしても、SFジャンルのお約束として疑似科学の論理でカタストロフを空想しただけではない。小松左京が、他の敗戦国のように日本人が領土を失い、放浪することになったらどうなるかという問題意識から、『日本沈没』を発想したことは知られている。また、劉慈欣は『三体』において、地球文明に関する情報を宇宙に発信し、三体人による侵略のきっかけを作る葉文潔の意識の背景に、文化大革命での辛い経験があったことを書いていた。中国では国民が自由に政府を批判できない以上、書いた作家に確かめることはできないが、圧倒的な力を持つ三体文明やその侵攻を、国家体制や台湾問題の暗喩として読むことも可能だろう。小松左京や劉慈欣の作品も、大江と同様に社会への意識を抱えて執筆されていたのだ。

大江は先の『日本沈没』批判から二十七年後、「近未来SF」と銘打たれた『治療塔』を刊行した。それは、「新しい地球」への「大出発」が挫折し帰還するところから始まる物語だった。いわば、『洪水はわが魂に及び』にみられた方舟のモチーフの変奏である。「自由航海団」は、「大出発」を主導するスペース公社に変貌したわけだ。喩えるなら二部作は、災厄から逃がれようと航海したノア、「新しい地球」を約束の地として目指したモーセの当てがはずれ、率いていた人々とともに戻った故郷で権力を強めていく物語である。木田隆は、そのように「帰還者」と「残留者」の軋轢を高める立場の人物として描かれた。両者の軋轢が世俗の問題であるのに対し、「新しい地球」にあった「治療塔」は、外宇宙の知性体が用意した謎だ。治癒や蘇生を可能にするとはいえ、それを受け入れる人ばかりではなかった。正体不明の「治療塔」に入って自分を改変することへの抵抗運動を起こし、帰還せず「新しい地球」にとどまる「叛乱軍」も生まれた。だが、多くは「治療塔」に入ったのである。新しい肉体を得たならば、環境が汚染された地球に戻っても生き延びられるのではないか。「大出発」からの「帰還者」はそう希望し、資源が乏しくなった地球で、自分たちが不在だった十年間に「残留者」の人口が減ったかもしれないとの目論見もあったのだ。

それが「帰還者」と「残留者」の軋轢につながる。「新しい地球」では労働力として第五世代ロボットを用いたが、「選ばれた者」であり「治療塔」によってグレードアップされた「帰還者」は、「落ちこぼれ」の「残留者」を「生きて働くロボット」として使おうと考えていた。注目したいのは『治療塔惑星』において、人類にとって救いのようであり不安を感じさせもする、この両義的な「治療塔」に広島の原爆ドームが喩えられることだ。作中の未来では、「大出発」後の混乱で人々が平和公園の土地を占拠し、スラム化している。だが、原爆ドームはなお美しく保存されていた。リッコとともにヘリコプターで飛ぶ朔は、それを見下ろしていう。

——ここはもしかしたら地球上に最初に建造された「治療塔」だったのかも知れないね。核爆発の巨大エネルギーによってさ。治療が肉体の生命力についてだけじゃなく、むしろ魂の力についてもなされるような……　人類はここで前世紀のうちに魂を再生させることができていたかも知れないんだ。ここにかわるがわるひとりずつ入って「治療塔」効果を受け入れていたとすれば……　本当にあやまちは繰りかえさないで……

朔の言葉だけでは、なぜ原爆ドームが「治療塔」なのかわかりにくい。だが、被爆から七十五年は草木も生えないといわれた広島が復興したことを治癒ととらえるならば、原爆ドームを「治療塔」に喩えるのも理解できる。『洪水はわが魂に及び』の父親が、核避難所跡を知的障碍のある息子を育てる場所としていたことにも通じる。同作の核避難所跡と「治療塔」＝原爆ドームは、同系列のイメージなのだ。大江健三郎は、反核の思いとともに敗戦からの日本の歩みをとらえ、知的障碍のある息子とともに生きる明日を考える、戦後文学の書き手だった。反権力の運動や、経済競争から距離をおいたコミューンへのシンパシーを示す一方、非宗教者でありながら人間を救う超越的ななにかへの希求も強かった。『治療塔』と『治療塔惑星』にはスターシップ公社への抵抗運動、その拠点となるコミューン（作中での表記は「コンミューン」だが本書の地の文章では「コミューン」とする）、救いの可能性である「治療塔」を人類に与えた超越的存在など、大江の戦後文学を形成してきたモチーフの多くが盛りこまれている。特に、原爆ドームを「治療塔」に喩えるくだりには、彼の姿勢がよく現れており、この「近未来ＳＦ」の根幹は、彼の他の純文学と変わっていない。

劉慈欣の場合、『死神永生』の脳だけをスパイとして送りこむ「階梯計画」において、核爆弾の放射を宇宙船の推進力とした。同作には「三体危機以後の核兵器削減条約では、ミサイルを地上で解体することが求められているが、こちらの手段をとるほうがはるかに安く上がる」という、核保有国で書かれた小説としていささか皮肉な文章もあった。ただ、同作での核のあつかいは、大江に比べれば屈託がない。その差異からみても、未来小説である『治療塔』二部作は、戦後文学なのだ。

地球＝資本主義の外部に出られない

大江健三郎は、柄谷行人との対談で『治療塔』第三部の執筆放棄について語っていた。

第三部では、みんなが滅びようと日常的に納得してしまっているどうにもしようがない状態と、そのなかでの抵抗を書いて終わろうと思ったんです。ところがそれを書く気力を奮い起こすことが大変で、結局、書かなくなってしまったんですけれども、かわりに今度の三部作（『燃えあがる緑の木』）に中心的なイメージを導き込んで終わることにしたんです。
（「世界と日本と日本人」一九九五年。『大江健三郎　柄谷行人　全対話　世界と日本と日本人』二〇一八年所収）

対談はその後、滅亡という話題をめぐり展開される。面白く思ったのは柄谷が、「滅亡というものをずっと考えていた人」として武田泰淳の名をあげていたことだ。実は、大江は、『洪水はわが魂に及び』を発表する八年前の一九六五年に「誰を方舟に残すか？　または余剰について」（『想像力と状況　大江健三郎同時代論集　3』一九八一年所収）と題した後年の『治療塔』二部作にも通じるテーマのエッセイを書いた際、武田泰淳の小説『誰を方舟に残すか』に触れることから始めていたのだ。方舟には限られた人数しか選ばれず、余計者が出る。それについて大江は、一時代前の余計者は、自分は他の一般の人間とは違う孤立したエリートだとロマンティックな意識が持てたが、今は異なると述べる。

しかし、今日の余計者は、まったく逆に、自分があまりにもほかの人間と似ており、自分のような人間がたくさんいすぎるからという理由で、自分を余剰だと感じるのではあるまいか？

そのうえで大江は「おれこそが方舟に残るべきだと主張する人間のかわりに、自分はこの方舟にとって余剰な人間だと反省する人間だけが乗りくんでいる方舟ほどにも、住み心地が良い方舟があるだろうか」として「そういう社会のおだやかな民主主義を期待する」のだ。彼が、しばしば小説に描いてきたコミューンは、そうした夢想の現れだっただろう。方舟をめぐる彼の問題意識は、長年にわたって持続し、『治療塔』、『治療塔惑星』にも流れこんでいる。二部作では「選ばれた者」がいなくなり、「残留者」が「高度なものは、より高度でない方へ」というK・Sシステムによって地球の再建運動にとり組んだ。突出したエリートが不在となり、選ばれなかった者＝余計者たちだけが残るもう一つの方舟となった地球でやっていける方法が、それだったのだ。彼らなりの「おだやかな民主主義」だったともいえる。だが、「選ばれた者」たちが地球に戻ったことで状況は変わる。スターシップ公社の隆は、兄・繁の遺産ともいえるK・Sシステムを否定し、より高度なものを目指し、難しさや複雑さを厭わない「大出発」前の成長主義、効率主義へ再転換するように強いるのだ。

高度、複雑、不要不急を排除し、今あるモノや能力で賄おうとする器用仕事のK・Sシステムとは、自由競争を是とする資本主義への批判でもある。だが、「選ばれた者」が資源の枯渇する地球に戻り、人口が再び増加したからには効率を追求せずにはいられないという圧力が働く。K・Sシステムを軌道に乗せ始めた「おだやかな民主主義」の「残留者」にとって、「帰還者」はむしろ余計者のはずだが、「選ばれた者」である彼らの過去の権威は失われず、速やかに権力を掌握してしまう。「帰還者」は「残留者」を余計者の集団とみなし、ロボット＝労働力化を図ろうとするのだ。この経緯は、マーク・フィッシャー『資本主義リアリズム』の「資本主義の終わりより、世界の終わりを想像する方がたやすい」というフレーズを思い出させる。それに対し、資本主義を加速させ、限界まで押し進めることでしか「出口（exit）」は見出せないとするのが、加速主義だった。『治療塔』では、行きづまった地球の先端技術を結集し、資金も大々的に投じて、いわば状況を加速して「大出発」した。だが、

「新しい地球」で生きようとしたがかなわず、効率主義に回帰する。二部作は、『資本主義リアリズム』や加速主義が思考される以前に執筆された物語だが、今読むと資本主義からの出口のなさをすでに暗示していたように感じられる。

「選ばれた者」である「帰還者」と「落ちこぼれ」の「残留者」の対立は、新自由主義やグローバリズムの下での格差拡大、分断の比喩のようでもある。作中でK・Sシステムは、成長主義や効率主義の抑圧からの解放のごとくみえ、隆によるその否定は悪しきこととして描かれる。だが、現実世界では、K・Sシステムのようなもはや経済成長は前提としない、不要であるというようなリベラルの一部にある主張は、先に生まれ育った既得権益者による身勝手な態度であり、後からきた者にも成長は必要だと批判されるのだ。そうしたアンビバレントな状況を捻じれた形で予言していたかのごとき内容である点でも、時代を経て『治療塔』のファンタジーはディストピアの表現になっている。大江は、二部作について自身の小説の登場人物に「近未来の世界情勢を背景にしながら、Kちゃんが経済と外交について具体的になにも構想していない」といわせ、自嘲的に書いていたが、長い時を経て予言はまぐれ当たりしたようなところがある。

そのように現在の視点からをとらえ直した時、『治療塔惑星』発表の九年後の二〇〇〇年に刊行された村上龍『希望の国のエクソダス』と大江の二部作にみてとれる差異は、興味深い。村上の小説では、同作の近未来である二〇〇一年にパキスタンで地雷処理を行う十六歳の日本人少年の存在がCNNで報じられる。母国について記者に訊かれ、「あの国には何もない、もはや死んだ国だ」と答えた少年に触発されたように、日本では八十万人の中学生が不登校になる。やがて彼らは、ポンちゃんと呼ばれる少年を中心にインターネットのコミュニティでまとまり、「ASUNARO」というネットワークを立ち上げる。様々なネットビジネスで多大な収益を上げた「ASUNARO」は、やがて梅雨がない北海道に広大な土地を取得し、数十万人におよぶ大規模な集団移住を行う。地域通貨を発行し独自の経済圏を形成する彼らは、日本から実質的に独立する。書名になった「エクソダス」とは脱出を意味するとともに、『旧約聖書』の「出エジプト記」を指す言葉でもある。ポンちゃんは、中学生たちを導くモーセなのだ。

経済、教育、インターネットなど各方面の専門家に取材して執筆された『希望の国のエクソダス』では、ポンちゃんに代表される新世代と、大人世代とのディスコミュニケーションが描かれる。「ASUNARO」が力を獲得し影響を拡大する過程でポンちゃんは国会に招致され、リモートで答える。だが、旧来の価値観にこもり、仲間内でわかりあえる言葉だけで話してきた大人の質問者に対し、少年は「コミュニケーションできません」といい放つ。両者の断絶が際立つ場面だ。また、同作では「ASUNARO」の一部が「UBASUTE」という運動を始める。働かないうえ国際競争力がないものを好み、日本に必要がない老人を、自分たちの労働で養いたくはない。現代の姥捨て山に隔離して金を没収し、まだ役に立つ人間とそうでない者を分けつつ、老人だけの町を作るべきだと、「UBASUTE」は主張するのだ。少子高齢化が進むこの国に燻る若年層の不満を露悪的に語ったわけだが、それは大江の二部作において、「選ばれた者」であったうえに「治療塔」の治癒効果で若さを維持する「帰還者」が、年齢相応に老けていく「落ちこぼれ」の「残留者」に示す冷たい支配欲と重なる。だが、『治療塔』で「新しい地球」への「エクソダス」が挫折するのとは異なり、『希望の国のエクソダス』ではポンちゃんたちの〝出日本〟は成功する。

バブル崩壊後の停滞する日本経済が、各国の思惑や圧力で絶望的状況に追いこまれる。そんな設定の同作で、経済をなお加速することは可能ではないかと作者はシミュレートしてみせた。物語を象徴するのは、「この国には何でもある。本当にいろいろなものがあります。だが、希望だけがない」というポンちゃんの言葉だ。だが、同作の執筆は、バブル崩壊からまだ「失われた十年」といわれた時期である。一九八〇年代の好景気が去り、大きな痛手を負った業界や人々は少なくなかったにせよ、「何でもある」といえるくらいに庶民の平均的生活はまだ保たれており、景気はやがて好転するのではないかとの期待が残っていた。だが、「失われた十年」が二十年、三十年と続いてデフレが長期化し、格差や貧困が拡大するなか、二〇〇〇年発表の小説における経済シミュレーションの「希望」は、遠い夢物語になってしまった。二〇二〇年刊の松田青子『持続可能な魂の利用』は、「おじさん」と少女の会話不能性を描き、双方の社会的地位の逆転をストーリーにした。そうした大枠は『希望の国のエクソダス』と相似するが、松田の作品は、組織内の地位における男女非対称など、ジェンダーに関する社会的価値観をテーマとし、「おじさん」からアイドルへの政権交代が展開されるにしても、経済はクローズ・アップしていなかった。現在、『希望の国のエクソダス』のような経済をテーマにした逆転成功劇を構想するのは困難だろう。

超越的存在との交信

『希望の国のエクソダス』の語り手はフリーの記者・関口であり、彼が中学生の中村君にポンちゃんを紹介され、彼らを取材する形で物語が進んだ。村上龍は、同作の十五年後、同じく関口を語り手にすえ、書名通りに老人世代が社会に反逆する『オールド・テロリスト』(二〇一五年)を発表している。少子高齢化の急速な進行を意識しての執筆だったろうが、『希望の国のエクソダス』発表時点で作者は、未来を作る子どもに希望を抱いていたかのように読めた。だが、二〇〇二年刊行の同作文庫版のあとがきで村上は、それを否定していた。

この小説の単行本が出版されたとき、村上龍は中学生に期待し希望を託しているのか、などという馬鹿げた批判があった。わたしは中学生の反乱を通して、現在の日本社会の危機感と適応力のなさを示したかっただけで、中学生であれ、誰であれ、期待などしない。

同作で作者が、子どもに希望を託しているように感じられるのは、語り手である関口が、ポンちゃんたちの動向を追ううちに、交際していた経済専門の記者・由美子との間に「あすな」という娘をもうけ、入籍するからだ。二人で相談したうえで計画的に子づくりをしたのだが、自分の考えを説明する関口に対し、由美子はいった。

「そんな面倒な理由じゃないんじゃないの。要するに、あなたはポンちゃんや中村君を見ていて、子どもが欲しくなったのよ。良きにつけ、悪しきにつけ、子どもの可能性を感じてしまったんだと思うけど」

反論できなかった。

関口が子どもの可能性を見出しているようであるのに比べ、由美子は彼の希望を受け入れたにしても、どこか冷めた部分がある。小説の最初の方では、過去に二人の合意で由美子が堕胎したと記されており、そのことが関係しているのかもしれない。彼が「あすな」という娘の命名を義母に告げた際にも彼女は、「ASUNAROのあすなでしょ」と笑っていた。後の長編『オールド・テロリスト』では二人のそれからが語られるが、由美子は娘を連れて関口と離婚しており、前作にあった両者のズレが顕在化したようである。二作における関口と由美子のそうした経緯を踏まえると、作者が子どもに単純に希望を託したわけでもないことは理解できる。ただ、この国の現在の危機を考え、未来の可能性をシミュレーションした時に子どもの存在に着目したのは確かだ。大江の二部作でも、権力者であるスターシップ公社の日本責任者・隆の息子・朔と、彼らの「大出発」後に地球の混乱を経験し自らがエイズ陽性かもしれないと不安がっていたリッコの恋愛を通し、「帰還者」と「残留者」の軋轢を描く『治療塔』から、「新しい地球」で「治療塔」によって新たな肉体を得た「帰還者」の子どもに未来への可能性を見出そうとする『治療塔惑星』へと物語の力点は移っていく。

ここまで本書で論じてきたディストピアや終末的状況をあつかった物語では、これから生まれ成長する子どもが、未来への希望になるとともに現在への抑圧となる例が多くみられた。小松左京『日本沈没』には、政界の黒幕の老人が、世話をしてくれていた若い女性を避難させる際、「赤子《やや》を生むんじゃ」と声をかけるよく知られた場面があった。やがて生まれるかもしれない子どもに未来への希望を託そうとしたのだ。だが、同じ小松による『復活の日』では、生物化学兵器のウイルスの猛威で各国が滅び、かろうじて南極に残った生存者の男女比が一万人対十六人と著しく不均衡だったため、セックスの管理が真面目に議論されるとともに、人類存続のための受胎に関する特別委員会が組織される。未来の母性として女性には尊敬と保護の念を持つべきとされながら、出産にむけて統制の対象にされる。子どもという未来のために現在の人々が抑圧される構図があったのだ。この種の出産を優先事項とする社会は、アトウッドの『侍女の物語』、『誓願』など女性差別に焦点をあてたものだけでなく、男女の社会的地位が逆転するよしながふみ『大奥』やカルト信仰が支配する村が舞台の映画『ミッドサマー』など、男をも抑圧することが様々な設定で語られてきた。子どもの代替物を人工的に作ることに伴う軋轢を描いた『フランケンシュタイン』から『クララとお日さま』へ至る系譜もあった。

大江も、そうした子どもをめぐるテーマ意識を有している。彼の二部作では、エイズの陽性者が厳しく隔離され差別的にあつかわれるのに加え、権力を握るスターシップ公社が「帰還者」と「残留者」の結婚を禁ずる。それは、セックスや出産を管理しようとするものだ。「選ばれた者」、「落ちこぼれ」という社会的地位を分化、固定しようとするだけでなく、「新しい地球」の「治療塔」で新しい肉体を得た「帰還者」同士で子どもを作るべきであり、「残留者」との交雑はすべきでないという優生思想的な発想が、権力側にはある。『治療塔』では、朔とリッコが禁忌を破って交際し、妊娠した彼女は、中絶しないのならば結婚断念をと迫る彼の父・隆から逃れ、子を産む決心をする。同作ではそのように階層化社会での抑圧が描かれたのに対し、続編の『治療塔惑星』では、朔とリッコの子・タイをはじめ、「帰還者」の血を引く子どもたちが「宇宙少年十字軍」と呼ばれ、一つの構想が実行される。超越的存在である外宇宙の知性体が、人類を「新しい地球」までの圏域に封じこめる見返りに「治療塔」を与えたと推察された。それに対し『治療塔惑星』では、土星の衛星タイタンに旅立った朔が、現地の通信施設で自分の神経単位《ニューロン》をむき出しにして、外宇宙の知性体からの呼びかけを受信し、それを「宇宙少年十字軍」に転写しようとする。いわば「預言者」になろうとするわけだ。

子どもたちを交信の媒体にするわけだが、なかでも朔の直系であるタイが役目にふさわしいとして、隆はリツコに息子を参加させるよう要求し、彼女は受け入れる。タイタンにいる朔からの発信を、地球にいる「宇宙少年十字軍」三十名が受信する一種の人体実験が始まるが、作者はそれを否定的に書いてはいない。スターシップ公社の要職にある隆は、権力者として打ち出した諸施策を強引に進めるとはいえ、朔やリツコの感情を無視して押しつぶすほど冷徹にはなりきれない。情がからんだ彼らのやりとりには、家族小説の色あいがある。大江の実生活が、関係しているのだろう。すでに触れた通り、大江の長男・光は知的障碍を持っている。二部作の子どもの描き方には、そのことに発する救いへの希求が含まれている。子どもに未来への希望を託すことが、現在の人々（特に産む立場である女性）の抑圧に結びつきやすい以上、それを手放しで肯定はできない。ただ、現に生まれた障碍を持つ長男を育てる立場だった大江は、子どもの未来／未来の子どもに希望を求めざるをえなかった。彼の小説には、その姿勢が一貫している。リツコがタイの人体実験参加を認めるのも、未来に希望を求めてのことだ。

光は子どもの頃からクラシック音楽に親しんでおり、『治療塔惑星』刊行の翌年の一九九二年には、最初の作曲集『大江光の音楽』が発表された。一方、『希望の国のエクソダス』では、ASUNAROがとり組む風力発電のエコファンドに関連して、ブレードが風を切るノイズの音楽的処理を坂本龍一に要請したとあった。作者・村上龍の友人で音楽家の坂本を登場させた遊戯的な一節だが、それに対し『治療塔』の「残留者」のコミューンには「ヒカリさん」という「八十歳見当の立派な顔の老人」が登場する。

知的障碍がある「ヒカリさん」は、絶対音感を持っており、ピアノの調律を手伝ったり、集会場でCDやテープのコンサートを開き、合唱を指導するなどして、みんなから大切にされていた。彼は、作者が長男の未来を夢想したキャラクターだと思われる。二部作において長男を反映しているのは「ヒカリさん」だけではない。タイタンから命名された朔とリッコの息子・タイは、身体は大きく育ち、プラスティック片を組み立てて宇宙ロケットの模型を造るなど知的に優れている様子だ。だが、一緒に暮らす家族に関心を示さず、子どもらしく甘えることもない。情緒に乏しい印象でリッコを不安にさせる。タイの知性と情緒のアンバランスさは、「治療塔」で新しい肉体を得た朔を父とするためではないかと推察される。同時に作者の長男のアンバランスさを連想させる設定でもある。スターシップ公社によって「宇宙少年十字軍」の子どもたちは繭《コクーン》カプセルに入れられ、「強化した受信環境の溶液をみたす深いプール」を漂う。地球環境が悪化するばかりの人類は、生き延びるために「治療塔」を自ら作り出したい。そのため、外宇宙の知性体から知識を得る必要があり、「宇宙少年十字軍」に期待する。十字軍とは本来、中世に西欧のキリスト教徒が、聖地エルサレムを異教徒から奪還するために派遣した遠征軍を指す。それに対し、「宇宙少年十字軍」は遠征せず、地球で受信するのだが、人類の願いを外宇宙に存在する知性体まで届けてほしいとの期待も帯びている。

しかし、「宇宙少年十字軍」に関するその処置はなんとか最後まで終えたものの、人体実験に否を唱える反・スターシップ公社運動の手榴弾で隆が殲滅される一方、朔が滞在するタイタンの通信施設が突然消滅する事態となる。やがて、人々の「治療塔」への関心は失われ、選ばれて繭カプセルに入れられた子どもたちのその後の追跡調査も行われない。ただ、大人になったタイが建築家としてコンペで入賞し、広島の原爆ドームを透明な二重の伽藍で覆い礼拝堂にするという竣工式で、「少年十字軍」だったかつての子どもたちが集まる。そうして、原爆ドーム、「治療塔」、繭カプセルのイメージを重ねあわせることで、二部作は締めくくられる。第三部として大江が構想した「治療塔の子ら」は結局、執筆されなかった。ただ、二部作は「新しい地球」を目指した「大出発」に挫折した後も人類はなお地球の外部を望み、「宇宙少年十字軍」＝「治療塔の子ら」に超越的ななにかとつながる可能性を求めたという物語になっている。子どもを焦点化した内容だったのだ。

新しい人は眼ざめるか

注目したいのは、『治療塔』、『治療塔惑星』で「新しい人」という言葉が、印象的な使われ方をしていることだ。二部作ではウィリアム・バトラー・イェーツの詩が朔とリツコを結びつけたとしており、彼の詩がよく引用される。『治療塔』の最後では「He grows younger every second」と始まる詩行を思い浮かべながら、リツコは朔との子を身ごもったことをこう思う。

> そのもっとも新しい人よりさらに新しい人を、ほかならぬおまえが生むのだと、その言葉は告げ知らせてくれる。すでに誰よりも新しい人は母親たる私の喜びとして私のなかにあり、親しい心音を伝えている……

『治療塔惑星』の前半でも初めての妊娠・出産を経験した彼女が、「いちいちの節目ごと新しい人間を生むという気持は更新されたのですが」、「授乳する頃には、もう私のなかでも新しい人間コンプレクスはいくらかなりと乗り越えられて」と傍点つきで、この言葉が使われていた。「新しい地球」への「大出発」から「落ちこぼれ」たリツコが、挫折した人類が、「新しい人間」を未来への希望とするのだ。一方、大江は、二部作以前に『新しい人よ眼ざめよ』（一九八三年）と題した連作短編集をまとめていた。同書では大江自身を思わせる作家が主人公となり、イーヨーが愛称の障碍を持つ長男をはじめとする家族や周囲の人との関係、過去の出来事について、ウィリアム・ブレイクの詩に導かれつつ思索し、なんらかの発見をしたりする。すでに『洪水はわが魂に及び』に触れた部分で述べたが、大江は実生活での長男の誕生以降、核の脅威にさらされ続ける世界において、障碍児とともにいかに生きるかをテーマにした小説を様々な方法で執筆してきた。『新しい人よ眼ざめよ』の場合、日常生活を描く私小説に擬態したのだが、ブレイクの詩の宗教性や幻想性、同時代の反核運動や政治への言及を織り交ぜ、身辺雑記にとどまらないイメージの広がりを持つ。そのなかで連作最後の表題作では、成人した長男がイーヨーの愛称を拒否し、本名の「光」で呼ばれることを選ぶ自立のエピソードが語られる。

そこでは「眼ざめよ、おお、新時代《ニュー・エイジ》の若者らよ！　無知なる傭兵どもらに対して、きみらの額をつきあわせよ！」というブレイクの詩を引用しながら、主人公の作家が思う。

ブレイクにみちびかれて僕の幻視する、新時代《ニュー・エイジ》の若者としての息子らの――それが凶々しい核の新時代《ニュー・エイジ》であればなおさらに、傭兵どもへはっきり額をつきつけねばならぬだろうかれらの――その脇に、もうひとりの若者として、再生した僕自身が立っているようにも感じたのだ。

書名の『新しい人よ眼ざめよ』はこの部分に由来するが、核の新時代における「新しい人」というイメージは、核に汚染された未来の地球でリッコが生む「新しい人」＝タイのキャラクターへとつながる。『治療塔』と『治療塔惑星』は一応ＳＦの形をとっているが、イェーツやブレイクなど、詩を媒介にしてイメージを膨らませ、子どもを神話化・異化する手法は、『新しい人よ眼ざめよ』を含む大江のほかの諸作と共通する。また、二部作では「治療塔」の効果、外宇宙の知性体との交信という設定により、タイを含む「宇宙少年十字軍」が、従来の人類と違う「新しい人」であると位置づけられる。そのようにSF的な発想で子どもに特殊な属性を付与し、未来への希望とする作品を、大江は二部作以前にも書いていた。『ピンチランナー調書』（一九七六年）では、作家の「僕」が、脳に障碍のある息子・光を通わせる特殊学級で、同じ症状の息子・森を持つ「森・父」（作中で森の父はそう表記され続ける）と出会う。そして、原子力発電所の元技師である三十八歳の森・父が十八歳へ、八歳だった森が二十八歳へと「転換」した不思議な物語の「幻の書き手《ゴースト・ライター》」に「僕」が起用される。作家父子の分身的存在である別の父子の年齢が逆転し、彼らは核をめぐる騒動に巻きこまれていく。「転換」が「宇宙的な意志の指令」とされることや、森・父の若返りと息子の森の特殊な成長といった要素が、『治療塔』二部作で継承、変奏されたのは明らかだ。

大江が生まれ育ち、たびたび小説の舞台とした四国の森をはじめ、森は彼の創作においておおむね善きものとして表象される。核のもたらす破滅に対し、森に象徴される生命の循環が対置されたといってよい。同時に森の読みは、ラテン語で死を意味する mori と共通する。まだ幼い子どもを「森＝mori」と命名した点には、循環し永続する生命への希望と、障碍を持って誕生した際に命の危険にさらされ、以後も精神や身体に困難を抱えている死の近さを、親が息子に感じていることが表現されていた。息子をモチーフにした大江作品の系譜をさかのぼると、最初から作家が生と死の二面性を意識していたとわかる。

大江は息子の誕生に関して、結末の異なる二つの物語を書いていた。短編「空の怪物アグイー」

（一九六四年）では、脳に障碍がある息子を、診断した医者とともに殺した音楽家が、「アグイー」という赤ん坊の怪物の幻影を見始める。だが、医者は誤診していたのであり、音楽家が交通事故死した後、彼の付き人のアルバイトをしていた「ぼく」は子どもに投石され右目を失明するが、その一瞬、「アグイー」の存在を感じるのだ。同短編は作者が、実生活で仮に息子の命を絶った場合に覚えただろう罪悪感を書いたといえる。

一方、同じ年に発表された長編『個人的な体験』（一九六四年）では、「鳥《バード》」のあだ名で呼ばれるまだ二十代の若い父親が、産まれた赤ん坊の状態に葛藤し、衰弱死を期待したり、殺すことを考えたりする。作中では、頭蓋骨の欠損から脳がはみ出て瘤を作っているため、頭が二つあるような形の赤ん坊を見て、「鳥」が「放射能障害による異常児の症例の写真」と比較しようとする。だが、作中にはソ連の核実験再開やその抗議集会といった出来事も書きこまれるものの、主人公は「いまぼくの個人的に体験している苦役」で世界を考える余裕がない。それでも、学生時代の恋人・火見子による一種の性的セラピーや妻とのやりとりを経て、赤ん坊を育てる決心をするのだ。結末で彼は、「きみにはもう、鳥《バード》という子供っぽい渾名は似合わない」といわれる。同作のハッピーエンドを「主人持ちの文学」と批判したのは、三島由紀夫だった。読者という「主人」におもねった展開だと評したのである。終盤の展開は急に感じられるし、そのような批判が出るのは避けられないが、実生活で息子を育てなければならない作者にとっては、選ばなければいけない結末だった。大江は同作を起点に息子をモチーフにした小説を書き継いでいく。

息子の新生と父の再生が重ねられ、あだ名の返上が自立を表現する点は、『個人的な体験』の「鳥」と『新しい人よ眼ざめよ』のイーヨーで共通する。また、後者は前者の再検討、語り直しの側面を持つ。『個人的な体験』では、火見子が、ブレイクの詩の一節を「赤んぼうは揺籠のなかで殺したほうがいい。まだ動きはじめない欲望を育ててあげてしまうことになるよりも」と訳して障碍のある子の父になった主人公につぶやく。今でいう反出生主義的なそのフレーズに「鳥」は共感するのだ。その場面には、『旧約聖書』の「出エジプト記」に登場するペストを主題にしたブレイクの版画に関する記述もあり、主人公が自らを災厄にみまわれた人間ととらえていることが伝わる。また、我が子を殺す可能性を「鳥」が話すのを受けて火見子は、「わたしやあなたが、まったく異なった存在としてふくまれている、ここことは別の、数しれない他の宇宙があるのよ」と話し出す。詩の一節を契機としてイメージを宇宙的規模にまで広げる語り口を大江は以後もよく用い、それが宇宙にまで舞台を広げてイェーツを引用した『治療塔』二部作にも継承されていく。

『新しい人よ眼ざめよ』の最初の一作「無垢の歌、経験の歌」では語り手の作家が、赤ん坊に関するブレイクの先の詩を引用した『個人的な体験』の場面を回想する。宗教的イメージに満ちたブレイクの詩は、かつては我が子への殺意を刺激した。だが、この連作短編集で後年の父親は、ブレイクの詩から逆に息子と一緒に生きるためのヒントを得るようになる。短編集中盤の「魂が星のように降って、跗骨のところへ」で主人公は、自分はかつて小説に引用した詩を誤訳していたと語る。重心は「動きはじめない欲望を育ててあげてしまうことになるよりも」の方にあり、そうなるくらいなら「赤んぼうは揺籠のなかで殺したほうがいい」と解釈すべきだったというのだ。梅津濟美訳『ブレイク全著作』（一九八九年）によれば、その部分は「実行されない欲望を育てるよりはいっそ揺りかごのなかのおさなごを殺せ」となる。『新しい人よ眼ざめよ』では、思春期から成人へとむかう時期のイーヨーが示す行動を、父がすぐには受けとめられず動揺し、ブレイクの詩からインスピレーションを得てようやく理解する展開が繰り返される。実行されない欲望は死んだ人間に等しいのであり、父は様々な感情や衝動を抱える息子を肯定するのだ。

挫折してもなお外部を希求する

以上の通り、近未来SFとして発表された『治療塔』二部作は、障碍のある子どもの父親になったという大江の個人的な体験、実生活が出発点にあった。知能が限られるゆえにものごとにスムースに対応するのが難しく、差別されやすい我が子とともに、核に象徴される危機や不安を孕んだ世界で自分はいかに生きていけるのか。戦後文学者としての大江の歩みは、そうした問題意識とともにあった。子どもに関しては彼の個人的事情だが、人それぞれ個人的事情は抱えている。監視と管理が徹底したディストピアが、人々をただの数として処理し、戦争や疫病に代表される危機が大量の死をもたらして、一人ひとりの記名性を空洞化してしまう。かくのごとき不安や危機意識が、個々人にディストピアや終末的状況への興味を持たせるのだし、大江はそうしたメカニズムをよく体現した作家だ。

ただ、『治療塔』と『治療塔惑星』で、音楽を介してコミューンの人々と親しむ老人の「ヒカリさん」と「新しい人」であるタイを登場させたことには、大江の実子が想像の起点になっているとはいえ、二部作のテーマには彼の息子の誕生よりさらにさかのぼった過去から出発した要素もあった。『治療塔惑星』で「宇宙少年十字軍」の子どもたちは、タイタンの朔と交信するため繭カプセルに入れられ、黒ずんだ溶液の処置プールに浮かんでいた。カプセルは「ソラマメのようなかたちのものがヌメヌメと生きものの肌ざわりをあらわしている」と描写される。この場面に関し『無垢の歌　大江健三郎と子供たちの物語』（二〇二二年）で野崎歓は、『個人的な体験』で「鳥」が特児室のガラス越しに保育器のなかの赤ん坊たちを眺める場面と相似すると指摘した。同時に野崎は、処置プールの一節が、大江が学生時代に書き商業デビュー作となった「死者の奢り」（一九五八年）との相似も指摘する。大学医学部のアルコール溶液を満たした水槽に解剖用の死体が複数浮かべられた同短編の光景に、『治療塔惑星』の処置プールの場面が予告されていたように読めると記したのだ。「死者の奢り」では、主人公の男子学生と女子学生が、死体を新しい水槽に移し替えるアルバイトをする。堕胎の費用を稼ぐためにやってきた女子学生は、死体を目の当たりにして嘔吐しながら、こんなことを話す。

「今ね、私は赤ちゃんを生んでしまおうと思い始めていたところなのよ。あの水槽の中の人たちを見ているとね、なんだか赤ちゃんは死ぬにしても、一度生まれて、はっきりした皮膚を持ってからでなくちゃ、収拾がつかないという気がするのよ」

「死者の奢り」だけでなく、犬の殺処分を題材にした「奇妙な仕事」（一九五七年）など、大江の初期作には行為が徒労に終わる、夢が挫折するという内容が多い。そうした傾向の一環として堕胎もしばしば語られた。

両者をともにあつかった代表的な長編が『われらの時代』（一九五九年）だろう。主人公は未来を夢見ながら、子どもに暗示される未来の現実を引き受けられないのだ。大江は戦時中に少年期を過ごし、戦争に『遅れてきた青年』（一九六二年発表小説の書名）として育った。行為の挫折というモチーフには、この国の敗戦、新しい価値観に転じたはずの戦後に覚えた閉塞感など、大江が社会に見てとったものが流れこんでいた。『個人的な体験』でも『われらの時代』にあったような海外渡航の夢と我が子を持つことへの忌避が語られ、いずれも主人公は「出発」を熱望するが果たせない。『われらの時代』の場合、「出発」を断念した主人公は、可能な唯一の行動は自殺であり、「偏在する自殺の機会に見張られながらおれたちは生きてゆくのだ、これがおれたちの時代だ」との認識へ最終的に至る。いいかえるなら、自分を〝堕胎〟してこの世から「出発」する選択肢はあると思うことで安らぎを得るわけだ。しかし、「出発」の頓挫という従来の作品と近い枠組みを持ったままの『個人的な体験』では、主人公が子どもを育てることを選び、自身が子どものままであるのはやめようとする転換があり、それが作家を父子で歩む方向へと変えていく。「大出発」の挫折で始まる『治療塔』二部作もその延長線上にあった。

大江作品のテーマとなる「出発」は必ずしもポジティヴな願望ではなく、今、自分を縛りつけている悪しき状況からの「脱出」として志向されるケースも多い。そもそも「脱出」に関する屈折した描き方は、彼の最初の長編小説『芽むしり仔撃ち』(一九五八年)にすでに現れていた。戦争末期、感化院の少年たちが集団疎開させられる。途中で彼らは何度も脱走を試みるものの、村人に捕まり痛い目にあう。その一人である「僕」が主人公だ。たどり着いた山奥の村では、外部から遮断され、村人に厳しく監視される。だが、ネズミの死骸が多く見つかり始め、村人の様子がおかしくなる。人の死の話が次々に伝わり、村に疫病が蔓延していることが明らかになる。そして、ある日、突然、村人の姿が消える。少年たちは見捨てられたのだ。村からのあらゆる出口が閉ざされている。閉ざされた状況には、親が疫病で死んだ朝鮮部落の少年、彼がかくまっていた脱走兵も含まれていた。そうした異分子も含め、残された面々は協力しあう。監視する者がいなくなった村で祭りを行い、少年たちの自由の王国が一時的に出現する。レベッカ・ソルニットいうところの『災害ユートピア』(二〇〇九年)であり、少年たちの一時的な楽園というシチュエーションは、ウィリアム・ゴールディング『蝿の王』（一九五四年）にも通じる。

しかし、疫病が収束した頃、村人たちは戻り、脱走兵を捕らえて惨殺し、少年たちを再び支配下におく。村長は、少年たちが村を荒らしたことを許すかわりに、自分たちが疫病の最中に逃げたことを広言するなと要求する。村での一連の不祥事を隠蔽しようとする脅しに少年たちは屈服するが、唯一抗った「僕」は、外へ行っても脱走を罰せられるだけだと告げられたうえで、村長からこの地からの追放を言い渡され、森に逃げこむ。それが、結末だ。感化院に収容されていた少年たちが、都心部とは違い戦争被害から距離がある山間の村に移送される。村では、従軍しているべき男が脱走し、密かにかくまわれていた。移送中の脱走に失敗した少年たちと同じく、脱走兵も村から出られない。村人の一時的な逃走で自由を得てからも、なお彼らは囲いこまれている。村から追放された「僕」は、運がよければ外で生き延びられるかもしれない。だが、もともと一連の騒動の外側を戦時下という大状況がとり巻いているのであり、「僕」を待つのは敗戦と混乱でしかないのを読者は知っている。そのように同作では、囲いこみと脱出のモチーフが、複雑に入り組んでいる。『芽むしり仔撃ち』が、「夜更けに仲間の少年二人が脱走したので、夜明けになっても僕らは出発しなかった」の一文から始まっていたのが、象徴的だ。集団疎開への出発が脱走騒ぎで遅れたと読者はやがて理解できるが、ここでは出発と脱走という似て非なるものがせめぎあっている。

また、大人たちが、疫病の蔓延する村にものごとを知らない子どもたちを見捨てて逃げたものの、残された者同士で協力し、ある種の友愛が育つ。そこへ大人たちが帰ってきて以前の権力をためらいなく振るう。この図式が、『治療塔』二部作の核で汚染された地球をめぐる「選ばれた者」の「帰還者」と「落ちこぼれ」の「残留者」、「大出発」の挫折とＫ・Ｓシステムでの再建運動に先行しているのは、確かだろう。

村長は「僕」に対し、いっていた。

「いいか、お前のような奴は、子供の時分に締めころしたほうがいいんだ。出来ぞこないは小さいときにひねりつぶす。俺たちは百姓だ、悪い芽は始めにむしりとってしまう」

小説のタイトルは、彼の言葉に由来する。ここでは百姓が話しているが、当時の日本では軍が、誰を死が確実な戦地に行かせるか、権力を握っていた。上層部の意思は組織運営として理性的ではなく、命の芽をむしる決定は行き当たりばったりだったといってよい。ディストピアの物語は、戦時中の統制を強める国家をモデルとすることが多い。山間にあって戦争状況から遠かったはずの『芽むしり仔撃ち』の村は、集団疎開の少年や脱走兵という戦時下であることが理由でやってきた者によって、場所のあり方が変容せざるをえない。村長も軍のように高圧的な態度をとるようになる。核汚染の進行と「大出発」の大事業失敗という戦時下に匹敵する非常時（例外状態）の未来を描いた『治療塔』二部作が、戦争末期を舞台にした『芽むしり仔撃ち』と物語の構造が相似したのには、内的な必然性があったのだ。

ただ、両作には大きな違いがある。戦時中に少年期を送った大江は、他の戦後文学者と同様に戦争とその後を考える小説家であったが、長男が生まれた一九六三年に被爆地の広島を取材し、『個人的な体験』を発表した翌年に『ヒロシマ・ノート』（一九六五年）を刊行している。その過程で先に述べた小説家としての転換があったのだが、核の時代を障碍児とともにいかに生きるかがテーマの主軸になってからは、出発や脱出の不可能や挫折に直面しても、なお超越的な外部を希求する傾向が顕在化するようになった。特定宗教への信仰は持たないが、超越的ななにかに対し救いを祈る。そうした傾向は、『芽むしり仔撃ち』にはうかがえなかったものだ。ブレイクの詩を引用して息子の成長を喜び、父である自らの再生を祈念した『新しい人よ眼ざめよ』などには祈りが満ちていた。

「大出発」の挫折から始まった『治療塔』二部作では、タイタンの朔を媒介にした、彼の息子・タイを含む「宇宙少年十字軍」への外宇宙の知性体からの交信という計画が実行された。目立った成果を残さぬまま、朔がいたタイタンの通信基地は消息を絶つ。地球から出たいという人類の願望は、物理的な移住、外宇宙の知性体との交信、いずれの形でも十全には達成できなかった。だが、朔を失ったリツコは、『治療塔惑星』の終盤でイェーツの詩を思い浮かべる。

確かになんらかの啓示が身近にある。／確かに「再来」は迫っている。／「再来」！／これらの言葉を口に出すやいなや／「世界の魂《スピリートウス・ムンディ》」から巨大なイメージがあらわれて／自分の視界をかきみだす。

「再来」＝Second Cmingとは、世界の終末にイエス・キリストが再臨するというキリスト教の教えを指す。リツコは神と人間を仲立ちする存在だったキリストに朔を喩え、彼を媒介にして「宇宙少年十字軍」が外宇宙の知性体と行った交信が、いつかなにかの実を結べばいいと願うのだ。彼女は、建築家になった息子・タイの設計により透明な伽藍に覆われた原爆ドームを脳裏に浮かべつつ、少年だった彼らが繭カプセルに入ったことを思い返す。

あの時、私は宇宙的な種子がこの惑星に撒かれるのに立ち合っていたのです。そうである以上、発芽と伸長の時にも立ち合っていたいと思います。しかもいまその時がせまっていることを、私は遥かな以前から知っていたと感じてもいるのですから……

脱出がどれだけ成功しなくても、超越的な善きなにかとつながる外部への通路があると信じたい。そう祈らざるをえない人間の業が、ここには書かれている。

3　移動を生きる――『地球にちりばめられて』『星に仄めかされて』『太陽諸島』

メタ言語によるユートピア

多和田葉子の『地球にちりばめられて』（二〇一八年）から始まり、『星に仄めかされて』（二〇二〇年）、『太陽諸島』（二〇二二年）へと続いた三部作は、ヨーロッパへ留学中だったＨｉｒｕｋｏの故郷である島国が消滅してしまい、帰れなくなった状況から始まる。彼女は国境を越えてヨーロッパを移動し、様々な人と出会い、仲間を得ながら、同じ母語を話す者を探した後、消えた島国の方へむかう。その島は、国名は明記されていないものの、中国大陸とポリネシアの間に浮かぶ列島とされ、日本だと推察できる。戦争に敗れ地域での権力を失った国家が、体制を解体され消滅する、母国を失った民族が放浪するといったことは、歴史上で繰り返されてきた。敗戦後も母国を分割されたり奪われたりしなかった日本人が、もし国を失ったらどうなるのか。それを考えるため、小松左京が列島を海に消滅させたのが『日本沈没』だったことは知られている。多和田の三部作にも同種の発想はうかがえるが、より直接的に執筆の動機づけとなったのは、二〇一一年に発生した東日本大震災に伴う東京電力福島第一原子力発電所の事故だろう。

事故当初は、放射性物質による被害がどれだけの範囲におよぶか、汚染の拡大を食いとめ後処理を行うことは可能なのか、なかなか見通しが明確にならなかった。人々が避難すべきエリアのほか、食品をはじめ日本の品物がどれだけ汚染され遠ざけるべきものになっているのかなど、国内外で不安が広がった。一九八二年よりドイツ在住の多和田は、母国のそうした状況を海外から見つめていた。彼女は、二〇一三年に福島を訪れ仮設住宅で避難住民の声を聞き、翌年に中編「献灯使」（同名作品集に収録）を発表している。それは、原発事故とは記さないものの、大地震があった後の大災厄で鎖国状態になった日本を舞台とした小説だった。百歳を過ぎても老人たちが健康的であるのとは対照的に、子どもたちは体力がなく病弱になっているという、なんらかの汚染と高齢化がかけあわされたような状況が描かれている。「献灯使」では、日本の子どもたちの健康状態を研究するためと称して国外へ旅立たせるところで終わる。つまり、国を揺るがす大ごとを出発点にして、鎖国から海外渡航へむかう「献灯使」と、海外の留学先から母語や母国を探す旅に出る『地球にちりばめられて』三部作は、ちょうどベクトルの方向が逆になる形で構想されたのだ。

「献灯使」と同様に三部作でも、Ｈｉｒｕｋｏの故郷の島国がなぜ消滅したのか、明らかではない。作中には原子力発電所への言及があるほか、Ｈｉｒｕｋｏが新潟、彼女の同国人のＳｕｓａｎｏｏが福井と、いずれも原発立地県の出身者に設定されるなど、母国との音信不通は原発事故が原因かと想像させるようになっている。それでもＨｉｒｕｋｏが、母国消滅に関する詳細を知りえない設定なのは、日本での原発事故発生時に海外にいてなかなか確信できる情報を得られなかった著者の体験を反映してもいるのだろう。だが、鎖国され外国語の使用が禁止されインターネットもなくなった「献灯使」がディストピア的な社会を舞台にしたのとは異なり、三部作では母国を失ったらしいＨｉｒｕｋｏは、いわば楽園追放状態にあるものの、必ずしも暗い印象を抱かせる物語にはなっていない。帰る国を失った彼女は、その代わりのように仲間を得て旅を続けていく。また、Ｈｉｒｕｋｏを特徴づけるのは、スカンジナビアならばどの国でも通じる個人的な人工語「パンスカ」を話すことだ。鎖国され外国語が禁じられた「献灯使」とは反対に、様々な国の出身者が交流し国境を越えて旅する三部作では、「パンスカ」という手作りの言葉がＨｉｒｕｋｏの大きな力となる。言語の制限と拡張という意味で両者は対照的である。

第一作『地球にちりばめられて』の書名の通り、自分たちがいる地上を国単位ではなく地球としてとらえる俯瞰的な視点が、三部作ではポイントになる。俯瞰的な視点を下支えするのが、複数の言語に対応可能で汎用性のある「パンスカ」だ。デンマークに住んでいた言語学者の卵のクヌートは、Ｈｉｒｕｋｏの理解者となり、彼女との距離が次第に縮まっていく。彼は、同じ母語を話す人間を探すＨｉｒｕｋｏに協力し、二人はナヌークという人物にたどり着く。だが、ナヌークは外見が日本人に似ており、語学の面でも器用だったため日本人になりすましていたが、実はグリーンランド出身のエスキモーだった。Ｈｉｒｕｋｏたちは、やがてＳｕｓａｎｏｏという日本人を見つける。そんな彼らに、ドイツ留学中で男から女へ性を引っ越し中であるインド人のアカッシュ、ナヌークの恋人でドイツ人のノラを加えた六人が、旅の基本的な仲間となる。ただ、彼らは仲良しグループではない。ナヌークは自分を想うノラをうっとおしく感じているし、同じ日本人だからといってSusanooはHirukoにフレンドリーな態度はとらず、むしろ意見を異にする方が多い。他愛ないお喋りとともに議論、口論がたびたび起きる。だが、出身地、国家や歴史のとらえ方、正義に関する態度、ジェンダーなど様々な差異のある彼らは、別行動をとることもあるにせよ、なおバラバラにならず旅を続けていく。

Hirukoたちが同国人のSusanooを探し出した時、彼は失語状態になっていた。このため、二作目『星に仄めかされて』では、彼が入院したコペンハーゲンの病院に仲間たちがそれぞれ訪れる。病院でSusanooの「失語症」を研究するドクターのベルマーは、かつてクヌートと天文言語学のゼミで一緒だった。「もし火星人が地球にやって来たらどう会話するのか。宇宙で録音された雑音が言語である可能性はあるのか。地球に存在する言語全体に共通するメタ言語を作って、それを地球外に伝えることはできるのか」といった話題を、ゼミの先生はあつかったという。しかし、そうした話題に親和的だったクヌートが、スカンジナビア共通の手作り言語「パンスカ」を操り同じ母語の話者を探すHirukoに共感をみせるのに対し、ベルマーは「消えた国の言葉を取り戻してどうするつもりだ」と吐き捨てる。ドクターである彼は、「君は失語症をメタファーとして使っているな。一人の人間が喋らないこととイコール失語症なのか」とクヌートに問い、後には実際、Susanooが病気だったわけではなく、意図的に喋らなかったことが明らかになる。ベルマーは、かつて「星の言語など解明しても人類の役に立たない」と主張し、クヌートと口論になったのでもあった。

ベルマーは、個々人が喋る実際的な行為としてしか、言語の意義を認めない。メタ言語、メタファーなど、言語をより俯瞰的な視点からとらえようとするクヌートとは、意見が噛みあわない。大江健三郎の『治療塔』二部作では、外宇宙の知性体との交信が描かれた。メッセージの内容自体は書かれなかったが、交信が可能なことはSFとして作中の前提になっていた。一方、多和田の三部作は、Hirukoの母国が消滅したとする謎めいた設定はあるものの、基本的に現実の世界で物語は進む。天文言語学における宇宙の言語の存在を想定した話題も、ただの仮説でしかない。クヌートは言語学を志すうえでメタ言語へ、メタファーへと思考を拡張させるが、Hirukoは思考実験として「パンスカ」を作ったのではない。彼女は、国境がある国家ではなく地球という単位で世界をとらえようとするが、実際に宇宙の視点から地上を見下ろせるはずはない。自分がスカンジナビアで生活するための実用的な道具として「パンスカ」を生み出したのだ。『太陽諸島』ではナヌークが彼女に「エスペラントを習えばいいだろう。」というが、習得した人にしか通じないそれと違い、「パンスカ」は北欧の誰もが理解できる。また、世界の汎用語といえば英語だが、英語のできる人間はアメリカに強制移住させられる可能性があるため、持病があって健康保険制度が整った北欧にいたいHirukoにとっては「パンスカ」使用が現実的対応なのだ。

一方でHirukoは、グリーンランド語に由来する「アノラック」という言葉の響きは好きだが、パーカー、ウィンドブレーカー、ブルゾンなどを「モール言葉」と呼び軽蔑する。「モールを歩き回って一歩遅れた流行服を手頃な値段で買いあさる人たちの欲望をそそる言葉は、すべてモール言葉」なのだという（『星に仄めかされて』）。ここには、たとえ利便性があっても人々を均質な消費にうながす社会システムへの嫌悪がうかがえる。Hirukoが手作りした「パンスカ」の私性と軽蔑する「モール言葉」の均質性は対照的であり、彼女のものの考え方が現れているが、どちらも現実的なものであることは共通する。三部作は、俯瞰的な視点を持ちながら、あくまでもこの地上でしか生きられない人々の物語として書かれているのだ。

ただ、作中の世界では、様々な言語を登場人物たちが話しているのだが、小説ではすべて日本語で書かれている。「パンスカ」は一文の短さと体言止めの多用を特徴とする日本語の文体によって、スカンジナビア広域用に単数形と複数形の区別や冠詞がなく簡素化された手作り言語を表現している。つまり、様々な言語が共存する三部作のある種の理想状態を可能にするのは、すべてが一種類の言語で書かれているという仕掛けだ。作中では互いが話す言語が違うために起きる齟齬にも触れられているが、その齟齬も日本語で押し通した文章のなかに包含されている。多和田自身は、日本語とドイツ語の両方で作品を発表してきた作家であり、一種類の言語で書くのも選択的な行為だろう。同作の日本語記述は、メッセージの内容を明記しないまま外宇宙の知性体との交信を描くSF的な虚構に匹敵する虚構、SFでは宇宙にむけられる発想を地球へ折り返した発想だともいえる。外宇宙にメタ視点を置くのではなく、複数言語での会話を日本語の文章で表現するメタ言語性が、三部作にユートピア性をもたらす。

『旧約聖書』の「創世記」には、人間たちが天に届くほどの高い塔を建設し、自らの領域に迫ろうとしたことに神が怒り、彼らが別々の言葉を話し始め意思疎通ができなくなる罰を与えたバベルの塔のエピソードがあった。それに対し、多和田の三部作におけるＨｉｒｕｋｏのスカンジナビア汎用的な言語「パンスカ」、複数言語を記述するメタ言語的な日本語といった仕掛けは、バベルの塔でバラバラにされた人類の言語を修復するような試みである。

プロセスの途中

『地球にちりばめられて』の第二章には、Ｈｉｒｕｋｏの語りとして次の一節がある。

昔の移民は、一つの国を目ざして来て、その国に死ぬまで留まることが多かったので、そこで話されている言葉を覚えればよかった。しかし、わたしたちはいつまでも移動し続ける。だから、通り過ぎる風景がすべて混ざり合った風のような言葉を話す。

これは現代の移民に関する一般論でありつつ、Ｈｉｒｕｋｏの実情を表現してもいる。ヨーロッパに留学したが、母国が消滅して帰国できなくなった結果、移民状態となり、かといって一国にずっと滞在することも許されない。ゆえに周辺国を移動し続けながら暮らす必要性から「パンスカ」を手作りした。Ｈｉｒｕｋｏは、運次第で「不法滞在の外国人」になってしまう境遇で考える。

よく考えてみると地球人なのだから、地上に違法滞在するということはありえない。それなのになぜ、不法滞在する人間が毎年増えていくのだろう。このまま行くと、そのうち、人類全体が不法滞在していることになってしまう。

『地球にちりばめられて』前半で示されるこの認識は、三部作の通奏低音となる。

一方、『星に仄めかされて』では、失語症状態でコペンハーゲンの病院に入院したＳｕｓａｎｏｏを追って、仲間の各人が旅をする。そのなかでノラは、飛行機や電車、自動車など移動の選択肢のうち、最も二酸化炭素排出が少ない手段を選ぼうとする。彼女は環境問題やポリティカル・コレクトネスにこだわる人物であり、『太陽諸島』には自分のブラウスのタグにフェアトレードの認証ラベルが付いていることを確かめ、安堵する場面があった。彼女は正義について、地球規模で考えているわけだ。だが、Ｈｉｒｕｋｏは帰る国を失った境遇もあって地球規模で人間を考えるようになったのに対し、博物館に勤めるドイツ人のノラは、やや頭でっかちなキャラクターに描かれている。自身の経験の裏づけがあって考えるＨｉｒｕｋｏと観念が先走るノラといった対比がうかがえる。少数民族への憧れを話すノラを、自身も少数民族であるナヌークが「少数民族を勝手に理想化している君は滑稽だ」と批判するやりとりなど典型的だ（『太陽諸島』）。地上に対して地球という俯瞰的でメタ的な視点を有しているにしても、Ｈｉｒｕｋｏとノラでは違いがある。三部作では、登場人物の立場や経験、考え方によって、ものごとのとらえ方がいかに異なるか、きめ細やかに書かれていく。

同じ母語を話す人間を探すＨｉｒｕｋｏがテレビ出演した後、多くの電話があり、そのなかの「母国が亡びるという危機感そのものが右翼だ」という意見に彼女は、「確かに」と思う（『地球にちりばめて』）。また、方言というコンセプトは時代遅れであり、ある言葉が独立した言語か方言かは政治的な意図が働くことが多いとも考える（同）。また、ノラも、ある人がどの国出身かは考えたくない、国にこだわるのは自分に自信のない人がすることだととらえている（同）。多和田の三部作は、特定の国にこだわるのではなく、地球市民的なあり方を志向する傾向が強い。クヌートは話し方に関する「ネイティブ」という言葉にひっかかり、それは「大勢の使っている言い方に忠実だ」というだけで必ず正しいわけではない、日常の決まりきったことしかいわない「ネイティブ」より別の言葉から新しい言葉を探す「非ネイティブ」の方が語彙は広いのではないかと疑問を抱く（同）。

しかし、三部作は、人が簡単に地球市民になれるわけではないことも書いている。そもそも多和田が『地球にちりばめられて』を発想した背景には、原発事故発生後の日本が他国から放射性物質による汚染の不安とともに見られたという、自らの体験も含めた歴史的な経緯があった。金昇渊は、多和田が短編「不死の島」（初出はアンソロジー『それでも三月は、また』二〇一二年。『献灯使』二〇一四年所収）において、日本のパスポートが「国民国家の体制下で管理されるアイデンティティだけでなく、「ケガレ／潔白」をも「保証」する」ようになった状況を書いたことを指摘した（木村朗子、アンヌ・バヤール＝坂井編著『世界文学としての〈震災後文学〉』二〇二一年の「第七章〈移動〉しながら想像するという彷徨《ベクトル》――多和田葉子『雪の練習生』の向き合い方」）。パスポートを見る者が、日本への出入国記録の日時によって「ケガレ／潔白」を判断するような状況があったわけだ。さらに多和田が、『地球にちりばめられて』に続く『星に仄めかされて』を雑誌連載中、新型コロナウイルスが世界的に流行し、人々の移動が制限され、各国で出入国が厳しく管理された。また「ケガレ／潔白」が問われる事態になったのだった。

三部作では、原発事故に関しほのめかしにとどめていたし、コロナ禍への言及はない。だが、旅、移動をテーマにしたこの物語は同時代の状況も意識して、国境、国柄の差、国家に対する個々人の感覚の違いなどに敏感な内容になっている。二〇一九年の国連の地球温暖化対策サミットにおけるグレタ・トゥーンベリのスピーチ以来、飛行機をはじめ旅行に伴って温室効果ガスが発生することへの批判、注目が高まった影響も、ノラの規範意識などの形で表現されている。三部作の仲間たちは、ＥＵ圏内はさほど国境を意識せず移動しているようでもあるが、国、地域ごとに紛争や境界線が動いたなどの歴史に言及する。また、Ｓｕｓａｎｏｏは、ベルマーから「人間の犯す過ちはすべて許される。それがヨーロッパだろう。君だって、それが理由でヨーロッパに逃げて来たんだろう」といわれる

(『星に仄めかされて』)。『太陽諸島』では、母国を目指すHirukoと仲間たちが、一定数の客を乗せる郵便船でバルト海を旅するが、ロシアの飛び地のカリーニングラードへ寄港した際、現地の住民セルゲイから「ヨーロッパは我々を仲間に入れようとするけれど、もし仲間に入ったら我々はB級市民扱いされるでしょう」という話を聞く。地球が均質ではないことが、物語のそこかしこで示されるのだ。

先のセルゲイは「外国へ行くのはとても簡単なのに、なぜか町の外に出ることがどんどん少なくなっています」とも語っていた。Hirukoは船旅の途中で「方角は目には見えない。東も西も目には見えない。国も目には見えない。見えるのは、人と町だけ」ともらしていた(『太陽諸島』)。彼女は、新潟出身だが、故郷では誰も新潟ではなく北越と呼び、「県名は嘘つきだ」、「県なんて国の部品に過ぎない」とされていたと話していたのだ(『地球にちりばめられて』)。地球市民的な意識を持つ彼女も、体感としては国や県ではなく目に見える町を生きている。三部作は、そんな個人の体感=町の上位にある、より広い=見えない地域や国家といった大きな単位がおよぼす影響を拾っていく。この物語は、町、国家、複数国家が政治・経済・文化で結びついたヨーロッパのような広範な地域、地球といった大小の単位に次々に焦点をあわせ、必ずしも輪郭が定かではないそれらの複雑な力学のなかで、人は生きていくしかないと感じさせる。

登場する個々人の輪郭も、みんなが定まっているわけではない。インド人で男として生まれたアカッシュは、女として生きようと決めたものの、まだ性の引っ越し中という自己認識だ。現在のアカッシュを彼とも彼女とも呼べないし、ジェンダーの特定のカテゴリーに当てはめようとするのは実態をとらえていない。『地球にちりばめられて』を英訳した満谷マーガレットが、アカッシュをトランスジェンダーと説明するのは誤りだと指摘したのに対し、多和田は「示されているのはあるプロセス」だとして、トランスジェンダーがアイデンティティになっているのではないと認めていた（「文學界」二〇二二年六月号、シンポジウム「移動するアイデンティティ」）。ただ、アカッシュはそのような立場であるため、寄港したカリーニングラードで他の仲間のように船から下りることはできなかった。そこは「女と男がはっきり塗り分けられた社会」であり、大統領は、同性同士が公共の場で唇にキスするのを法的に禁じ、ゲイを憎む連中の暴力にあわないようにすることでマイノリティを守っていると主張していた。大統領が、守るという名目でマイノリティに公共の場での行動を制限するのは、不平等の正当化であり理屈がねじれている。女性へ移行中の人物であるアカッシュとしては、自身のあり方が男性性への侮辱と解釈される可能性があると考え、下船しない判断をしたのだ（『太陽諸島』）。

アカッシュが性の移行のプロセスにあることは、Ｈｉｒｕｋｏが帰る故郷を失い、一ヵ国に留まることもできず、国から国へ移動し続けざるをえない、すなわちプロセスを生きるしかない存在であるのと呼応している。彼女は、出身地の島国のあった場所を目指しバルト海を船で旅する途中、クヌートに「私は移民だと思われている観光客」ともらす。彼女は、母国の消滅で結果的にヨーロッパに亡命したような形になったが、どこかに定住してその国家・社会の民になることを前提にするのではなく、移動し続けるのだから、周囲を眺める目は観光客に近いものになる。そこが地上であればあるいは滞在が長くなり、市民・国民の立場に近づくかもしれないが、船上ではなおさら観光客に似てくる。三部作にはほかにもグリーランド出身のエスキモーのナヌークが、見た目が日本人そっくりで語学が得意かつ器用なため、テンゾと名乗り日本の鮨職人になりすましていた（『地球にちりばめられて』）。彼もアイデンティティがあやふやな人物だった。しかも『星に仄めかされて』でナヌークは、ドクターのベルマーと性格を交換する。互いが相手を模倣する、あるいは二人の共通性を比喩的に交換と表現するというのでなく、現象として交換があったと書かれる。先に、多和田の三部作はSFではなく、基本的に現実の世界で物語が進むと述べたが、そうでありつつ、ぬけぬけと非現実的でファンタジー的な要素も盛りこんでいる。

また、『星に仄めかされて』の後半では、Ｓｕｓａｎｏｏの失語症状態が、彼の意図したものだったことが明らかになる。

「話をしないのはオレじゃなくて、君たちの方です。君たちは確かに多数の言葉をあびせかけてくれました。でも話したくないことはまだ何も話していませんね。」

彼はそんな言葉を浴びせて仲間たちを動揺させ、Ｈｉｒｕｋｏは話したくなかったことを話すはめになる。三部作では地域ごとの言葉の違いといった言語学的観点だけでなく、心理と発話の関係にも注意がむけられる。性格の交換とともに、失語症状態、話したくなかったことを話すエピソードによって、個々人のキャラクターが変わりうることが印象づけられる。

三部作の最後を締めくくる『太陽諸島』では、ファンタジー的な傾向が一段と強まる。Ｈｉｒｕｋｏと仲間たちが乗る郵便船では様々な言語が話され、いろいろな国の歴史、政治、文化が話題になる。そこでは、すでに死んだ作家ヘラ・ヴォリヨキが現れ、ベルトルト・ブレヒトに山本有三の戯曲を見せた思い出を話したりするのだ。山本の『女人哀詞』をもとにブレヒトが書いた戯曲『下田のユーディット』の主人公オキチ（唐人お吉）までがＨｉｒｕｋｏたちの前に登場し、「わたしはホームランドではホームレス、外国ではスペシャルゲスト」といって笑う。母国と国外で立場が異なることを自覚したオキチの言葉は、Ｈｉｒｕｋｏの移民兼観光客という自己認識と響きあうところがある。また、ナヌークが「書物という門をくぐればどんな国にもビザなしで入国できる」と軽口を叩き、クヌートが「どんな文明でもいつかは海に沈む可能性があることを知っている。だからすべての図書館は船なのさ」と応じる場面もある。『太陽諸島』では、書物と国家と船が重ねあわされ、人を具体的に制約する国家が虚構性を帯びてもいることが示される。作中の現実と非現実の境や時間の流れが曖昧になる過程で、Ｈｉｒｕｋｏは母国が本当に存在したのか、確信が持てなくなっていく。

家船というユートピア

Ｈｉｒｕｋｏの前でナヌークは「ホッカイドウやサハリンから見たら本州は島ではなく大陸みたいなものだろう。つまり大陸とか島とか、相対的な話じゃないかということだ」、クヌートは「海から地球を眺めていると、すべての陸地が島に見えてくるよ」と話していた。Ｈｉｒｕｋｏの出身国もそうである島というものが、見方によってあり方が変わることが示されている。後に郵便船の船長が、Ｈｉｒｕｋｏたちを含む集まった乗客たちの前で、彼の祖先であるオランダ人の商人が書いた空想冒険物語に「デジマという架空の島」が登場すると語り出す。Ｈｉｒｕｋｏは、母国の歴史の授業で「出島」について習った記憶があるが、あれは架空の島だったのかと不安になる。デジマやナガサキがフィクションだったように語られ、彼女は自分の過去もフィクションかもしれないと戸惑う。Ｓｕｓａｎｏｏが英語で「長崎には原爆が落とされた。空想の町に原爆が落とせるか。これが、長崎が空想の町ではない証拠だ」と宣言すると船内は沈黙する。この言葉は現代の読者に、原発事故が起きた日本は空想の国ではないと暗に思わせるものでもあるだろう。

Ｓｕｓａｎｏｏは Ｈｉｒｕｋｏに対し「自分が神話の神々の子孫だと想像してみろ」と挑発もする。『古事記』で日本の始まりを記した国産みの神話では、イザナギとイザナミの間に最初に生まれたのが水蛭子《ひるこ》だったが、奇形だったため葦の舟に入れられ流されたとされる。須佐之男は水蛭子の弟にあたる。三部作でのＨｉｒｕｋｏ、Ｓｕｓａｎｏｏの命名は、それを踏まえたものだ。船長やＳｕｓａｎｏｏの話に混乱するＨｉｒｕｋｏは「わたしはヨーロッパで暮らし始めてから、自分が架空の人物であるという気持を時々持つようになりました。その架空の人物を上手く演じれば、日常生活が上手く回っていくのです」と吐露する。集まりの後、乗客の一人の女性が自分は映画であなたの国のロケ映像を見たから、その国は実在したのだといわれる。映画とは『惑星ソラリス』だと告げられるが、同作の内容を知る読者ならばある含みを感じるだろう。ソラリスという惑星の海は、そこに訪れた人間の意識下の記憶を、本人が望まないのに実体化してしまう。アンドレイ・タルコフスキー監督による一九七二年の映画版は、スタニスワフ・レムの原作と異なり、主人公が記憶から再現された実家で過ごす光景で終わる。その実家は、ソラリスの海に出現した小さな島の上にあるのだ。母国をめぐる現実と虚構がわからなくなったＨｉｒｕｋｏにふさわしい映画だといえる。

さらにその後にも、太平洋にゴミでできた島があり、Ｈｉｒｕｋｏの国とそっくりな形の諸島があるという噂をノラが話題にしたり、アカッシュが「鳥が列をつくって飛ぶと、その影が列島になる」といったりする。三部作では、Ｈｉｒｕｋｏの母国である島のイメージが明確になるのではなく、むしろ揺らぐ方向へ進んでいく。『太陽諸国』における彼女の母国への言及をふり返ると、自殺の多さ、歴史のなかで長く孤立していたがアメリカがきたこと、人間が蒸発する国だったことなど、わりとネガティヴなものが多かった。多和田葉子は、「群像」二〇二三年一月号のインタヴューで語っていた。

この小説では、東洋というよりは太平洋に浮かぶ島々の一部としてＨｉｒｕｋｏの故郷をとらえる、というずらしを意識しました。禅とか鮨のある国ではなく、コスプレとかアニメのある国でもなく、大昔から太平洋に浮かんでいる列島の一部です。もちろん国家でさえない。私にとって「太陽諸島」という言葉は、光にあふれていながら、ちょっと不気味なイメージなんです。

そのような著者の認識に対し、聞き手の小澤英実は「ちょっと『闇の奥』みたいな感じですね」とコンラッドの小説への連想をもらすと、多和田も「光に溢れた闇の奥にある場所なので、行こうとしてもなかなか行き着かない」と応じる。日出処と称して自国を誇る日本に対し、「光に溢れた闇の奥にある」〝太陽諸島〟を対置するわけだ。『闇の奥』は（また同作を原案とした映画『地獄の黙示録』は）、文明の側にいるはずの現代人が、ジャングルに入りこむのと比例して歴史を遡行したかのごとく、奥地で原始的な狂気に囚われる内容だった。それは「出エジプト記」のような約束の地を目指す脱出の裏にある陥穽のような物語である。だが、Ｈｉｒｕｋｏは、バルト海からサンクトペテルブルクに上陸し、シベリア鉄道でロシアを横断し島国があったはずの太平洋を目指そうとするが、ビザがないため、とりあえず今回は断念せざるをえない。移動を制約される焦燥感の描写は、執筆当時がコロナ禍だったことだけでなく、『太陽諸島』を連載中の二〇二二年二月にロシアのウクライナ侵攻が始まり、二十世紀の東西冷戦が再燃するような国際情勢が意識されてもいたと推察される。

結局、Ｈｉｒｕｋｏが〝太陽諸島〟へたどり着かぬまま、三部作は幕を閉じる。ほかのルートを選んで島国があったはずの場所を目指すことは可能だ。Ｈｉｒｕｋｏは、仲間たちとの旅を継続することを選ぶ。かといって、彼女は、母国に帰ることにさほど執着しているようにはみえない。ポーランドでタクシー運転手が「人間などというものは抽象的で信じられない。祖国こそ、心が感じることができるものだ」と持論を述べた際、Ｈｉｒｕｋｏは「祖国という考え方は危ない」と述べたうえ、祖国が周囲の国を敵だと考え続けると、ある日、祖国が消滅してしまうのだと、その場で思ったことを口にする。この場面のように三部作では、愛国心から距離をとる言葉がたびたび出てくる。アカッシュとクヌートが出会ったポーランド人は、国がなくなるのはよくあることで、紙でできている国はなくなるが、石とレンガでできている町はなくならないと話していた。制度や名目としての国家は消滅しても、生活する町はなくならないというのだ。『星に仄めかされて』では、ナヌークが自身の日本語能力について「大人になってから習った外国語だ。土着ではない。それと比べると、原住民Ｈｉｒｕｋｏの話す言葉には、過去のにおいや味とかがしみついているから、同郷人の記憶を刺激してくれるかもしれない」と発言したことにＨｉｒｕｋｏは反発を覚えていた。「土着」、「原住民」と聞いて未開人あつかいされた気分になり、差別を感じたのだ。

三部作を通して読むと彼女は、自分が旅を続ける移民兼観光客であり、祖国、土着、原住民といった感覚の囚われからの解放を確かめるために母国の消滅した場所を目指しているかのように思える。「パンスカ」の手作りに象徴されるごとく、Ｈｉｒｕｋｏの旅＝冒険では、言語が大きな意味を持つ。彼女は、言語学者の卵であるクヌートと言葉について会話する。彼は、「君という代名詞のさす内容は交換可能」だからアカッシュにもＨｉｒｕｋｏにもノラにも「君」を使えるが、Ｈｉｒｕｋｏに「君」と話しかける時は「君だけでないとおかしいという気がする」という。Ｈｉｒｕｋｏは「三人称で話せばいい」と返答し、こんなトピックへと移っていく。

「権利の材料は欲望ではない。もし人類が三人称だけ使って話すようになったら、エゴイストが消えて世界がよくなるかも。」

「いや、それは違うだろう。欲望は一人称か二人称にぶつけるものだろう。人間が一人称単数の欲望を捨ててしまったら、それはもう人間じゃない。」

「でも地球には文法はない。人称もない。人間はその地球の一部。」

「そんな風に今考えているのが君の一人称単数なのさ。」

この種の議論、思考遊戯が、三部作の仲間同士で何度も交わされる。誰かの意見が完全勝利して終わるのではないし、旅が続くのと同様に会話も続く。それは、真面目な議論であったり、ただの軽口とまぜっかえしだったり、批判や皮肉の応酬だったりする。『太陽諸島』では、特に会話のウエイトが大きくなる。Ｈｉｒｕｋｏは、母国が同じＳｕｓａｎｏｏを帰るところがあるつもりでいる男子だととらえ、「わたしは親に捨てられた家なき子。あなたは家を継ぐ息子でしょう」、「わたしは国の外へ流された。留学と呼んでいるけれど、リュウガクのリュウは流刑の流」という。彼女は、葦の舟で流された神話の水蛭子と自分の役回りを同一視している。そんな彼女は、「消えた家、探すのやめる、わたしが家」といい出す。

いっそのこと自分自身が家なのだと考えれば不安は消えるかもしれない。どの土地に移り住んでも、自分が家なのだから、家を失うことはない。

水蛭子の葦の舟をＨｉｒｕｋｏは家へと変えようというのだ。興味深いのは、『星に仄めかされて』でＨｉｒｕｋｏの故郷を探しに船の旅に出ようという案が仲間から出た際、Ｓｕｓａｎｏｏが反対意見を述べていたことだ。

「船の旅は人間をだめにする。外は海に囲まれていて逃げられないからみんないっしょにかたまっているが、本当はいっしょにいたいわけじゃない。強制的な共同体ができてしまう。それが船だ。」

この発言は、結局、彼も参加した郵便船での旅において、逃げ場がないせいか仲間たちの議論が増えたことを予見したようにみえる。また、ＳｕｓａｎｏｏがＨｉｒｕｋｏと同じ島国の出身であるのをふまえると、強制的な共同体ができる船は出身国の暗喩だったとも読める。作中では、島が見方によって大陸ととらえられることが書かれていた。Ｈｉｒｕｋｏは、自分がなりたい家を家船ともいい換えており、家の比喩は船とも重なる。島は大陸ともとらえられるとする先の指摘から考えると、彼女の夢想する仲間たちを乗せる家船は、疑似家族であるとともに擬似国家への願望と解釈しうる。家船という小さな島国だ。地域、人の集まりをどのようなものとして認識するのか、物理的なスケールに縛られはしない。郵便船の食事時には、テーブルごとに様々な言語で話されているが、隣りあった同士は互いの会話の内容を理解できない。それに関し「国連総会がこんな風だったら地球はどうなってしまうだろう」とクヌートが思う場面があった。彼らの乗る郵便船は、宇宙船にも喩えられる地球の縮図なのであり、国籍やジェンダーの異なる仲間たちを受け入れようというＨｉｒｕｋｏの家船は、さらにその縮小版が夢想されている。

ノラが「女が家を守り、男が外で働くの？」と問うと、Ｈｉｒｕｋｏは「そうじゃなくて、わたし自身が家船」と答えを返す。恋人になったクヌートだけでなくアカッシュも家船に乗せたいと語り、ほかの仲間たちも受け入れるそぶりをみせる。ナヌークは、「女は船だ」からノラはＨｉｒｕｋｏの船に乗らず、自分が船になって乗客を探せと主張し、本人から「性によって役割を決めるのは時代錯誤でしょう」と反論されてしまう。『地球にちりばめられて』でＨｉｒｕｋｏがテレビ出演して母国の消滅を語った際、多数の意見が寄せられたが、「あなたの一族の遺伝子を絶やさないために、あなたはすぐに子どもをつくるべきだ」との声に対し、彼女は「気持ちの悪い電話だった」とふり返っていた。また、『星に仄めかされて』では、クヌートの母であるニールセン夫人が、子どもを生んだ時の周囲の祝いの言葉について「新しい人間を生産できたのは確かにすばらしいことだけれど、でもこんなに無批判に喜ぶなんて、どこか独裁制のにおいがする」と考えていた。三部作には、国家と出産を結びつけることへの忌避などフェミニズム的な感覚の記述が散見される。男から女へ性を引っ越し中のアカッシュもメンバーに想定するなど、Ｈｉｒｕｋｏが夢想する家船は、旧来的な男女役割を前提にしていない。また、仲間を誰でも受け入れるかまえであり、彼らは旅をまだ続けるつもりだが、家船の話をする最中にノラは「でも、もうすぐその旅は終わる。この旅を一生続けていくわけにはいかないのだから」と淡々と話してもいた。誰がいつ自分の判断で下りてもいい旅なのだ。

はじめから彼らはそれぞれ意見や感覚に違いがあり、必ずしも仲のよいグループではなかった。時には対立が激しくなり、緊張が高まる場面もあった。一つの意見に集約されるのはまれで、かといって自分の意見をまったく変えないのでもない。互いのズレを認知しながら相手を許容する。そのように自分の間違いに気づいたり、考えを変えたりする余地のある関係性のまま、ゴールを想定することのない旅を続けていく。Ｈｉｒｕｋｏは、母国が消滅したという意味で楽園から追放されたのかもしれないが、もうなにかから脱出するとか、約束の地を探すなどの態度ではなく、ただ家船となって出入り自由な仲間たちと過ごしていく。それが、彼女が見出した希望だった。

Postscript　すぐ先の希望と「壁」のむこうの希望——「ADELHEID」

本書『ポスト・ディストピア論』は、私にとって十冊目の単著になる。ディストピアや終末的状況のなかにいる人々にとっての出口について、物語がどのように想像してきたかを論じたものだ。単独で読める本として書いているが、私は過去に、終末観の変遷を軸に戦後の日本をたどり直した『戦後サブカル年代記　日本人が愛した「終末」と「再生」』（二〇一五年。青土社）、ディストピアを主題にした物語やそれに関連した政治性や社会性を含む物語を照らしあわせて「現在」を理解しようとした『ディストピア・フィクション論　悪夢の現実と対峙する想像力』（二〇一九年。作品社）を上梓している。『ポスト・ディストピア論』は、それら二冊の問題意識を継承しており、自分としては三部作のようにとらえている。『ディストピア・フィクション論』刊行後も国内外での物語におけるディストピアの流行は途切れず、パンデミックや戦争、格差や分断の拡大、諸国家の強権化など、ディストピアや終末にむかう種が蒔かれ続けるごとき世界の現実がある。ディストピアについてもう考える必要はない、という状況は未だ訪れていないという感覚が、この本を書く動機づけとなった。今後もなお、このテーマにとり組むかもしれない。

本書の多くは書下ろしだが、リアルサウンドおよびリアルサウンドブックで発表した以下の文章を加筆修正のうえ、各章に部分的に組みこんでいる。

Introduction
デヴィッド・ボウイ「ヒーローズ」はなぜ普遍的な名曲であり続ける？　映画『ジョジョ・ラビット』から紐解く〝英雄〟の意味（二〇二〇年三月十日）https://realsound.jp/2020/03/post-518173.html

Chapter 1-1
『コロナの時代の僕ら』から考える、コロナ禍とミステリ小説の相似（二〇二〇年四月二十八日）https://realsound.jp/book/2020/04/post-545324.html
カミュ『ペスト』の〝予言〟と小松左京『復活の日』の〝警告〟――感染症を描く古典は〝不感症〟への予防接種となるか（二〇二〇年三月二十五日）https://realsound.jp/book/2020/03/post-527959.html
『復活の日』『首都消失』で再注目　小松左京がシミュレーションした、危機的状況の日本（二〇二〇年四月二十日）https://realsound.jp/book/2020/04/post-541314.html

Chapter 2-1
人工知能、監視社会、加速主義……中村文則『R帝国』はコロナ禍の現実とシンクロする（二〇二〇年八月二十九日）https://realsound.jp/book/2020/08/post-609599.html

Chapter 2-3
『日本沈没２０２０』は何を描いたのか？　賛否呼んだ同作の狙いを、原作との比較から考察（二〇二

〇年八月十日）　https://realsound.jp/book/2020/08/post-599671.html

Chapter 4-2

欅坂46とミュージカルの親近性　エンターテインメント集団としての表現を1stアルバムから考察（二〇一七年七月三十日）　https://realsound.jp/2017/07/post-95925.html

これまでの本と同じく、執筆中は各章のテーマに関連する音楽を流していた。エルマー・バーンスタイン「エジプト脱出 The Exodus」（映画『十戒』サウンドトラック）や坂本龍一「PARADISE LOST」（『音楽図鑑』）を初めとするその主要な曲は、本書のサウンドトラックとしてSpotifyのプレイリスト「Post Dystopia」にまとめてある。https://open.spotify.com/playlist/01rky7tupsZvU6SBeMPF7v?si=c0f9003b0d624a00

そのなかにも一曲を選んだXOXO EXTREME（キス・アンド・ハグ・エクストリーム。通称キスエク）は、プログレッシヴ・ロックをベースにしたライヴ・アイドルのグループであり、この本の執筆期間中はしばしばステージを観て、楽しませてもらった。だが、キスエクは、ライヴ・アイドルと呼ばれる立場である。コロナ禍で緊急事態宣言が出され、あらゆるエンタテインメントが観客を入れたライヴの休止に追いこまれた際には、彼女たちも無観客ライヴなどのネット配信で耐え忍ぶしかなかった。そんな時期だった二〇二〇五月二十一日の無観客配信ライヴで初披露した新曲が、「フェニキスの涙」（作詞まい、作・編曲宮野弦士）だった。一九八〇年代のプログレを思わせるポップな曲調で、カナダのバンド、ラッシュへのオマージュを織り交ぜつつ、恋のかけひきで傷つく姿が表現されている。そこでは「輪廻の最果てにある理想郷が／ここから何マイルだとか　どうでもいいよ」と、遠くの理想を拒否し、今ここへの熱情が示される。主人公をフェニキス＝不死鳥に喩え、見上げた先に希望があると歌う内容は時節柄、コロナ禍の閉塞感から脱け出したいという思いを代弁してくれるようにも響いた。

一方、コロナ対策が進んで規制が緩和され、観客入りライヴも再開された後の二〇二二年三月二十日、キスエクのステージで初披露されたのが、「ADELHEID」（作詞、作・編曲NARASAKI）だった。変拍子の重いリフを中心にした、ジェントと呼ばれるメタル・サウンドで、血を流しあい、システムに翻弄される近未来的な世界観を描いた内容である。耳に残る「教えておじいさん」のフレーズは、アニメ『アルプスの少女ハイジ』主題歌にあった言葉の引用であり、ハイジが愛称である同作主人公の本名から曲は「ADELHEID」と題されている。シリアスな世界観にパロディのユーモアが盛りこまれているわけだが、初めて聴いた時、歌詞の次の部分にはハッとさせられた。

僕たちはきっと平和な世界を
僕たちはきっと明るい未来を
……
手にすることはないだろう

未来への希望のリフレインがあった直後、「手にすることは〜」がセリフとして挿入されるのだ。新曲発表の一ヵ月前の同年二月二十四日にはウクライナにロシアが侵攻し、プーチン大統領が核の使用をほのめかして、世界が危機感を覚える状況があった。それだけに当時は、過酷な現実を突きつけるようなこのセリフに衝撃を受けた。ただ、曲自体は侵攻以前に制作が進んでいただろうし、この種のダークな世界観は、ＳＦアニメなどではよく見かけるものでもある。また、いつも地球のどこかで戦争は起きていたのだから、平和で明るい世界を人類が手にしたことなどない。実際、このあとがきを書いている現在も、二〇二三年十月七日にパレスチナのガザ地区を実効支配するイスラム組織ハマスの攻撃を受けたイスラエルが反撃を開始し、戦争状態となっている。戦火が中東で広がらないか、危ぶまれる状況だ。その意味で「ADELHEID」は、いつの時代にも当てはまってしまう内容だといえる。

しかし、同曲は、絶望を歌っているのではない。

教えておじいさん　あなたの全ては
楽しかった事　悔やまれる事でも
世界は変わるの　このレンズならば
うまく歪ませて　今がその時よ

教えておじいさん　優しいおじいさん
答えを答えて　最後に答えて
おあずけにされた　クアンタムの壁を
叩き壊して　希望の空へ

負の遺産ともいえるこの世界を築いた先行世代の一人であり、もう寿命が尽きようとしているらしい「おじいさん」に、主人公の少女は、これまでの人生を問う。本書で触れた作品でいえば、「おじいさん」という呼びかけからは、カズオ・イシグロ『忘れられた巨人』のガウェイン卿やアクセルのような、過去の歴史を知る老人の立場が思い浮かぶ。そして、同曲は、「クアンタム（量子）の壁」を壊せば、平和な未来へ移れるとパラレル・ワールドの存在を示唆しているらしい。私が面白く感じたのは、作詞者は異なるのに、「ADELHEID」の希望と「フェニキスの涙」の希望がつながっているようにも感じられることだ。「フェニキスの涙」は不死鳥をモチーフとするため、振付には鳥の羽ばたきに似せた部分がある。ゆえに同じステージで二曲が歌われた時などには、「ADELHEID」の「希望の空」が、フェニキスが羽ばたく空であるような気もした。しかし、「フェニキスの涙」が遠くの理想郷をどうでもいいといってすぐ目の前にあるはずの希望を信じるのに比べ、「ADELHEID」は私たちを絶望に閉じこめる「クアンタムの壁」のむこうに、ここでは手にできないパラレル・ワールドの希望があると信じている。すぐ目の前と「壁」のむこうがつながっているような、クラインの壺的でウロボロスの蛇的ともとらえられる二曲の相関関係が、希望に関する人間の矛盾した感情、態度を象徴しているように思えて興味深い。

見こみ以上に長引いてしまった本書の執筆作業に、青土社の前田理沙氏は、根気よく帯同してくれた。彼女に薦められＤＶＤで見た宝塚歌劇団『FLYING SAPA—フライング サパ—』は、舞台装置、衣裳、音楽ともスタイリッシュなディストピアものの秀作だった。速水健朗氏には、『ディストピア・フィクション論』刊行の際に行った対談イベントで、『トイ・ストーリー』シリーズをディストピアものとしてとらえるという発想を教えられた。また、「フェニキスの涙」のエンディングでキスエクのメンバー全員がジャンプするなか、とりわけ高い位置に到達する一色《ひいろ》萌氏のライヴ・パフォーマンスには、見るたびに励まされている。いずれにも感謝したい。

その「フェニキスの涙」では、最後に「泣いたってダメと／言い聞かせた顔を／上げたその先に／見えるのは　確かに希望／まだ行けるでしょ」と歌われる。私もまだ、その先へ行きたいと思う。

二〇二三年十一月二十日　浦安にて

参考文献

Chapter1-1

ダニエル・デフォー『ペストの記憶　英国十八世紀文学叢書3』（武田将明訳、研究社、二〇一七年）
武田将明『100分de名著　デフォー　ペストの記憶』（NHK出版、二〇二〇年）
カミュ『ペスト』（宮崎嶺雄訳、新潮文庫、一九六九年）
小松左京『復活の日』（ハルキ文庫、一九九八年）
小松左京『首都消失　上下』（徳間文庫、一九八六年）
小松左京『アメリカの壁』（文春文庫、二〇一七年）
「総特集小松左京　生誕九〇年／没後一〇年」（「現代思想」増刊、青土社、二〇二一年）
マイケル・クライトン『アンドロメダ病原体』（浅倉久志訳、ハヤカワ文庫NV、二〇一二年）
ネヴィル・シュート『渚にて　人類最後の日』（佐藤龍雄訳、創元SF文庫、二〇〇九年）
デヴィッド・グレーバー『ブルシット・ジョブ　クソどうでもいい仕事の理論』（酒井隆史、芳賀達彦、森田和樹訳、岩波書店、二〇二〇年）
西田亮介、『コロナ危機の社会学　感染したのはウイルスか、不安か』（朝日新聞出版、二〇二〇年）
五島勉『ノストラダムスの大予言　迫りくる1999年7の月、人類滅亡の日』（祥伝社、一九七三年）
樺山紘一・高田勇・村上陽一郎編『ノストラダムスとルネサンス』（岩波書店、二〇〇〇年）

chapter1-2

宮崎駿『風の谷のナウシカ』1―7（徳間書店、一九八三―一九九五年）
宮崎駿『出発点　1979～1996』（徳間書店、一九九六年）
スタジオジブリ・文春文庫編『ジブリの教科書1　風の谷のナウシカ』（文春ジブリ文庫、二〇一三年）
赤坂憲雄『ナウシカ考　風の谷の黙示録』（岩波書店、二〇一九年）
石牟礼道子『苦海浄土　わが水俣病』（講談社文庫、二〇〇四年）

Chapter2-1

中村文則『R帝国』（中央公論新社、二〇一七年）
中村文則『R帝国』（中公文庫、二〇二〇年）
マーク・フィッシャー『資本主義リアリズム』（セバスチャン・ブロイ、河南瑠莉訳、堀之内出版、二〇一八年）
中村文則『逃亡者』（幻冬舎、二〇二〇年）
阿部和重『オーガ（ニ）ズム』（文藝春秋、二〇一九年）
古川日出男『ミライミライ』（新潮社、二〇一八年）
ウィリアム・フォークナー『フォークナー全集　27　随筆・演説他』（冨山房、一九九五年）
阿部和重『シンセミア　上下』（朝日新聞社、二〇〇三年）
阿部和重『ピストルズ』（講談社、二〇一〇年）
阿部和重『ニッポニアニッポン』（新潮社、二〇〇一年）
特集阿部和重『Orga(ni)sm』を体験せよ（「文學界」二〇一九年十月号、文藝春秋）
村上龍『だいじょうぶマイ・フレンド』（集英社文庫、一九八五年）

村上龍『メイキング・オブ・だいじょうぶマイ・フレンド』（ＣＢＳソニー出版、一九八三年）
村上龍『村上龍全エッセイ１９８２―１９８６』（講談社文庫、一九九一年）
村上龍・坂本龍一『EV Café　超進化論』（講談社、一九八五年）
村上龍『限りなく透明に近いブルー』（講談社文庫、一九七九年）
コンラッド『闇の奥』（黒原敏行訳、光文社古典新訳文庫、二〇〇九年）
阿部和重『ブラック・チェンバー・ミュージック』（毎日新聞出版、二〇二一年）
アルフレッド・ヒッチコック、フランソワ・トリュフォー『映画術　ヒッチコック／トリュフォー』（山田宏一、蓮實重彦訳、晶文社、一九八一年）
李龍徳『あなたが私を竹槍で突き殺す前に』（河出書房新社、二〇二〇年）

Chapter2-2

野田秀樹「Q:A Night At The Kabuki」（「新潮」二〇一九年十二月号、新潮社）
ウィリアム・シェイクスピア『シェイクスピア全集　10　ロミオとジュリエット』（小田島雄志訳、白水Ｕブックス、一九八三年）
辺見じゅん『収容所《ラーゲリ》から来た遺書』（文藝春秋、一九八九年）
角川書店編『平家物語』（角川ソフィア文庫、二〇〇一年）

Chapter2-3

小松左京『日本推理作家協会全集27・28　日本沈没　上下』（双葉文庫、一九九六年）
小松左京＋谷甲州『日本沈没　第二部　上下』（小学館文庫、二〇〇八年）

原作小松左京、ノベライズ吉高寿男『日本沈没２０２０』（文春文庫、二〇二〇年）
原作小松左京、脚本橋本裕志、ノベライズ蒔田陽平『日曜劇場　日本沈没　希望のひと』（扶桑社文庫、二〇二一年）

Chapter3-1

桐野夏生『日没』（岩波書店、二〇二〇年）
望月衣塑子『新聞記者』（角川新書、二〇一七年）
ジョージ・オーウェル『一九八四年』（高橋和久訳、ハヤカワｅｐｉ文庫、二〇〇九年）
田中慎弥『宰相Ａ』（新潮社、二〇一五年）
島田雅彦『虚人の星』（講談社、二〇一五年）

Chapter3-2

小川哲『ユートロニカのこちら側』（ハヤカワ文庫、二〇一七年）
ショシャナ・ズボフ『監視資本主義　人類の未来を賭けた闘い』（野中香方子訳、東洋経済新報社、二〇二一年）
梶谷懐・高口康太『幸福な監視国家・中国』（ＮＨＫ出版新書、二〇一九年）
オードリー・タン『オードリー・タン　デジタルとＡＩの未来を語る』（プレジデント社、二〇二〇年）
ケン・リュウ編『折りたたみ北京　現代中国ＳＦアンソロジー』（中原尚哉他訳、ハヤカワ文庫ＳＦ、二〇一九年）
マルク・デュガン『透明性』（中島さおり訳、早川書房、二〇二〇年）
フィリップ・Ｋ・ディック、大森望編『ディック短篇傑作選　トータル・リコール』（ハヤカワ文庫ＳＦ、二〇

一二年）

Chapter3-3

ジョゼ・サラマーゴ『白の闇』（雨沢泰訳、河出文庫、二〇二〇年）
ジョゼ・サラマーゴ『見ること』（雨沢泰訳、河出書房新社、二〇二三年）
カズオ・イシグロ『忘れられた巨人』（土屋政雄訳、ハヤカワ文庫、二〇一七年）
カズオ・イシグロ『特急二十世紀の夜と、いくつかの小さなブレークスルー　ノーベル文学賞受賞記念講演』（土屋政雄訳、早川書房、二〇一八年）
荘中孝之、三村尚央、森川慎也編『カズオ・イシグロの視線　記憶・想像・郷愁』（作品社、二〇一八年）
小川洋子『密やかな結晶』（講談社文庫、一九九九年）
田畑書店編集部編『小川洋子のつくり方』（田畑書店、二〇二一年）
小川洋子、福住一義『小川洋子の「言葉の標本」』（文藝春秋、二〇一一年）
やましたひでこ『新・片づけ術　断捨離』（マガジンハウス、二〇〇九年）
近藤麻理恵『人生がときめく片づけの魔法』（サンマーク出版、二〇一一年）
村上春樹「街と、その不確かな壁」（「文學界」一九八〇年九月号、文藝春秋）
村上春樹『世界の終りとハードボイルド・ワンダーランド　上下』（新潮文庫、二〇一〇年）
村上春樹『街とその不確かな壁』（新潮社、二〇二三年）
洋泉社編集部編『増補改訂版　村上春樹　全小説ガイドブック』（洋泉社、二〇一三年）

Chapter4-1

クリスティーナ・ダルチャー『声の物語』(市田泉訳、早川書房、二〇一九年)
ジョージ・オーウェル『一九八四年 新訳版』(高橋和久訳、ハヤカワepi文庫、二〇〇九年)
レイ・ブラッドベリ『華氏451度 新訳版』(伊藤典夫訳、ハヤカワ文庫、二〇一四年)
マーガレット・アトウッド『侍女の物語』(斎藤英治訳、ハヤカワepi文庫、二〇〇一年)
スティーヴン・キング、オーウェン・キング『眠れる美女たち 上下』(白石朗訳、文藝春秋、二〇二〇年)
スティーヴン・キング『死の舞踏 恐怖についての10章』(安野玲訳、ちくま文庫、二〇一七年)
ナオミ・オルダーマン『パワー』(安原和見訳、河出書房新社、二〇一八年)
松田雅子『マーガレット・アトウッドのサバイバル ローカルからグローバルへの挑戦』(小鳥遊書房、二〇二〇年)
シェリー『フランケンシュタイン』(小林章夫訳、光文社古典新訳文庫、二〇一〇年)
メアリー・ビアード『舌を抜かれる女たち』(宮崎真紀訳、晶文社、二〇二〇年)

Chapter4-2

松田青子『持続可能な魂の利用』(中公文庫、二〇二三年)

Chapter4-3

よしながふみ『大奥』第一巻~第十九巻(白泉社、二〇〇五年―二〇二一年)
『太陽の地図帖039 よしながふみ『大奥』を旅する』(平凡社、二〇二一年)
マーガレット・アトウッド『誓願』(鴻巣友季子訳、早川書房、二〇二〇年)

Chapter5-1

デイヴィッド・A・プライス『メイキング・オブ・ピクサー　創造力をつくった人々』（櫻井祐子訳、早川書房、二〇〇九年）
『ディズニーファン　2015年9月号増刊　『トイ・ストーリー』パーフェクトブック』（二〇一五年）
ディズニーファン編集部編『ピクサークロニクル全史　『トイ・ストーリー』から貴重な短編まで』（講談社、二〇一九年）

Chapter5-2

カズオ・イシグロ『クララとお日さま』（土屋政雄訳、早川書房、二〇二一年）
カズオ・イシグロ『わたしを離さないで』（土屋政雄訳、ハヤカワ文庫、二〇〇八年）
イアン・マキューアン『恋するアダム』（村松潔訳、新潮社、二〇二一年）
アフマド・サアダーウィー『バグダードのフランケンシュタイン』（柳谷あゆみ訳、集英社、二〇二〇年）
ジャネット・ウィンターソン『フランキスシュタイン　ある愛の物語』（木原善彦訳、河出書房新社、二〇二一年）
平野啓一郎『本心』（文藝春秋、二〇二一年）
平野啓一郎『私とは何か　「個人」から「分人」へ』（講談社現代新書、二〇一二年）
シーナ・アイエンガー、フランシス・フクヤマ、ダロン・アセモグル、クリス・アンダーソン、リチャード・フロリダ、クレイトン・クリステンセン、カズオ・イシグロ著、大野和基インタビュー・編『知の最前線』（PHP新書、二〇一三年）

Chapter5-3

川上未映子『夏物語』（文藝春秋、二〇一九年）
『ＫＡＷＡＤＥムック　文藝別冊　川上未映子』（河出書房新社、二〇一九年）

Chapter6-1

「現代思想」二〇一九年十一月号「特集　反出生主義を考える」（青土社）
新海誠『小説　天気の子』（角川文庫、二〇一九年）
新海誠『小説　すずめの戸締まり』（角川文庫、二〇二二年）
榎本正樹『新海誠の世界　時空を超えて響きあう魂のゆくえ』（ＫＡＤＯＫＡＷＡ、二〇二一年）
藤田直哉『新海誠論』（作品社、二〇二二年）

Chapter6-2

大江健三郎『治療塔』（講談社文庫、二〇〇八年）
大江健三郎『治療塔惑星』（講談社文庫、二〇〇八年）
大江健三郎『僕が本当に若かった頃』（講談社文芸文庫、一九九六年）
大江健三郎『芽むしり仔撃ち』（新潮文庫、一九九七年）
大江健三郎『個人的な体験』（新潮文庫、一九八一年）
大江健三郎『空の怪物アグイー』（新潮文庫、一九八六年）
大江健三郎『洪水はわが魂に及び』（新潮文庫、一九八三年）
大江健三郎『ピンチランナー調書』（新潮文庫、一九八二年）

大江健三郎『新しい人よ眼ざめよ』（講談社、一九八三年）
大江健三郎『大江健三郎全小説12　燃えあがる緑の木』（講談社、二〇一九年）
大江健三郎、柄谷行人『大江健三郎　柄谷行人　全対話　世界と日本と日本人』（講談社、二〇一八年）
大江健三郎『想像力と状況　大江健三郎同時代論集　3』（岩波書店、一九八一年）
大江健三郎・すばる編集部編『大江健三郎・再発見』（集英社文庫、二〇〇一年）
尾崎真理子『大江健三郎全小説全解説』（講談社、二〇二〇年）
野崎歓『無垢の歌　大江健三郎と子供たちの物語』（生きのびるブックス、二〇二二年）
鴻巣友季子『文学は予言する』（新潮選書、二〇二二年）
「総特集大江健三郎　1935―2023」（「ユリイカ」増刊、青土社、二〇二三年）
劉慈欣『三体Ⅲ　死神永生』上下（大森望、光吉さくら、ワン・チャイ、泊功訳、早川書房、二〇二一年）
笠井潔『終焉の終り　1991文学的考察』（福武書店、一九九二年）
服部訓和「大江健三郎におけるウィリアム・ブレイク受容　フライによるブレイク」（「総合文化研究」20、二〇一四年）
ウィリアム・ブレイク『ブレイク全著作』（梅津濟美訳、名古屋大学出版会、一九八九年）

Chapter6-3

多和田葉子『地球にちりばめられて』（講談社文庫、二〇二一年）
多和田葉子『星に仄めかされて』（講談社文庫、二〇二三年）
多和田葉子『太陽諸島』（講談社、二〇二二年）
多和田葉子『献灯使』（講談社文庫、二〇一七年）

木村朗子、アンヌ・バヤール＝坂井編著『世界文学としての〈震災後文学〉』（明石書店、二〇二一年）

＊作品は本文登場順に記した。

著者　円堂都司昭（えんどう・としあき）

1963年生まれ。文芸・音楽評論家。1999年、「シングル・ルームとテーマパーク――綾辻行人『館』論」で第6回創元推理評論賞を受賞。2009年、『「謎」の解像度――ウェブ時代の本格ミステリ』（光文社）で第62回日本推理作家協会賞と第9回本格ミステリ大賞を受賞。著書に『戦後サブカル年代記――日本人が愛した「終末」と「再生」』（青土社）、『ディストピア・フィクション論――悪夢の現実と対峙する想像力』（作品社）、『意味も知らずにプログレを語るなかれ』（リットーミュージック）、共著に『ミステリー・スクール』（講談社）などがある。

ポスト・ディストピア論
逃げ場なき現実を超える想像力

2023年12月10日　第1刷印刷
2023年12月24日　第1刷発行

著者　円堂都司昭
発行人　清水一人
発行所　青土社
〒101-0051　東京都千代田区神田神保町1-29　市瀬ビル
［電話］03-3291-9831（編集）　03-3294-7829（営業）
［振替］00190-7-192955

組版　フレックスアート
印刷・製本　シナノ印刷
装幀　コバヤシタケシ

ISBN 978-4-7917-7608-5